Coups de folie en mer

histoires extraordinaires

2007
4bis

Du même auteur

Cowabunga ! Surf Saga, Le Chêne, 1976
Détour (roman), Le Dernier Terrain Vague, 1977
Mermere (roman), JC Lattès (prix Fiction), 1978, 1989
Larima Baie (roman), JC Lattès, 1985
Les Enfants du Capitaine Nemo (avec J. Rougerie), Arthaud, 1986
Fous de glisse (coauteur Alexandre Hurel), Albin Michel, 1990
Le Manuel du jeune Robinson (jeunesse, 4 vol.) Fleurus 1992
L'Homme des vagues (roman), Gallimard Jeunesse, 1992 (prix Versele, prix Pithiviers, prix Saint-Exupéry, prix de la Ville de Marseille)
Le Guide des voyages en cargo, JC Lattès, 1993, 1995, 1996, 1998, 2000
Les Indiens de la Ville Lumière (roman), Gallimard Jeunesse, 1995
La Nuit des dauphins (roman), JC Lattès, 1997
Une vague pour Manu (roman), Gallimard Jeunesse, 1998
Cent Pages de vagues (anthologie), Pimientos, 2001
Bodysurf, Aux origines du surf (coauteur Laurent Masurel), Atlantica 2002
Sables, Les Enfants perdus de Mermere (roman), JC Lattès, 2003
L'Eau est là (roman), JC Lattès 2005, prix Corail du livre maritime
Le Guide des voyages en cargo et « smallships », Éditions des Équateurs, 2006

« esprit d'**aventure** »

Hugo Verlomme

Coups de folie en mer

en mer

histoires extraordinaires

ARTHAUD

Dans la même collection

La Quête du désert, Éric Milet, 2005

© Arthaud, Paris, 2006
87, quai Panhard-et-Levassor
75647 Paris Cedex 13
Composition : Nord Compo
Tous droits réservés
ISBN : 2-7003-9622-7
ISSN : 1772-4899

SOMMAIRE

INTRODUCTION

La peur, la folie et la mer

« Dans l'eau, l'heure des poètes précède même celle des savants. Nous avons besoin d'écrivains et de poètes dans les profondeurs de la mer, tout autant que de biologistes et de géologues : pour nous aider à débrouiller la complexité de ce que nous voyons, pour nous fournir des instruments intellectuels commodes. »

Philippe Diolé, *L'Aventure sous-marine*° [1]

QUICONQUE s'est un jour frotté à la mer connaît cette émotion à la fois grandiose et vertigineuse qui s'empare des terriens que nous sommes à son contact. Chez les enfants, aucun élément ne fait autant l'unanimité, même auprès de ceux qui ne l'ont jamais vue. Comment expliquer cette émotion, cette folle attirance envers un milieu si dangereux, si destructeur ?

---

1. Les références des ouvrages cités dans le texte se trouvent page 299.

L'esprit le mieux trempé ne peut résister aux peurs et aux fantômes de l'océan, pas même Ulysse de Télémaque. L'insondable est là, sous nos yeux, qui nous renvoie à notre condition limitée : nous ne sommes, en fin de compte, que des bipèdes incapables de survivre plus de quelques instants sous l'eau, et nous n'occupons que le petit tiers d'une planète aquatique.

Face à l'océan, les hommes sont égaux. Il est notre berceau, notre destinée, il nous attire autant qu'il nous effraye. Une bonne partie de la population humaine vit aujourd'hui sur le littoral et les flots grignotent les terres au rythme d'une incroyable montée des eaux, alimentée par les crues, la fonte des glaciers, tempêtes et cyclones de plus en plus violents, tsunamis, vagues, etc.

Que nous le voulions ou non, l'océan est notre maître à tous. Il règne sans partage sur le globe avec ses 71 %, surface qui s'accroît au rythme des dérèglements climatiques. Îles englouties, terres inondées, la mer bouscule la géographie, semant mort et destruction sur son passage. Pourtant les hommes n'ont jamais été aussi nombreux à vouloir vivre à sa proximité ou à se lancer à l'assaut de l'horizon sur des bateaux, petits ou grands.

Une phrase célèbre, attribuée à des auteurs aussi divers que Platon ou Conrad, affirme : « Il y a les vivants, les morts et ceux qui naviguent sur les mers. » Une chose est sûre : l'océan est une autre dimension, sur laquelle tout devient possible, le paradis comme l'enfer ; aucune construction humaine, aussi solide fût-elle, ne peut résister à la douce force de l'eau. Et si jamais quelqu'un vous dit ne pas avoir peur en mer, il s'agit soit d'un menteur, soit d'un fou.

Mais qu'est-ce donc, dans l'océan, qui peut nous faire passer de l'extase à l'effroi en un clignement de paupière ? Quel est cet esprit supérieur qui habite ces eaux immémoriales et qui brette sans relâche ? Tu es goutte d'eau et tu redeviendras goutte d'eau... Il y a dans la mer une volonté supérieure, un esprit qui veille, plus vaste que ce que nous pouvons concevoir, et qui peut faire naître des sentiments d'émerveillement liés à la divinité ou à la religion. Peut-être cherchons-nous dans le ciel des mystères qui se trouvent là, sous notre nez... N'est-ce pas ce que sous-entend Victor Hugo, l'homme-océan ?

« La mer immense emplit l'horizon jusqu'aux bords,
L'immensité de Dieu remplit la mer immense. »

Face à l'immensité fracassante de l'océan, nous savons tous que la raison peut vaciller. C'est pourquoi les aventureux capitaines qui se lancent sur l'inconnu liquide se préparent au pire et lorsque par malheur celui-ci survient, ils savent, la plupart du temps, demeurer stoïques et efficaces jusqu'au dernier souffle afin de sauver leur navire et, incidemment, leur vie. « Seul maître à bord après Dieu », tel est le sort du capitaine coulant fièrement à la barre de son bateau.

Tout comme les montagnards, les gens de mer sont peu enclins à exprimer leurs émotions. Conditionné pour garder son sang-froid en toutes circonstances, le marin repousse les émotions comme l'eau glisse sur la plume de l'oiseau. À l'image d'Ulysse s'attachant au mât afin de résister aux sirènes, le marin s'efforce d'ignorer fantômes ou illusions provoqués par la peur, pour ne plus considérer que sa tâche face aux éléments. Tels Slocum ou Tabarly, bien des loups de mer confirmés, ayant vécu les pires tourments au cours d'une traversée, n'auront rien à raconter qui ne tienne en une seule phrase. Mais la mer en décide parfois autrement... Le père des navigateurs solitaires lui-même (le premier à avoir accompli un tour du monde en solitaire entre 1895 et 1898), Joshua Slocum, pourtant très réservé et maniant la litote, a connu son petit coup de folie. De passage aux Açores, Slocum avait reçu un cadeau de l'ambassadeur des États-Unis : du fromage de chèvre et des prunes. Alors qu'il est seul en pleine mer, le mélange lui cause une terrible indigestion qui lui fait perdre connaissance. En pleine nuit, il se réveille et voit un équipier de Christophe Colomb qui tient la barre du *Spray* et le rassure, comme le raconte Slocum dans *Seul autour du monde sur un voilier de onze mètres** :

« Lorsque je revins à moi, je sentis immédiatement que le sloop tanguait très bas dans une mer très grosse. [...] Je vis avec stupéfaction qu'il y avait un homme à la barre du *Spray* !... Il tenait d'une main ferme les poignées de la roue. On peut imaginer mon ahurissement ! Vêtu comme un marin étranger, il portait un grand bonnet rouge incliné sur l'oreille gauche ; sa figure était recouverte d'une épaisse barbe noire en broussaille ; dans n'importe quelle partie du monde, on l'aurait immédiatement pris pour un pirate. Pendant que je regardais avec stupeur son aspect menaçant, j'oubliais la tempête et me demandais s'il était venu à bord dans l'intention de me couper la gorge. Il sembla deviner ma pensée :

« "Señor, dit-il en ôtant son bonnet, je ne suis pas venu vous faire du mal. J'ai beaucoup navigué mais je n'ai jamais été rien de pire qu'un *contrabandista*. J'appartiens à l'équipage de Christophe Colomb, continua-t-il. Je suis pilote de la *Pinta* et suis venu vous aider. Soyez tranquille, señor Capitaine, je conduirai votre bateau cette nuit. Vous avez une *calentura* [indigestion], mais cela ira mieux demain..."

« Je pensais qu'il avait le diable au corps pour continuer à porter de la toile par un temps pareil. À nouveau, comme s'il lisait en moi, il s'exclama :

« "La *Pinta* est là-bas, devant nous, et nous devons la rattraper. Il faut de la toile ! *Vale ! Vale ! muy vale !"*

« Puis se coupant avec les dents une grosse chique de tabac noir, il ajouta :

« "Vous avez eu tort, capitaine, de mélanger les prunes avec le fromage... Il faut toujours connaître l'origine du fromage blanc que l'on mange. *Quien sabe*, il a peut-être été fait avec du *leche de capra* [lait de chèvre], ce qui l'a rendu capricieux...

« — Assez ! criai-je. Je ne suis pas disposé à entendre un cours de morale..."

« J'étendis un matelas par terre afin de ne pas rester à même le plancher nu et m'y couchai, les yeux toujours fixés sur mon étrange visiteur qui, après avoir remarqué à nouveau que je n'avais "que des douleurs et une *calentura*", ricana, puis se mit à hurler une chanson sauvage :

« "Hautes sont les lames farouches et étincelantes !

« Haut est le rugissement de la tempête !

« Haut le cri des oiseaux de mer !

« Hautes sont les Açores !"

« Sans doute mon état s'améliorait-il, car j'eus la force de remarquer avec aigreur :

« "Vous m'ennuyez avec votre chanson. Si vos Açores étaient de respectables oiseaux, elles seraient, à l'heure qu'il est, en train de dormir sur leur perchoir." »

La plupart des récits de mer sont factuels, y compris lors de moments paroxystiques. Pourtant, lorsqu'on gratte la carapace, on s'aperçoit que derrière ces remparts de solidité, de vrais sentiments bouillonnent, qui ne demandent qu'à s'exprimer... Sur le coup, en pleine tempête par exemple, le cerveau se « gèle » au niveau des émotions : pas de place ici pour la peur, cette bouffeuse d'oxygène qui fait commettre tant d'erreurs de jugement. Ce n'est qu'une fois la difficulté passée que l'esprit se lâche...

J'ai ainsi vécu une expérience de mer que j'ai mis longtemps, par la suite, à digérer. Nous nous trouvions en famille avec un ami skipper, sur son voilier en mer des Antilles, entre l'île de Saint-Barthélemy et Antigua. Une traversée sans histoire, bon vent belle mer, soleil, houle et brise appuyée. Mais un incident est venu émailler ce moment parfait lorsque mon plus jeune fils, âgé de six ans, est tombé à l'eau. Le voilier filait à bonne allure, nous traînions deux lignes de pêche pour prendre des bonites et le soleil se reflétait violemment sur la houle bien formée.

Je me suis retrouvé à l'eau sans même savoir comment, ayant sauté par automatisme ; puis j'ai nagé jusqu'à lui pour le prendre dans mes bras. Nous avions traversé l'océan plusieurs fois auparavant à bord d'un paquebot, y compris aux âges où les enfants courent et grimpent partout. Je m'étais donc depuis longtemps programmé à réagir pour le cas où l'un d'eux passerait par-dessus bord. Si possible se procurer une bouée de sauvetage, s'assurer que quelqu'un est prévenu, puis sauter à mon tour, quelles que soient les circonstances. J'avais de nombreuses fois passé la procédure en revue dans ma tête. C'est pourquoi lorsque mon fils est tombé, j'ai sauté.

Une fois que je le tins contre moi, ma première pensée fut pour cette ligne à thon que nous traînions et que je sentais défiler sur mon bras... Je savais qu'au bout était fixé un gros hameçon acéré risquant d'un instant à l'autre de m'arracher un morceau d'épaule... Par miracle, l'hameçon ne nous toucha pas, mais en quelques secondes je dus me résoudre à constater que non seulement je ne voyais pas la coque du *Muscadet*, mais qu'en outre je ne distinguais *même plus le haut du mât* ! Cela signifiait que mon fils et moi, minuscules trous d'épingles sur la houle étincelante de cette fin d'après-midi, étions tout bonnement invisibles pour des observateurs situés au niveau de l'eau.

Nous nous trouvions hors de vue des terres. La seule chose que je remarquai, à quelques encablures, était un flotteur signalant un filet ou un casier de pêcheurs. Je n'ignorais pas la complexité de la manœuvre à effectuer en cas d'homme à la mer : faire un huit et prier que vents et courants ramènent l'embarcation à l'endroit précis où nous étions tombés, à condition que nous n'ayons pas trop dérivé... Nous restions calmes tous deux dans cette eau à la température tropicale, car nous avions l'habitude de passer des heures à nager ou pêcher chaque jour ; le soleil brillait et l'on pouvait presque se croire en vacances, n'eussent été les milles qui nous séparaient de toute terre et les centaines de mètres d'eau sous nos pieds. Nous étions vulnérables ; seuls, nos chances de survie semblaient faibles, voire nulles. Pendant quelques éternelles secondes, mon unique point de repère fut ce flotteur et je me dis que si nous étions perdus, nous pourrions peut-être nous y accrocher pour la nuit. La pensée des requins me traversa l'esprit... Nous étions si petits dans l'immensité, simples étoiles dans le firmament, poussières de plancton dans les bras maternels de l'océan...

Nous n'eûmes pas le temps d'avoir vraiment peur : le skipper, qui avait traversé l'Atlantique en solitaire, connaissait merveilleusement bien son bateau et revint pile sur nous en nous faisant de grands signes. Nous étions sauvés. Nous remontâmes à bord, conscients d'avoir eu beaucoup de chance et la vie reprit son cours.

Pas de « coup de folie » dans l'action, et pourtant des jours plus tard, je me sentais encore fragilisé, la larme à l'œil et l'inquiétude au ventre, comme si nous n'étions pas encore tout à fait sauvés. La peur revenait me hanter rétrospectivement et je ne pouvais m'empêcher de concevoir divers scénarios. Je nous imaginais nageant jusqu'à épuisement, faisant la planche pendant des heures en écoutant d'éventuels bruits de moteur sous l'eau, ou nous ligotant au flotteur en attendant le retour des pêcheurs, ou bien encore mourant de peur, de froid... À moins que d'hypothétiques dauphins fussent venus à notre secours, tout comme pour le musicien Arion de la légende, jeté à la mer par des pirates puis ramené au port (avant les pirates eux-mêmes !) sur le dos d'un dauphin charmé par sa musique ?

Imagination de romancier, direz-vous ? Sans doute, mais méfiez-vous de ces moments intenses où l'esprit n'a pas l'occasion de se « défouler » : c'est souvent après le creux de la vague que les émotions refluent pour venir nous titiller en flash-back au moment où l'on s'y attend le moins... Ainsi la navigatrice Maud Fontenoy se souvient que, des jours après son arrivée à terre suivant sa longue traversée du Pacifique à la rame (quatre mois), elle se dressait encore sur son lit en pleine nuit, persuadée qu'un cargo s'apprêtait à la couler...

Et c'est le but de ce livre : aller au-delà des faits, trop souvent privilégiés dans ces récits, au détriment de l'émotionnel ou du spirituel. Bien souvent, lorsqu'on referme un récit de mer, on ne sait pas ce que pense l'auteur, ni ce qu'il ressent. Nous avons voulu gratter derrière ces fortunes de mer, extases hauturières ou drames humains, pour faire remonter

à la surface cette émotion profonde et suprême, en lien avec
« l'Entité océanique » (l'« infini vivant », comme l'appelaient
conjointement Victor Hugo et Jules Verne), où se dissol-
vent toutes les peurs, les folies et les destinées.

Les récits qui suivent se regroupent en trois parties : *sur* l'eau
pour ceux qui naviguent, *dans* l'eau pour ceux qui nagent où
glissent à sa surface, et *sous* l'eau pour ceux qui osent affronter les profondeurs.

I

Sur l'eau

POURQUOI les forêts ont-elles leurs elfes, trolls, lutins, hobbits, licornes et autres innombrables créatures mythiques, et pas l'océan ? Quelles mythologies pour la grande bleue, hors des légendes ressassées, l'Atlantide, Mu, Ys et quelques cités sous-marines ? Quelles divinités ou créatures marines, hors sirènes et Neptunes ? On dirait que, depuis Gilgamesh et Platon, rien de nouveau n'a été créé sous le soleil noir des abysses. Qui donc sont les dieux qui habitent les flots ? Les nymphes qui planent dans les vagues ? Comment s'appellent les présences tapies dans les grands fonds ?

Certes, les civilisations polynésiennes ou scandinaves ont dû créer leur lot de mythologies autour de leur pratique et amour de la mer, mais elles n'ont guère laissé de traces : le bois des totems ou celui des drakkars est biodégradable et la tradition orale, ou les histoires inscrites dans le sable des plages ont été depuis longtemps balayées par vents et marées. Avec la mer pourtant, les bonnes histoires ne manquent pas. Elle est à ce point un creuset des âmes qu'elle suscite les sentiments les plus extrêmes. Passion dévorante, peur insurmontable, adoration, répulsion, paradis pour les uns, enfer pour les autres...

Étonnant à quel point notre histoire marine et maritime est mal connue. Pourquoi n'existe-t-il pas de livres d'histoire pour les mers et les océans ? Peut-on à ce point négliger d'un revers de manche les deux tiers de la planète ? Afin de créer des civilisations, n'a-t-il pas fallu oser se lancer sur les mers à bord d'embarcations fragiles ? Richesses et colonies sont allées tout d'abord aux meilleurs marins. Mais ne sous-estimons pas la dose de courage nécessaire pour oser se lancer à l'époque sur cette étendue infinie sans avoir la moindre idée de ce qui pouvait se trouver au-delà. Certains explorateurs craignaient de basculer corps et biens dans le vide sidéral lorsque leur navire arriverait « au bout du monde ».

La peur a toujours été la compagne des marins. Impossible de l'ignorer, mais impossible aussi de se donner à elle. La mer est l'ultime frontière, un univers mal connu, peu étudié... Les explorateurs anciens décrivaient des monstres redou- tables surgissant des flots, et l'on continue, aujourd'hui encore, à découvrir de nouvelles espèces dans les abysses. Au retour de son voyage, le capitaine Cook prétendait : « Les dangers sont si grands que j'ose dire que personne ne se hasardera à aller plus loin que moi. » Cela peut prêter à sourire et pourtant, s'il est vrai que nos navires font sans cesse le tour du monde, nous n'avons pas tant progressé que cela dans la connaissance marine depuis Cook. Victor Hugo, qui a si souvent sondé la mer, exprime cet effroi :

« Là, se roule et se dresse, et gronde et hurle et beugle

L'océan, monstre horrible, informe, vaste, aveugle.

Ô glace inexprimable ! ô frissons de l'effroi !

Sans rien voir que de l'ombre, on sent autour de soi

Une agonie immense et muette qui souffre ;

L'âme aperçoit partout des horizons de gouffre ;
Et ce qu'on ne voit pas épouvante, et le bruit
Se lamente, et des bras se tordent dans la nuit. »

Il n'y a pas si longtemps, le triangle des Bermudes – où avaient disparu navires et avions – faisait encore couler beaucoup d'encre. Toutes les suppositions avaient été émises, pirates, tourbillons, extraterrestres, bulles géantes, maelströms...
Mais le plus souvent, ce sont les hommes eux-mêmes avec leur folie, leur cruauté, qui ont signé les pages les plus terribles des mythes marins. Que ce soient *Le Radeau de la Méduse* ou le déchaînement meurtrier des marins du *Batavia**, que ce soit la folie monolithique du capitaine Bligh à bord du *Bounty*, celle d'Achab dans *Moby Dick**, ou celle d'un Nemo visionnaire à bord de son *Nautilus*, c'est avant tout l'histoire d'un homme face à l'océan qui transparaît.

Si les récits merveilleux d'un Sindbad ou d'un Homère marquent les débuts de notre ère et la conquête maritime du monde, il faudra attendre les grandes heures de la navigation, au XVIIᵉ siècle, et de nombreuses tragédies célèbres, pour donner aux mythes marins leurs lettres de noblesse. La mer se peuple soudain de vaisseaux fantômes qui rôdent dans le brouillard ou dans les calmes. La tempête devient un impitoyable face-à-face entre l'homme et l'immensité insondable. Mais au-delà de l'élément océanique, nous sommes toujours en prise avec les dieux.
Plus une légende a la vie dure, plus elle contient de vérité. Le thème du vaisseau fantôme est bien implanté dans les consciences. Le *Flying Dutchman* (*Le Hollandais volant*) en est l'archétype. Il incarne le côté occulte des mers, la mort, la vengeance divine, l'errance des âmes damnées...

Voilà un beau navire hollandais qui revient de Java et s'apprête à franchir le cap de Bonne-Espérance. Un homme encore jeune se trouve à bord, qui a fait fortune dans les colonies : Diedrich, un orphelin qui rapporte des sacs d'or au pays, dans le but d'aider les enfants pauvres et sans parents. L'équipage, composé de criminels, ne tarde pas à s'emparer de son or avant de jeter le jeune homme, ainsi que le capitaine, par-dessus bord. Mais avant d'avoir pu gagner la côte, les marins sont frappés d'une peste étrange qui les ronge sans les tuer. Véritables morts vivants, ils sont maudits, repoussés de tous les ports et condamnés à errer avec leur or, constamment bousculés par les tempêtes.

Des années plus tard, le vaisseau fantôme *Flying Dutchman* erre encore parmi les tempêtes, ses voiles arrachées, son équipage en lambeaux, mais toujours vivant ! Selon l'historien de mer Robert de La Croix (*Mystères de la mer**), entre 1891 et 1893 les rapports officiels des capitaines au long cours signalèrent mille six cent vingt-huit apparitions de vaisseaux fantômes ! Dans son roman onirique *Aventures d'Arthur Gordon Pym**(1837), Edgar Allan Poe relate en détail une rencontre avec un tel vaisseau fantôme :

« Soudainement, du mystérieux navire maintenant tout proche de nous, arrivèrent, portées sur l'océan, une odeur, une puanteur telles qu'il n'y a pas dans le monde de mots pour l'exprimer – infernales, suffocantes, intolérables, inconcevables ! [...] Oublierai-je jamais la triple horreur de ce spectacle ? Vingt-cinq ou trente corps humains, parmi lesquels des femmes, gisaient disséminés çà et là entre l'arrière et la cambuse dans le dernier et le plus dégoûtant état de putréfaction ! Nous vîmes clairement qu'il n'y avait pas une âme vivante sur ce bateau maudit. »

Victor Hugo, lui aussi, fait allusion à ce navire dans *La Légende des siècles** :

« Dans les mers il n'est pas rare
Que la foudre au lieu de phare
Brille dans l'air,
Et que sur l'eau qui se dresse
Le sloop-fantôme apparaisse
Dans un éclair. [...]
"C'est *Le Hollandais* ! La barque !
Que le doigt flamboyant marque
L'esquif puni !
C'est la voile scélérate !
C'est le sinistre pirate
De l'infini !" »

«   »

Naufrages ineffables

Bien des « coups de folie en mer » se sont produits à la suite d'un naufrage. Situation de stress par excellence, survie, confinement, conditions difficiles, sensation d'abandon, attaques de requins, tempêtes, folie des autres naufragés, meurtres, anthropophagie, ces récits comportent presque tous des moments où la raison a vacillé. Récits passionnants, poignants, qui ont fait dire à Jack London, lui aussi navigateur : « Les plus belles histoires commencent toujours par un naufrage. »
Épuisement, stress et déshydratation provoquent immanquablement des hallucinations plus ou moins difficiles à

contrôler. Souvent les naufragés affamés visualisent des festins avec une précision hyperréaliste, tendant la main vers des mets aussi appétissants qu'imaginaires, d'autres voient des bateaux se porter à leur secours, des terres qui n'existent pas, ils aperçoivent leurs proches venus les rassurer, entendent des cloches...

Et lorsque la survie dépend des vivres disponibles ou de l'espace vital, les hommes peuvent se transformer en bêtes féroces, comme le montrent les récits de Corréard ou Savigny*, rescapés du *Radeau de la Méduse* (1816) :

« Au milieu de cette démence générale, on vit des infortunés courir sur leurs compagnons, le sabre à la main, et leur demander une aile de poulet et du pain pour apaiser la faim qui les dévorait ; d'autres demandaient leurs hamacs afin d'aller, disaient-ils, dans l'entrepont de la frégate prendre quelques instants de repos. Plusieurs se croyaient encore à bord de la *Méduse*, entourés des mêmes objets qu'ils y voyaient tous les jours ; ceux-là voyaient des navires et les appelaient à leur secours, ou bien une rade dans le fond de laquelle était une superbe ville. [...]

« Ceux que la mort avait épargnés, dans la nuit désastreuse que je viens de décrire, se précipitèrent avidement sur les cadavres dont le radeau était couvert, les coupèrent par tranches et quelques-uns les dévorèrent à l'instant. [...]

« Après une longue délibération, on décida de jeter les malades à la mer. Ce moyen, quelque répugnant qu'il nous parût à nous-mêmes, procurait aux survivants six jours de vivres... Trois matelots et un soldat se chargèrent de cette cruelle exécution. Nous détournâmes les yeux et versâmes des larmes sur le sort de ces infortunés. Ce sacrifice sauva les quinze qui restaient.

« Après cette catastrophe, nous jetâmes toutes les armes à la mer ; elles nous inspiraient une horreur dont nous n'étions pas maîtres. Les caractères étaient aigris ; jusque dans le sommeil, nous nous représentions les membres déchirés de nos malheureux compagnons et nous invoquions la mort à grands cris. Une soif ardente, redoublée par les rayons d'un soleil brûlant, nous dévorait ; elle fut telle que nos lèvres desséchées s'abreuvaient avec avidité de l'urine qu'on faisait refroidir dans des petits vases de fer-blanc... »

Pour les naufragés perdus dans l'immensité l'impression qui domine et qui donne le vertige, c'est de se trouver sur une autre planète, au ras de l'eau, en ne dépendant que de soi-même et des humeurs de l'océan. C'est sans doute ce que cherche à exprimer l'un des marins du *Bounty*, abandonnés par les mutinés avec leur capitaine sur une petite baleinière en plein Pacifique :

« Vers le milieu de l'après-midi, Nelson rompit un silence qui semblait durer depuis des heures. Puis-je vous dire en toute liberté, M. Bligh, déclara-t-il avec un sourire éteint, que cette mer est si vaste, si paisible, que j'en viendrais presque à douter de sa réalité autant que de la nôtre.

« — Voilà une bien étrange chimère, fit Bligh. Mais cette mer est bel et bien réelle. Cela, je vous le jure. »

Un marin de la trempe de Bligh a su tenir ses dix-huit hommes dans une chaloupe grâce à sa discipline de fer et garder un bon moral en les empêchant de flancher, moyennant quoi, ils naviguèrent ainsi quarante-cinq jours avant d'atteindre une terre, trois mille six cent dix-huit milles plus loin. Après son retour, Bligh trouva un nouveau navire et partit aussitôt pourchasser le *Bounty*...

Un naufrage est un condensé de l'âme humaine et dans ces moments extrêmes tous les comportements deviennent possibles. Dans *Drames de la mer**, Jean-Paul Ollivier parle de l'*Estonia* en train de couler : « Sur le pont, des enfants et des vieillards se tiennent prostrés. La plupart, résignés, pleurent. » L'un des rescapés décrit : « Ce qui m'a sauvé, c'est d'avoir compris que je ne devais compter que sur moi-même. Je ne voulais pas renoncer, comme ces retraités suédois qui, le regard vitreux, contemplaient le pont s'échappant sous leurs pieds sans réagir. »

À bord du *Titanic*, c'est un autre spectacle qui s'offre, sous la plume de Jean Merrien* :

« Le paquebot s'enfonce par l'avant. L'orchestre rassemblé joue des airs de danse. Les passagers de première classe continuent d'être évacués en bon ordre, mais les canots restent à demi vides car beaucoup ne se présentent pas. [...] L'orchestre joue toujours des airs entraînants. Des scènes étranges commencent d'avoir lieu : une passagère, déjà à bord d'un canot, veut que l'y rejoigne son chien danois ; comme on le lui refuse, elle monte à bord du paquebot, "pour mourir avec lui". Des passagers se sont mis en habit "pour mourir en gentlemen". Au gymnase, le moniteur regarde deux riches passagers qui, paisiblement, actionnent les pédales des bicyclettes, alors qu'un autre s'exerce au punching-ball. »

Dans *Naufragés à la dérive**, Luc-Christophe Guillerm cite le cas surprenant des naufragés de l'*Indianapolis*, en 1945, qui ont longtemps séjourné dans l'eau :

« Ils ont relaté des troubles psychologiques, surtout au bout de quarante-huit heures, avec non seulement des paniques,

mais aussi des épisodes délirants et des hallucinations visi-
blement non critiquées, complexes, construites avec un scé-
nario : visions collectives du bateau qui n'a pas coulé
complètement, avec une buvette offrant des glaces à six par-
fums, des robinets distribuant de l'eau fraîche et des nageurs
plongeant dans l'eau pour chercher cette buvette dès que la
nouvelle se répand ; vision d'une île avec terrain d'atterrissage et hôtel ; un matelot victime de troubles du jugement
annonce qu'il pense pouvoir rejoindre la terre (située à cinq
cents milles) et les quitte avec un signe de la main ; un autre
dit avoir perdu ses clefs de voiture et plonge les chercher,
car il doit aller à la ferme où on lui donnera du lait frais...
Le délire est, de façon étonnante, quasi collectif. »

Et que dire de l'événement surnaturel vécu par des pêcheurs
polynésiens à la dérive pendant soixante-quatre jours dans
une embarcation de quatre mètres ? Alors qu'ils se trouvent
depuis deux jours dans le calme plat et totalement affamés,
une intervention quasi divine va leur apporter une manne
inespérée, comme le raconte Barry Wynne dans *L'Agonie du
Tearoha** :
« Tout à coup, sans que rien pût le laisser prévoir, la mer
d'huile parut s'ouvrir devant l'étrave. Quelque chose,
qui ressemblait à un bras tendu, surgit de l'onde, juste
devant son regard ébahi, et précipita une masse gélatineuse
– des poulpes – sur le pontage avant, tout contre l'homme
étendu... En proie à une stupeur sans bornes, les hommes
du *Tearoha* demeuraient bouche bée, médusés, incapables de
comprendre ce prodige, d'autant qu'aucune lame n'avait
brisé sur l'étrave depuis plus de deux jours. Le mystérieux
bras avait déposé exactement quinze poulpes dans l'esquif ;
deux pour chaque homme du bord et un supplémentaire. »

Quant à Tavae, pêcheur tahitien perdu à la dérive pendant cent dix-huit jours (en 2003), il survit grâce à son savoir-faire, mais aussi grâce à ses compagnons : de minuscules poissons qu'il a recueillis dans un seau d'eau de mer, avec lesquels il entretient de véritables dialogues, tels qu'on peut le lire dans *L'Agonie du Tearoha* * :

« Je ne vais pas vous manger, vous êtes bien trop petits... Je vous envie de voyager en famille ; moi, ici, je suis tout seul, je n'ai personne à qui parler. Vous le saviez, ça, que j'étais seul ? Perdu ? Loin des miens ? Ah, vous ne le saviez pas ! Forcément, là-dessous, vous ne voyez rien de ce qui se passe sur l'eau. Parfois, la nuit, les sanglots me prennent et il m'arrive d'appeler Temarii tout haut. Mais vous ne m'entendez pas non plus, hein ? Quand je crie vers le ciel, est-ce que vous m'entendez ? Je vous parle et vous ne pensez qu'à jouer... »

Mais le plus dur, c'est sans doute de voir partir les siens, comme l'a vécu Louise Longo en 1994, dans un canot de sauvetage : elle perd son compagnon, puis voit se détourner d'elle un cargo au moment où sa fille de six ans meurt dans ses bras, comme elle le raconte dans son livre poignant *Elle dort dans la mer** :

« Je vais mettre ma fille à l'eau, pour qu'elle rejoigne son père. Je ne peux pas rester là à la regarder flotter, son regard noyé me rend folle. J'ai supporté le corps de Bernard pendant trois jours. Celui de ma fille, c'est l'horreur, le désespoir à l'état pur. Je suis dépassée, ce n'est plus moi qui agis. Et pourtant chaque geste de ce moment-là est gravé dans mon cerveau. Je vais défaire mon gilet de sauvetage et me suicider. Je vais couler tout simplement à pic. Un imbécile de journaliste m'a demandé plus tard : "Mais comment vouliez-vous vous y prendre pour vous suicider ?" Ce n'est pas le genre de question qu'on se pose. D'ailleurs on ne se pose plus de questions du tout. »

Dans certains cas, on ne sait ce qui est pire : les fureurs de la mer ou la folie des hommes ? Pour calmer une tempête, certains marins n'ont pas hésité à désigner un coupable : Jonas dans les temps bibliques ou *Le Nègre du Narcisse**, roman de Conrad dans lequel un homme embarque au dernier moment, Jimmy, un Noir qui tombe malade à bord et devient peu à peu le bouc émissaire, la cause de tous leurs tourments, tempêtes, calmes, vents contraires ; le cuistot du bord finit par expliquer aux autres que tant que Jimmy reste vivant, le navire n'arrivera pas à destination :
« "Les hommes mortellement malades, assurait-il, tiennent jusqu'à ce que la terre soit en vue, puis ils meurent" ; et Jimmy savait que la première terre le priverait de la vie. Il en est ainsi dans tous les navires. Il nous demanda avec un austère dédain : ne savions-nous donc rien ? Ce désir de Jimmy, encouragé par les sortilèges du Finlandais Wamibo, retardait le navire en pleine mer. Seuls de stupides balourds ne pouvaient le voir. Qui avait jamais entendu parler d'une telle série de calmes et de vents debout ? »
Et ce même cuistot laisse par moments sa conscience divaguer dans des émotions contradictoires au rythme du roulis :
« "Cette âme noire – plus noire – corps – pourriture – démon. Non ! Parler – force – Samson..." Il y avait un énorme fracas comme de cymbales dans ses oreilles ; il vit en un éclair une mêlée extatique de visages rayonnants, de lis, de livres de prières, de joies supraterrestres, de linge blanc, de harpes d'or, de jaquettes noires, d'ailes. »

Si les tempêtes alimentent une bonne partie des récits de mer, le Pot-au-Noir, cette zone de la mer des Sargasses où les vents ne soufflent pas durant de longues périodes, est l'un des endroits les plus propices à la peur, aux histoires d'horreur ou de fantômes, comme dans l'angoissant polar de Charles Williams, *Calme blanc**...

Bien des marins ayant résisté à la terreur des vagues ont flanché face aux calmes persistants. Combien de temps peut-on tenir, épuisé, déshydraté, écrasé par le soleil, sans vent, englué sur une eau ressemblant à du mercure, attendant un simple souffle qui ne vient jamais, pour pouvoir enfin respirer et continuer le voyage ?

« »

La Latitude du cheval

Aux siècles de la Conquête, de nombreux galions des *conquistadores* espagnols se sont trouvés prisonniers de la mer des Sargasses, leurs cales pleines de chevaux destinés à galoper sur les prairies du Nouveau Monde... Des jours et des jours sans vent ni courant. Les réserves d'eau s'épuisent. La maladie et la peur gagnent les navires. On ne peut plus nourrir ni désaltérer les chevaux qui piaffent et paniquent. Dès lors, il devient nécessaire de les jeter par-dessus bord. C'est une vision d'horreur que de les voir agoniser autour des navires, battre l'eau de leurs sabots, hennir de désespoir en fixant leurs bourreaux de leurs grands yeux exorbités, les naseaux pleins d'écume...

Puis les chevaux se noient, se taisant enfin, mais l'horreur n'en continue pas moins, car bientôt les corps flottent alentour, comme aimantés aux coques des navires, se gonflant au fur et à mesure qu'une putréfaction pestilentielle les gagne, attirant à eux la maladie et divers charognards, ainsi que des nuées de mouches venues d'on ne sait où. La nuit, des marins croient entendre les chevaux galoper non loin des navires et se jettent à leur tour par-dessus bord.

Voilà pourquoi on appelle aussi cette région océanique la « Latitude du cheval », d'où la fameuse chanson de Jim Morrisson, créateur des Doors, poète et chanteur rock toujours idolâtré : *Horse Latitudes* (1967), chanson qu'il écrivit à l'âge de seize ans et qui raconte précisément cet instant ahurissant où les marins espagnols ont dû jeter leurs chevaux à la mer :

« Lorsque la mer immobile conspire une armure

Et que ses courants avortés engendrent des monstres minuscules,

La vraie marine à voile est morte !

Instant de malaise, le premier animal est jeté par-dessus bord,

Les pattes pompent furieusement le vide,

Leur galop vert se raidit,

Leurs têtes surgissent une dernière fois... »

Mais comment parler du Pot-au-Noir sans citer le fameux *Dit du vieux marin** de Coleridge (1798), opiomane notoire, qui évoque comment la folie gagne les marins d'un équipage. Le navire menaçant d'être poussé sur les côtes antarctiques par une tempête, un albatros, oiseau de bon augure, les sauve et les mène dans la bonne direction. Mais le vieux marin tue l'albatros avec son arbalète, et dès lors la malédiction frappe le navire qui se retrouve encalminé des jours et des jours dans les zones de calme. Peu à peu les marins meurent de soif :

« Jour après jour, jour après jour,
Nous restâmes glués, sans un souffle ni un geste ;
Aussi inactifs qu'un bateau peint
Sur la toile d'une marine.
De l'eau, de l'eau partout,
Et toutes les planches rétrécissaient.
De l'eau, de l'eau partout,
Et pas une seule goutte à boire. »

Et lorsque enfin un navire s'approche d'eux, c'est l'incarnation de la mort. Sur le pont, une femme aux cheveux de feu et à la peau de lépreuse joue aux dés le sort de l'équipage : « Le navire squelette passa près de notre bord et nous vîmes le couple jouant aux dés. "Le jeu est fini, j'ai gagné ! J'ai gagné !" disait Vie-dans-la-Mort, et nous l'entendîmes siffler trois fois. Les extrémités supérieures du soleil plongèrent dans l'onde ; les étoiles jaillirent du ciel et d'un seul bond vint la nuit. Le navire spectral s'éloigna sur la mer avec un murmure qu'on entendait de loin. »

Pour expier sa faute, le vieux marin, seul survivant du désastre qu'il a provoqué, est condamné à errer en racontant à tous sa terrible histoire.

C'est forcément imbibé de ces histoires de mer, d'explorations lointaines, de vaisseaux fantômes, qu'Edgar Allan Poe entreprend l'écriture de son seul et unique roman : *Aventures d'Arthur Gordon Pym*, qui se présente comme le récit authentique d'un voyageur revenu de périples maritimes au cours desquels il a connu la révolte, la mutinerie, le cannibalisme, avant de dériver dans les eaux antarctiques où il a rencontré le « géant blanc », tandis que les oiseaux des latitudes australes poussaient leur terrible cri : « Tekeli-li ! » Livre méconnu (traduit par Baudelaire), récit de mer exemplaire, aussi halluciné qu'énigmatique, à plus d'un moment la raison y vacille, comme lors de cette digression du héros sur le mouvement, tandis que leur goélette est immobilisée par calme plat en plein Atlantique Sud :

« ... Je tombai dans une quasi-insensibilité durant laquelle les images les plus charmantes flottèrent dans mon cerveau : des arbres verdoyants, des prés magnifiques où ondulait le blé mûr, des processions de jeunes danseuses, de superbes troupes de cavalerie et autres fantasmagories. Je me rappelle maintenant que, dans tout ce qui défilait devant l'œil de mon esprit, le *mouvement* était l'idée prédominante. Ainsi, je ne rêvais jamais d'un objet immobile, tel qu'une maison, une montagne ou tout autre du même genre ; mais des moulins à vent, des navires, de grands oiseaux, des ballons, des hommes à cheval, des voitures filant à une vitesse furieuse, et autres objets mouvants, se présentaient à moi et se succédaient interminablement. »

« »

Une course folle

D'une certaine façon, on pourrait rapprocher ces histoires mystérieuses de celle de Donald Crowhurst. Voici un récit exemplaire, contenant tous les ingrédients du coup de folie en mer : une course échevelée, des fortunes de mer, une incroyable supercherie, la montée de la folie, un suicide, un retournement de dernière minute, un mystère occulte, la mer des Sargasses, le triangle des Bermudes... Cette histoire a tant marqué les esprits qu'aujourd'hui encore elle donne lieu à des films, des livres, des pièces de théâtre, des réflexions, des sites Internet...

C'est en 1968 que le *Sunday Times* organise la première course en solitaire autour du monde sans escale. L'un des candidats s'appelle Donald Crowhurst ; c'est un jeune businessman anglais qui n'a que peu d'expérience de la voile. Or, après quelques semaines de course, il semble bien que c'est lui qui est en tête, devant des marins chevronnés tels que Bernard Moitessier, Bill King, Loïck Fougeron ou Robin Knox-Johnston. Au fur et à mesure de cette victoire annoncée, la tension monte : en voulant aller plus vite que Crowhurst, Nigel Tetley, un autre concurrent, fait naufrage. En Grande-Bretagne, une foule enthousiaste attend déjà le retour héroïque de Crowhurst.

Mais voilà : en cette époque où n'existent ni balises, ni communication satellite, cette victoire n'est en fin de compte qu'une supercherie. En effet, Crowhurst, loin derrière les autres concurrents, a choisi une zone de calmes en mer des Sargasses, où il s'est « installé ». De là, le jeune Anglais envoie sa position présumée par radio, se donnant de l'avance sur les autres concurrents, alors qu'en réalité il fait des ronds dans l'eau loin derrière eux. Pendant cette étrange période, seul en mer avec son insupportable mensonge, Crowhurst devient fou : il s'enferme dans son carré et rédige deux tomes de son livre de bord, où il élabore d'étranges théories philosophiques qui le mènent à un état mystique. Pour couronner le tout, on dit de son catamaran, le *Teignmouth Electron*, qu'il est maudit et aurait déjà porté malheur aux propriétaires précédents... Crowhurst couvre son livre de bord d'inscriptions bizarres et se dit hanté par le chiffre 243, qui lui sera finalement fatal. Ses écrits parlent d'un système philosophique contrôlant le monde qui s'appellerait le *World Brain* (le « Cerveau-monde ») ; Crowhurst décrit même le moment où il va quitter son corps... Ce qu'il finit par faire, abandonnant son bateau en pleine mer dans un état de chaos et de saleté indescriptible, tel qu'il fut retrouvé un peu plus tard, vide et intact, avec le fameux journal de bord sur la table du carré. Deux tomes d'une écriture agitée où l'on peut lire par exemple :

« Si j'affirme de mon plein gré qu'en apprenant à manipuler le continuum espace-temps, l'Homme deviendra Dieu et disparaîtra de l'univers physique tel que nous le connaissons, alors je donne un élan à ce système. Si ma solution est correcte et immédiatement acceptable à un nombre rapidement grandissant d'hommes, cela signifie que je suis très proche de Dieu et que je devrais, grâce aux méthodes que je préconise, passer à la prophétie suivante. Tentons un essai. [...]

« Le système HURLE CE MESSAGE DE TOUTES SES FORCES, pourquoi est-ce que personne n'écoute, moi j'écoute de toute façon. »

Ce que Crowhurst n'avait pas prévu, c'est l'accueil triomphal qu'on lui réservait au pays. Un matin, il reçut le câble suivant :

« La BBC et *L'Express* vous rejoignent aux îles Scilly. Votre triomphe a amené plus de cent cinquante mille visiteurs à Teignmouth et les fonds versés atteignent maintenant mille cinq cents livres et plus. Merci de me livrer les secrets de votre voyage aux limites de la mort pour des prépublications de presse. Les perspectives financières sont bonnes. Réponse urgente. Nous allons faire de la publicité. »

Après avoir lu ce message, Crowhurst sut ce qu'il lui restait à faire. Les derniers mots de son journal attestent de sa folie : « La vengeance de Dieu est mienne. Contrôle des naissances.

La deuxième est... » Le reste du journal est resté blanc, Donald Crowhurst a sauté par-dessus bord et emporté son secret avec lui. Il a quitté son corps. Mais peut-être pas complètement, car les propriétaires suivants du *Teignmouth Electron* entendaient régulièrement des pas sur le pont...

Alors, direz-vous, qui donc gagna cette course folle ?
Cette histoire-là est exactement à l'opposé de celle de Crowhurst. Là où il y avait mensonges, peurs, ténèbres, on trouve ici vérité, passion, lumière. En effet, Bernard Moitessier n'est pas un marin comme les autres. Il a la mer dans le sang, lui qui a tout appris sur les plages d'Indochine ; c'est aussi un excellent nageur, plongeur, pêcheur, écrivain, jardinier, un marin en osmose avec la mer et avec *Joshua*, son voilier à qui il s'adressait fréquemment dans son livre. En réalité, c'est Moitessier qui mène la course du *Sunday Times*. Après la disparition tragique de Crowhurst, c'est donc vers le marin français que se tournent les yeux du monde, tandis qu'il remonte l'Atlantique vers l'Europe. Avant même son arrivée, Bernard Moitessier fait déjà la une des magazines.
Il n'est qu'à deux semaines de l'arrivée, au large de Sainte-Hélène, lorsqu'un déclic se produit en lui à l'idée de rejoindre la civilisation et de s'imaginer sous le feu des projecteurs. Il décide alors tout simplement de faire demi-tour : au lieu de boucler triomphalement son tour du monde sur l'Europe, Bernard Moitessier repart vers le Grand Sud pour une nouvelle boucle en direction de Tahiti ! Un exploit inouï, qu'on pensait alors impossible (plus de dix mois seul

sans escale sur un parcours de presque soixante-dix mille kilomètres). Moitessier raconte ce changement de cap dans son livre majeur, *La Longue Route**, qui montre, plus encore que le parcours magnifique d'un bateau, celui d'un homme à l'intérieur de lui-même. Le chapitre s'appelle « Le Tournant » :

« Est-ce la sagesse de se diriger vers un lieu où l'on sait que l'on ne retrouvera pas sa paix ?... Il y a un risque à vouloir atteindre Tahiti sans escale. Mais le risque serait plus grand vers le nord. Plus j'approcherais, plus je deviendrais malade... Je n'en peux plus des faux dieux de l'Occident toujours à l'affût comme des araignées, qui nous mangent le foie, nous sucent la moelle. Et je porte plainte contre le Monde moderne, c'est lui le Monstre. Il détruit notre Terre, il piétine l'âme des hommes...

« Courez ! Courez !... ne vous arrêtez surtout pas pour penser, c'est moi le Monstre qui pense pour vous... courez vers le destin que je vous ai tracé... courez sans vous arrêter jusqu'au bout de la route où j'ai placé la Bombe ou l'abrutissement total de l'humanité...

« Les choses violentes qui grondaient en moi se sont apaisées dans la nuit. Je regarde la mer et elle me répond que j'ai échappé à un très grand danger. »

Alors qu'il repasse pour la deuxième fois le cap de Bonne-Espérance en mars 1969, une vedette s'approche et Bernard lance un jerrycan contenant un message destiné à son éditeur et à Robert, du *Sunday Times* :

« Cher Robert, le Horn a été arrondi le 5 février et nous sommes le 18 mars. Je continue sans escale vers les îles du Pacifique parce que je suis heureux en mer, et peut-être aussi pour sauver mon âme. »

Avec ce geste flamboyant et pur, Moitessier a d'emblée montré son vrai visage et marqué les esprits pour des générations. Entre la gloire et la mer il n'a pas hésité, et son aura n'en est, aujourd'hui encore, que plus grande.

« »

Huis clos et divagations

Avec l'avènement de la plaisance et l'intense trafic maritime sillonnant les mers (98 % du fret mondial sont transportés par bateau !), récits et fortunes de mer se multiplient, terribles ou étonnants. Un bateau est avant tout un huis clos dans un univers hostile, les rapports humains y sont poussés à l'extrême et la vie en commun peut très vite devenir un enfer. La mer est un catalyseur. Des couples se sont désunis en quelques jours de mer, comme l'évoque Marion Zylbermann, peintre des vagues et navigatrice :

« Je n'ai pas vécu de situations extrêmes en mer. Pas météo s'entend, enfin pas vécues comme telles, pas de naufrage. Humaine, je suis passée au bord, j'ai vu l'orage, l'ouragan et le gouffre arriver avec un fondu à bord, mais j'ai amené les couleurs, vécu des situations d'humiliation comme jamais dans ma vie, mais, du coup, j'ai limité la casse. C'était une traversée Bretagne-Corse. Mon (ex-)compagnon, en réalité très angoissé en mer, ne l'avouait évidemment surtout pas (machisme oblige), fou de pouvoir et d'autorité. Donc cela donne des comportements délirants. Face à cela, je me suis écrasée, écrasée, surtout ne pas l'ouvrir, sinon les débordements en retour auraient été catastrophiques, je voyais arriver les coups. Il y avait une telle tension, une telle haine. Horreur. À l'instant où l'on est arrivés à quai à Calvi, j'ai mis le panneau "à vendre" sur le bateau et accepté la vie commune à condition qu'elle ne se passe plus sur l'eau. Il est certain que ce sont des leçons de vie violentes. »

Des situations propices aux coups de folie, tout marin en regorge. Bateaux retournés qui emprisonnent les occupants, homme à la mer qui voit s'éloigner pour toujours ses compagnons comme ce fut le cas de Tabarly et bien d'autres, vagues scélérates qui déferlent sur une mer calme, apparitions célestes et marines, rencontres du troisième type avec des extraterrestres en plein océan, comme l'a peut-être vécu Yannick Noah, clandestins jetés par-dessus bord par des capitaines infâmes, pirates sans foi ni loi...

Les pirates ont bouleversé la vie d'un navigateur étrange, Peter Tangvald, et de son fils : à leur approche, sa femme est sortie sur le pont avec un fusil et s'est fait tuer aussitôt. Le père et son jeune fils ont été épargnés. Mais l'histoire de Tangvald, qui naviguait sur des voiliers en bois anciens et sans moteur, ne s'arrête pas là. Quelques années plus tard, sa deuxième femme est emportée par une lame en pleine mer. Et lorsque le vieil homme disparaît dans un naufrage en 1993, on dit que sa sixième épouse, à peine âgée de vingt ans, se trouvait elle aussi à bord. Cet homme insaisissable aimait écrire la phrase suivante dans les livres de bord :

« Qui vit sans folie n'est pas aussi sage qu'il croit. »

Et ce n'est sans doute pas Alessandro Baricco* qui le contredirait :

« La mer
fait divaguer les vagues
et les pensées
et les voiliers
et même la tête
elle aussi
divague. »

16 histoires sur l'eau

Vertige vertical
ALAIN HERVÉ

NAVIGATEUR avant d'être journaliste et écrivain, Alain Hervé a publié un récit d'un long tour du monde à la voile dans les années 1960 : parti de Paris, sur la Seine, vers les Antilles puis la Polynésie, ce tour du monde conté dans *Au vent d'aventure, à la recherche des îles perdues** aura duré trois ans. Ce Normand de Granville et des îles Chausey est aussi l'un des fondateurs des Amis de la Terre et il a créé l'un des premiers magazines écolos des années 1970 : *Le Sauvage*. Journaliste (*Le Nouvel Observateur*, *Géo*, *Le Monde*, *Grands Reportages*...), il a écrit plusieurs livres et fondé l'association Fous de palmiers.

Cette histoire va peut-être aider à résoudre deux énigmes irritantes :
1/ Le fer flotte-t-il, ou ne flotte-t-il pas ?
2/ Est-ce lorsqu'il ne se passe rien qu'il se passe quelque chose ?
C'était il y a un bon moment, à la belle époque de la navigation. Et, qui sait, de la circumnavigation, si les circonstances allaient le permettre. On partait avec l'intention implicite de ne jamais revenir. On s'envoyait en mer pour le plaisir. Nous partions, soyons honnêtes, avec une arrière-pensée philosophique. Nous avions un programme à faire dresser les

cheveux sur la tête. Il s'agissait d'inventorier la planète que nous allions parcourir, de comprendre à la longue qui nous étions nous-mêmes et notre destinée. En deux mots, nous avions dans les trente ans et nous ne doutions de rien. Nous avions lu à satiété le Jacques Perret de *Rôle de plaisance**, le *Reed's Nautical Almanach** et le bonhomme Melville. Notre premier engin flottant, du temps de notre jeunesse chausiaise, s'était appelé *Moby Dick*. Et tout le monde, à l'époque, nous avait demandé : « Mais qu'est-ce que ça veut dire ? » La bibliothèque du bord sur notre voilier, *L'Aventure*, comptait pour autant que la réserve d'eau ou de vivres.

Nous partions avec des *impedimenta*, je ne vous dis que ça. Le bateau enfoncé de cinq à dix centimètres au-dessus de la ligne de flottaison prévue par l'architecte Derrien. Nous ne laissions derrière nous rien de ce qui nous avait accompagnés dans notre vie terrienne antérieure. Jusqu'à des chaussures de montagne... Autant dire que nous n'étions pas des bouffeurs de longitudes comme on en voit ces jours-ci. Arrivés avant d'être partis. Et qui se flattent de ne rien voir, de tout ce que nous nous apprêtions à éplucher port par port, rade par rade, île par île, vague par vague, pâté de corail par pâté. Au bout de trois ans de mer, nous ne comptions plus les centaines de nuits en mer, ni les escales dans des marigots infestés de moustiques, *yens-yens* ou *nos-nos* selon les océans. Nous en étions arrivés au Pacifique, dans lequel nous décrivions une élégante parabole de plusieurs milliers de milles, qui nous avait fait passer au sortir du canal de Panama par les îles Taboga, les Perles, Malpelo, les Marquises, Manihi, Tahiti et consorts, puis encore les Tuamotu, Kiritimati (Christmas), Hawaii, Oahu, Honolulu. Et nous en étions encore une fois à la pleine mer. Quelque part en plein dedans. La dernière escale de Waikiki et ses filles acrobates bien oubliées, en même temps que la dernière banane du régime que nous avions emporté. Nous flottions, c'est indiscutable, puisque je suis encore là pour vous le raconter. Ce qui nous attendait dans un avenir indéterminé, c'était San Francisco. Qui avait autant de réalité que dans la chanson. C'est-à-dire aucune, puisque le vent pouvait aussi bien nous porter vers Los Angeles ou Marina del Rey, ou n'importe où. Là n'était pas la question, puisque nous étions, j'insiste, en mer, en plein, empêtrés dans un calme comme on n'en avait jamais vu, ni n'en avions jamais entendu parler. À mille et quelques des côtes, on jetait les ordures par-dessus bord le soir, on les retrouvait le lendemain matin flottant autour de nous. On avait bien vu un sous-marin nucléaire américain ayant du temps à perdre, émergeant derrière nous afin de nous reconnaître. Nous avions échangé quelques civilités du style de celles que la souris adresse à l'éléphant. Nous avions aussi, dans un crépuscule imprécis, vu surgir l'immense coque d'un cargo allège qui nous avait contournés pour nous regarder, et nous avait finalement salués d'un coup de sirène inconvenant, vu l'étendue du silence circumhorizontal. C'est alors qu'une nuit, j'ai commencé de cauchemarder. Un vent d'abord imperceptible, puis brouillon, s'était levé et nous carambolait dans tous les sens. J'ai mis le nez dehors. Mon cousin Bernard était de quart à la barre, le visage faiblement éclairé par la petite lampe du compas. Pas de lune, pas d'étoiles, on pouvait ranger ses yeux dans sa poche. Et ça secouait. J'ai essayé de me rendormir. Jusqu'au moment où j'ai commencé à éprouver une vaste détresse. À la mesure de notre solitude, de l'obscurité absolue. Mais que faisions-nous perdus là, dans ce coin non répertorié de l'océan ? Et bientôt suivit une sensation plus dérangeante encore, d'ordre vertical. Jamais pendant trois années de mer, je n'avais réalisé complètement que nous flottions sur l'improbable surface de quelques kilomètres cubes d'eau en dessous de nous. La terre, si terre il y avait, se situait à une distance phénoménale en bas. Et comme des imbéciles, nous avions confié nos vies de mammifères secs et essentiellement terrestres à une... oh ! horreur... coque en fer. Présomptueux, nous avions prétendu que quelques millimètres de ferraille continueraient de nous séparer de l'immensité liquide et surtout de sa hideuse profondeur, et nous mèneraient jusqu'au prochain port. L'image précise de *L'Aventure* tombant en tournoyant mollement à travers des couches d'eau de plus en plus froides, de plus en plus obscures, s'accrocha à mon esprit. Je vis notre tombe en fer se recouvrir lentement de la mousse des abysses, et nos os être nettoyés par des poissons aveugles. J'essayais de me raccrocher à de très anciennes conversations avec Bernard Moitessier, qui nous avaient fait choisir le fer pour flotter. Les meilleurs arguments étaient emportés par l'orage de la panique. La quille lestée se détachait en suivant le pointillé d'une invisible corrosion. L'une des nombreuses entrées ou sorties d'eau percées dans la coque laissait, à la faveur d'une allumette coincée dans un clapet anti-retour, entrer un fleuve d'eau salée. Elle se mélangeait au mazout traînant dans les fonds. Si je mettais le pied hors de la couchette, j'allais rencontrer cette eau mortelle, glacée, qui avait déjà soulevé les tillacs. (Et cette éventualité s'était effectivement produite deux ans auparavant, aux îles des Perles.) Je perdais la foi en Archimède et son beau principe. Avoir confié sa vie à un principe me paraissait relever du crétinisme le plus obtus. L'heure des vérités me rejoignait, je n'étais plus qu'un nouveau-né ballotté dans l'espace intersidéral. Je quittais le confort chaleureux d'une mer proche fréquentée depuis l'enfance. Je me noyais dans le chaos des origines. Je m'interrogeais sur la nature de l'eau. Que signifiait cette formule : « pleine mer » ? S'agissait-il de cet état précaire de la marée haute comme nous le connaissions dans nos îles d'origine ? Ou bien était-ce le loin en mer, très loin hors de vue des côtes, une fois perdu le compte des jours qui nous en séparaient ? Ou bien était-ce la mer dans son épaisseur, sa masse ? Qu'était cette matière fuyante qui remplissait tous les creux du relief terrestre et ne se révélait que par une trompeuse peau de surface ? Membrane sans résistance, prête à crever à tout instant, lors du moindre relâchement de notre vigilance. Du fond de ma couchette, en état de demi-sommeil, plus sommeil que demi, j'interprétais les mouvements désordonnés du bateau comme la descente d'un escalier dont les degrés eussent été gigantesques. Parfois nous montions, plus souvent nous descendions. Autrement dit rien d'une navigation honnête lorsque l'on s'appuie sur la joue de la voile. Nous dévalions une dimension, laquelle ? Combien de temps a duré ce délire ? Sans doute jusqu'à ce qu'apparaisse l'aube grise. J'en ai gardé pendant plusieurs jours le goût dans la bouche. Lorsque Bernard me réveilla pour mon quart, il soufflait ce que nous estimâmes être un force huit hagard. Je veux dire rafaleux et mal assuré. Je regardais la mer avec soupçon, le bateau avec méfiance.

Le dimanche 23 octobre 1966, une baleine est venue naviguer de conserve le long de notre bord. Plus longue que nous de deux mètres au moins. Le mercredi 26, les Farallones sont en vue, puis le bateau-phare, jouet rouge oublié nulle part. À seize heures, nous passons vent arrière sous le Golden Gate. Allons nous ranger le long des estacades du Saint-Francis Yacht Club. Le voyage au long cours est terminé. En prenant la première douche chaude depuis un mois dans des cabines pharaoniques, il m'est venu à l'esprit que le projet initial de l'expédition nous avait échappé. Nous n'avions pas vu notre planète, ne l'avions pas comprise. Elle nous avait fait savoir qu'elle était incompréhensible. Afin de nous en convaincre, elle avait signé un épisode zigzaguant qui était venu s'inscrire jusqu'au fond de notre sommeil. Par miracle, on s'était raccroché au bord de la cuvette. On en était sorti. Ai-je tout dit sur cette affaire ? Je ne crois pas. Je ne sais même pas ce qui s'est passé.

A. H.

« »

Passagers clandestins
MARINE VIAU

MARINE Viau, née dans une famille de navigateurs, a souvent navigué ; elle est étudiante en ingénierie navale lorsqu'elle participe en 2003 au convoyage d'un catamaran en famille, entre le Sri Lanka et la Malaisie. À l'entrée de la mer d'Andaman, les choses se gâtent et Marine connaît un mal de mer hors norme...

Il fait sombre.
Voilà plus d'une semaine que nous nous faisons secouer. Dans l'Indien et la mer d'Andaman, nous nous sommes

laissé surprendre par la violence d'une mousson à laquelle nous ne nous attendions pas. Ce ne sera que plus tard, au port, que nous saurons qu'elle est arrivée plus tôt et plus fort que d'habitude. La mer est croisée, haute. Les grains qui nous aspirent fouettent le bateau à plus de soixante nœuds. Nous ne savons pas exactement combien, l'anémomètre se bloque. Nous avons déjà perdu une voile qui a explosé ; la grand-voile est très abîmée. Entre chaque coup de vent, une brise d'une dizaine de nœuds nous porte. Il faut toujours manœuvrer si nous voulons avancer. La nuit dernière, nous avons été pris dans un gros orage qui a duré plus de trois heures. Impossible d'en échapper. Vagues trop violentes, vent trop fort. Et toute la journée, Papa et Patrick, mon frère, se relaient pour les quarts, sans pouvoir se reposer vraiment.

Allongée dans le carré, à demi consciente, je sursaute une fois de plus lorsque les vagues viennent cogner le fond de la nacelle du catamaran et que la table centrale décolle. Je n'ai rien avalé ni bu depuis le départ. Je n'ai jamais été malade à ce point, ni si longtemps. Papa, qui navigue depuis sa naissance, n'a jamais vu quelqu'un dans cet état. Je donne le peu d'énergie qui me reste lorsque les garçons ont besoin d'un coup de main pour manœuvrer, mais je rejoins bien vite le seau qui m'accompagne désormais.

Il fait nuit.

Je sors un instant prendre l'air, m'assois près de mon père, qui est de quart. Maman somnole dans un coin du cockpit, Patrick est dans sa couchette. Papa semble inquiet, fatigué. Au loin vers l'horizon, une tache plus sombre laisse deviner que nous allons encore nous faire brasser. La nuit, chaude, humide et salée, nous sape le moral. Je retourne rapidement sur les banquettes du carré, une bouteille d'eau à la main, mais, comme d'habitude, l'eau que j'avale retrouve dans les minutes qui suivent le fond du seau.

Papa descend, réveille Patrick. Le grain est arrivé vite sur nous, il faut manœuvrer. Je n'arrive plus à me lever. Ils manœuvrent seuls. Maman rentre, trempée. La visibilité est nulle et le radar ne parvient pas à percer l'épaisseur de la pluie. Papa s'allonge un moment. Il n'y a rien à faire dehors. Rien à voir. Maman est de veille. Les yeux rivés sur le radar, elle est rapidement saoulée par les nuées de points qui occupent l'espace.

Cela fait déjà quelques heures que nous sommes pris dans le grain, lorsque l'orage commence à se faire entendre. Par quarts d'heure, demi-heures, les gars se croisent entre le carré et leurs couchettes. Il doit être deux ou trois heures du matin. Patrick se lève. Le catamaran gîte sur bâbord, il en est bien conscient. Il actionne les pompes de cale. Vides. Après avoir fait un tour d'inspection, il peut constater que tout est normal. Maman lui assure que le bateau est à l'horizontale.

Nous nous faisons toujours brasser. Papa se lève. Je l'entends rallumer les pompes de cale. Qui tournent dans le vide. J'ouvre un œil. Je vois ma mère le rassurer, lui affirmer que le bateau est à l'horizontale. Et lui de répondre : « Mais tu vois bien qu'on gîte sur bâbord », et d'aller à nouveau vérifier que les fonds sont secs.

Tous les trois, depuis des heures maintenant, tournent en rond, blancs, fatigués. L'orage nous torture encore et les déferlantes qui s'écroulent sur le pont deviennent dangereuses. De temps en temps, l'un des garçons sort, histoire de voir, mais ne voit rien. Le radar, toujours étouffé, reste muet. La tension monte. Papa et Patrick ne cessent de vérifier que les cales sont vides. Ils ont complètement perdu la notion de l'horizontale et ne savent plus vraiment dans quel sens est le bateau. Ils se concertent sur le problème de cette gîte qu'ils n'arrivent pas à comprendre. À voix basse afin de ne pas nous alarmer – l'effet est contraire –, ils tiennent conciliabule dans un coin du carré, dans le noir, pour essayer de voir d'où vient l'inclinaison.

Encore lucide, maman surveille le complot d'un air inquiet. Elle est consciente que le danger vient plutôt de l'état second des équipiers et les observe : gestes machinaux mais trop lents, Papa et Patrick semblent en léthargie. Nous sommes presque à sec de toile et avançons pourtant à près de quinze nœuds. L'un des moteurs, allumés par sécurité, vient de tomber en panne. Nous n'avions déjà pas la puissance nécessaire pour nous échapper... Le soleil se lève.

Avec la lumière du jour, les inquiétudes se calment. L'orage s'éteint peu à peu. Il nous a suivis toute la nuit. Épuisés, les garçons gagnent leurs couchettes pendant que Maman reprend sa veille. Je descends dans la cabine afin de tenter de me reposer. Le mal de cœur me tenaille toujours le ventre. Il fait chaud, malgré l'air qui circule dans la cabine. Je m'assoupis un instant, rassurée par la présence sur le bateau des Sri Lankais qui aident désormais Papa et Patrick à faire leurs quarts : en effet, pendant la nuit, deux Sri Lankais sont sortis des coffres, passagers clandestins frais et pimpants ! Cachés là pour fuir leur pays, sachant que nous partions vers la Malaisie, ils ne se sont montrés qu'une fois au large. Depuis, ils aident les gars dans les manœuvres, car ils sont très doués et savent naviguer. Ils sont sympas, souriants et discutent beaucoup.

Je me suis levée tout à l'heure et, malgré le mal de cœur qui me criait de courir vers mon seau, j'ai pris le temps de m'habiller pour éviter de sortir en sous-vêtements devant eux. Comme c'était le tour de quart de mon père, je ne les ai pas vus. Papa semble encore fatigué, mais je me dis qu'il va pouvoir récupérer plus vite, maintenant. De retour dans ma cabine, je m'endors, profondément cette fois, quelques heures. Le bruit à la cuisine (tout près de ma couchette) me réveille. Les Sri Lankais sont en train de préparer à manger, je les entends parler doucement. N'ayant aucune envie de retrouver une odeur de nourriture, le ventre courbatu d'avoir si souvent vomi, je reste allongée, à peine consciente, les écoutant bavarder. Leurs voix sont chaudes et rassurantes. Je me rendors.

Me levant un moment plus tard pour aller prendre l'air, je passe devant Maman, qui somnole dans le carré. Sur le pont, Papa est de nouveau à la barre. Il me sourit, l'air vraiment épuisé. Quand je lui demande si ça va, il me répond :

« J'ai laissé Patrick dormir depuis ce matin, il en a besoin. Je suis tout seul et je commence à être crevé, là. »

Assise dans le cockpit, laissant le vent me rafraîchir, une évidence vient peu à peu illuminer mon esprit et me met fort mal à l'aise. Je repense aux deux Sri Lankais qui nous ont aidés, j'étais tellement rassurée de savoir qu'ils aidaient Papa et Patrick à la manœuvre... Je les ai entendus parler entre eux, j'ai même senti l'odeur épicée de leur cuisine et je n'osais pas sortir sur le pont devant eux ; maman me regardait d'un drôle d'air. Et pour cause ! D'un coup, je comprends que ces deux passagers clandestins ne sont pas sortis des coffres du bateau, mais bel et bien de mon imagination ! Je les ai purement et simplement hallucinés dans le délire de mon mal de mer...

Les pluies violentes de la mousson nous ont rincés et revigorés ; deux jours plus tard, nous arrivions à bon port, complètement défaits mais enfin à l'abri. Nous avions vécu côte à côte durant cette tumultueuse traversée, mais chacun dans une réalité différente, nus face à nous-mêmes devant la force et l'immensité de l'océan.

M. V.

«   »

Les Cachalots de Noël
YVES PACCALET

NATURALISTE, amoureux des océans, marcheur, Yves Paccalet est né en Savoie. Après avoir travaillé avec le commandant Cousteau, il devient journaliste (*Terre Sauvage*, *Le Nouvel Observateur*, *Le Figaro Magazine*), écrivain, et il a publié un grand nombre d'ouvrages sur la mer, la nature et l'environnement.

La lune luit doucement sur la mer aplatie. J'ai l'âme teintée d'argent bleu lune. Le voilier se balance. On dirait un ventre maternel. Je me fais l'impression d'être un bébé qui va naître. Je suis heureux. Je baigne dans le liquide amniotique de Mère Méditerranée. Ma mère. Notre mère... Je me souviens, en rêvassant, que c'est la nuit de Noël. J'ai embarqué avec des amis pour vivre, au large de la Corse, dans la nature, ce que d'autres cherchent à la messe de minuit ou à la table pléthorique d'un réveillon de boudin blanc.

Un bruit dans l'eau, comme un clapot bizarre. Soudain, un déchirement de vague, une cascade sonore suivie d'un énorme ruissellement de gouttes et d'un souffle monstrueux, qui évoque celui d'une forge : « Pfouff ! » Une autre cascade, un deuxième « Pfouff ! ». D'autres, et d'autres encore... Je regarde, fasciné. La faible lumière de la lune me révèle une scène des premiers âges. Une muraille vivante se dresse autour du voilier, qui semble devenu minuscule. Une dizaine d'immenses caboches, gris-noir à reflets bruns, taillées en parallélépipèdes, avec des bosses, des rides et des cicatrices blafardes, émergent et projettent l'une après l'autre dans l'atmosphère leur panache vaporeux. Des cachalots ! Nous sommes cernés par une troupe de cachalots... Je les reconnais à leur caboche gigantesque : l'espèce mérite son nom scientifique de *Physeter macrocephalus*, « tourbillon grosse tête ». Je regarde ces géants souffler par leur unique évent, ouvert du côté gauche. L'aérosol explose à quarante-cinq degrés vers l'avant, et monte à plus de dix mètres. Incroyable puissance. Symbole universel du souffle.

Je contemple les forges de la mer sous la lune... L'un des cétacés s'approche du voilier à le toucher. Personne, à bord, n'ose bouger un orteil. Le monstre pourrait, d'un coup de dos ou de queue, pulvériser l'embarcation. Il est gros comme un camion... Je l'examine. Je suis fasciné. Il me jauge, lui aussi. Il s'est incliné sur le côté pour scruter le bateau. Je distingue son œil noir, un peu au-dessus de l'attache de ses mâchoires, de la taille d'un pamplemousse. La prunelle brille d'intelligence. Rien de commun avec le regard sans expression du requin. Je me souviens que le cachalot (le plus puissant des cétacés à dents, ou odontocètes) possède, sous son crâne, le plus massif cerveau du monde. Le plus considérable amas de neurones (matière blanche et matière grise) qu'un animal ait jamais eu dans le crâne depuis que la vie existe sur la Terre...

Je cesse d'avoir peur. Je détaille les dents du Léviathan, coniques, blanc crème, hautes de dix centimètres et implantées sur la seule mandibule inférieure. Les vastes mains sont aplaties en nageoires, le bas du dos agrémenté de bosses. En un geste de balancement formidable, la caudale en demi-lune salue la lune du ciel, avant que l'animal ne sonde. Je comprends, par une sorte de sympathie, de connivence immédiate, que cette montagne de chair et de lard, de dix-huit mètres de longueur et de quarante à cinquante tonnes, ne nous veut aucun mal... Les cachalots sont là parce qu'ils nous ont détectés avec leur sonar. Grâce à leur sens de l'écholocation. Nous les intriguons : ils jugent peut-être que la coque arrondie de notre voilier ressemble au ventre d'une baleine bizarre ou handicapée. À moins qu'ils n'aient croisé notre route au hasard de leurs errances.

La muraille mouvante nous environne, souffle, sonde, émerge, écume. Je goûte la paix des géants... J'y vois l'image du triomphe de la vie. Je m'amuse à penser que, si j'étais un enfant de Noël à naître, ces colosses feraient office de bœufs et d'ânes superlatifs ! J'aime cette crèche singulière...

Je ne me prends pas plus longtemps pour le Petit Jésus réchauffé par les baleines. Je cesse de me glisser dans la peau de Dieu (à supposer que Dieu ait une peau...). Il y a urgence : l'un des cétacés fait mine de venir se frotter au bateau. Il va nous faire chavirer. Je me cramponne au plat-bord. Holà ! Du calme !... Mais le monstre ne nous envoie pas dans la grande bleue. Il frôle la quille sans la toucher et s'enfonce dans la masse obscure de la mer. Il ressort au bout de trois minutes, à trente mètres, en expulsant un panache dont les particules irréelles répandent une subtile odeur de musc. *Moby Dick* est un roman. En dehors du cas de légitime défense dans lequel on leur plante un harpon dans la chair, les cachalots sont pacifiques. Le seul danger qu'ils présentent pour les petits bateaux est en effet qu'ils s'y frottent quelquefois. Leur peau les démange. Des crustacés parasites les infestent, par exemple des balanes et surtout de petits isopodes qu'on nomme « poux des baleines », qui leur creusent le derme et leur sucent le sang.

En cette nuit de Noël sous la lune, au large de la Corse, les cachalots nous honorent de leur présence onduleuse et de leurs bruits de forge pendant près d'une heure. Ils passent, soufflent, plongent, filent, reviennent, nous considèrent puis nous ignorent. L'un d'eux saute. Il décolle de la vague et découpe sa silhouette prodigieuse contre le disque de Diane, avant de retomber sur le côté dans un éclaboussement dont le bruit de canon s'entend à un mille. Je me sens à la fois quantité négligeable et partie nécessaire du cosmos ; rattaché par toutes les fibres de mon être à l'immensité fertile de la mer et de la biosphère. Je rêve d'une harmonie de la Terre et de la Vie, que la vanité et les folies des hommes cesseraient de saccager.

Lorsque les cachalots s'évanouissent dans l'infini de l'eau, comme des génies de la Méditerranée, je me demande si je n'ai pas rêvé la scène. À l'horizon de l'est, les étoiles pâlissent. Je m'allonge à l'avant du bateau, les yeux perdus dans le friselis d'argent de la Voie lactée. Je cherche et je trouve le champ d'étoiles de la constellation de la Baleine, où je monte unir ma substance à celle de l'univers.

Y. P.

«   »

Naître entre l'Alaska et Waterloo...
CÉLINE CASALIS

VOICI comment Céline elle-même brosse sa biographie :

« Née dans les Cévennes d'un père mineur de fond et d'une mère liseuse de bonne aventure, sous le signe de la Morue (*Gadus morua*) à poils durs, elle use ses fonds de pantalons sur les bancs des amphithéâtres universitaires avant de les user sur les bancs des cockpits des bateaux de pêche, remorqueurs et voiliers. Achat d'un premier voilier à vingt et un ans, après une campagne de pêche sur les bancs de Terre-Neuve, puis construction d'un voilier avec lequel elle laboure l'Atlantique puis le Pacifique du nord au sud, à la poursuite de la baleine blanche dont elle aperçoit la queue sur les côtes d'Alaska.

À bord du voilier dériveur intégral *Nagual*, elle navigue avec Jean – le capitaine – et leurs deux enfants, à la poursuite des cours du CNED, des Legos Harry Potter, des livres de Patrick O'Brian et des piastres pour la caisse de bord, entre les îles du Pacifique Sud et les Aléoutiennes. Qu'elle soit pendue à une barre de flèche de son mât si elle doit s'enraciner en terre un jour ! »

J'ai le ventre en montgolfière d'une femelle vivipare en gestation et nous décidons de naviguer prudemment, c'est-à-dire par petites étapes. *Nagual* tire des bords impeccables entre l'île de Vancouver et le continent, nous remontons de profonds *inlet*s canadiens (fjords) et mouillons l'ancre dans des baies isolées bordées de sombres forêts d'où émergent des ours noirs qui longent la grève à marée basse. Une biche furtive montre ses oreilles de temps en temps quand nous échouons le bateau sur une plage déserte, le temps d'une marée basse ; à l'aurore nous observons les traces de ses pas près de la coque de notre dériveur intégral.

Maya-le-Mousse n'a pas encore deux ans, il aime les crabes dont il casse la carapace avec les dents, les biberons, les Legos et marcher autour du bateau pour aller voir la « lélice ». Jean, le capitaine, est seul maître à bord après Éole, Neptune, Pression barométrique, Courant, Marée et toute une flopée de dieux païens qui ne lui laissent pas grande autonomie, en fin de compte ; Jean, donc, pense que je vais accoucher bientôt, mais que l'été est splendide et que nous pouvons en profiter encore un peu. Je pense comme lui, je finirai bien par accoucher un de ces jours ; en général aux alentours de deux cent soixante-treize jours, treize heures et vingt-six minutes, les femelles *Homo sapiens* mettent au monde un bébé au crâne si gros qu'il ne pourrait plus passer par l'écluse s'il restait en maturation quelques heures de plus.

À bord du bateau se trouve un manuel des premiers secours en mer, volume de deux cent soixante dix-huit pages que j'ai souvent feuilleté au cours des quinze dernières années de navigation en dehors des circuits touristiques et des assurances médicales. Il nous a été bien utile : une petite fracture immobilisée par-ci, une belle entaille recousue par-là, sainte

Xylocaïne est très efficace si on sait la prier avec une
seringue. L'absence de sécurité sociale est un excellent « im-
munisateur » contre tout nombrilisme douillet et puis le sel
marin, cela conserve. J'ai tellement salé de morues dans ma
vie que j'ai dû me saler l'esprit et les tripes en même temps...
Dans ce manuel, trois pages sont consacrées à l'accouchement d'une équipière en mer. Je souris en les feuilletant de
façon distraite, cette éventualité est peu probable pour une
femme normale ne confondant pas l'aérophagie et la grosses-
se ! La dame a neuf mois pour se préparer, elle a le temps
de prévoir l'escale et la nationalité du bébé. Si l'Uruguay ne
lui convient pas, vive la Tasmanie !
Cependant, en marin prudent qui vérifie ses prises de ris
avant la tempête, j'ai révisé les trois pages, cela prend dix
minutes, et préparé du fil à voile et des ciseaux dans un
flacon d'alcool, pas du rhum de Marie-Galante, mais de l'alcool dénaturé, c'est moins romantique... Vous voyez, j'étais
préparée, point prise au dépourvu quand la bise fut venue...
Je voudrais préparer un berceau rose ou bleu, peu importe
la couleur des rubans, je voudrais caresser de minuscules
habits de bébé, rester des heures assise sur un rocking-chair
et rêver à mon tout-petit qui va naître, lui choisir des
peluches et des bavoirs, lui installer sa cabine, lui chantonner
des berceuses, lui chuchoter des mots d'amour qu'il peut
écouter à l'abri de sa mer intérieure. Je voudrais redevenir
petite fille et jouer à la poupée, me lover en sécurité,
connaître la sage-femme et le gynécologue qui me rassure-
ront, me reposer... Je voudrais être, pour quelques heures
seulement, « belle, belle et con à la fois » comme le chantait
le grand Jacques, c'est-à-dire une belle jeune femme
enceinte rêvant à un avenir radieux sur le perron d'une
maison du Sud... Allez, assez rêvassé matelot, il faut virer de

bord et préparer le biberon du petit mousse, puis changer sa couche et le laver dans un seau d'eau de mer dans le cockpit, tandis que son père me demande de border l'écoute de la grand-voile et de lui passer les jumelles parce qu'il a vu des orques, là-bas sur tribord. Ne pas oublier de faire le plein de la cuisinière à pétrole et de nettoyer le puits à chaîne.

[...]

Nous sommes donc sur les eaux territoriales canadiennes, encore heureux que le village de Sechelt ne soit qu'à trois kilomètres du port, que ce soit le mois d'août, qu'il n'y ait pas de neige sur la route et que les totems qui surveillent le port soient de bons augures. Je n'irai pas plus loin. Jean pitonne notre voilier sur trois ancres, s'assure que le dinghy pneumatique n'a pas de fuite, trouve une sage-femme anglophone qui accepte de venir à bord du bateau et qui, après avoir bien observé la propreté des lieux, juge tout à fait acceptable que j'accouche à bord sans louer une chambre en ville pour cette occasion. Sur ses ordres, j'achète douze serviettes de bain, de l'huile d'olive extra-vierge et un litre de vin ; tout est pour le mieux, je me détends. Le bébé aussi, qui me donne des coups de pied tandis que je m'étire afin de cueillir des mûres énormes que nous cuisons en confiture. Tout va pour le mieux dans le meilleur des mondes.

André joue du violon, Dominique accorde sa guitare, Guilène chante avec un accent québécois qui ferait refleurir un bâton sec, cela sent bon le sirop d'érable et les veillées sans télévision, on se croirait chez nous, du temps où les papés parlaient encore patois. Les bottines sourient et bougent toutes seules. Ils sont d'accord pour garder Maya lorsque l'éclosion se passera, ils me gâtent de tentacules de poulpes fumés et de vin d'artichaut, la vie est belle quand on a des amis et un port pour le bateau.

Une sorte d'euphorie me donne envie de chantonner, je vais enfin voir le bébé, garçon ou fille, peu importe. Le combat ne me fait pas peur ! *Aut vincere, aut mori.* Ce sera pour ce soir, cette nuit ! Maya a mis cinq heures et demie à ouvrir le chemin, ce petit-là ira sûrement plus vite, car la route est débroussaillée, mais j'ai encore le temps de tout préparer à bord.

Je veux un bateau impeccable afin d'accueillir son hôte.

« Jean, je pense que tu peux aller à terre téléphoner à la sage-femme. Il est temps maintenant. Tu risques de mettre longtemps à la ramener à la rame, alors vas-y.

— Bon, je vais chez Guilène. André m'a donné les clefs de son bateau pour utiliser son téléphone du bord, ça ira plus vite que depuis la cabine du port. Tout va bien ?

— Oui, tout va bien ; demain matin le bébé sera là.

— Je me dépêche. À tout de suite. »

Toutes les mères devraient dire à leurs filles de ne jamais, oh non jamais, croire un homme qui part en disant : « À tout de suite. » Même s'il ajoute « *sweet-heart* » ou « ma chérie ».

Les femmes racontent leurs accouchements comme les poilus racontaient les tranchées ou les grognards les batailles napoléoniennes. Sauf que la femme donne la vie, et le héros donne la mort. Dans *La Chartreuse de Parme*, par l'intermédiaire de Fabrice, Stendhal raconte la bataille de Waterloo et il aurait sans doute su décrire aussi bien l'accouchement d'une de ses héroïnes ; Mme de Sorel ne lui a-t-elle donc rien expliqué de ses batailles de Wagram à elle ?

Je ne voulais rien manquer de mon Austerlitz, surtout pas d'anesthésie et laissez-moi mes lentilles oculaires afin que je voie bien naître ce petit ! Un écrivain, Fernando Pessoa je crois, a dit à son heure dernière : « Laissez-moi mes lunettes que je me voie mourir. »

La rupture de la poche des eaux, ce n'est pas la Berezina, mais la bataille va s'engager. Je fais cela très proprement, sur un seau, afin de ne pas salir mon bateau, quoique cette eau soit limpide et d'apparence bien pure, je place des serviettes-éponges un peu partout, bien propres, on ne sait jamais où vont voler les éclats, je me pose à genoux, la tête enfouie dans des coussins pour amortir les jurons et ne pas réveiller Maya qui dort dans la cabine arrière. Mon plus grand souci est de ne pas réveiller le grand frère.

« *À ce moment, un boulet donna dans la ligne de saules, qu'il prit de biais, et Fabrice eut le curieux spectacle de toutes ces petites branches volant de côté et d'autres comme rasées par un coup de faux.* » Moi, j'ai dû avaler le boulet parce que j'avais oublié à quel point la douleur peut faire mal.

« *Un de ces généraux était le célèbre maréchal Ney. Son bonheur fut au comble... Ce qui lui sembla horrible, ce fut un cheval tout sanglant qui se débattait sur la terre labourée, en engageant ses pieds dans ses propres entrailles ; il voulait suivre les autres : le sang coulait dans la boue.* » Ah ! m'y voilà donc enfin, au feu ! Je me répète cela avec satisfaction tout en cherchant mon souffle.

La douleur est une ligne de canons, ils tirent si serré qu'il n'a plus le temps de respirer, « *un ronflement égal et continu avec des décharges plus voisines, il n'y comprenait rien du tout* » et moi non plus. Respirer, une apnée d'une minute c'est long par dix mètres de fond, je suis par quinze mètres de fond, je dois remonter en surface, mais où est la surface ? Je m'asphyxie !

Si encore Jean revenait, mais « *le maréchal s'arrêta et regarda à nouveau avec sa lorgnette* », mes jambes raidies se sont redressées et refusent de se plier, je tape rageusement à l'arrière de mes genoux pour les forcer, car je ne veux pas que le bébé tombe sur le plancher de *Nagual*. Il s'engage, je le sens, il glisse, il s'échappe déjà ! Je suis étonnée et abasourdie par la douleur, mais je n'ai pas peur du tout. Je dois m'agenouiller.

Je me perds entre Waterloo et Arcole, c'est un peu la débâcle, la retraite de Russie, je dois courir, fuir la canonnade, m'échapper, mais je m'enlise dans des marais de douleurs ; après tout, me voilà à genoux, et si mourir n'est que l'arrêt de la douleur, alors j'accepte.

Le mieux est l'ennemi du bien : Jean ne réussissant pas à téléphoner depuis le téléphone mobile du bateau de pêche voisin, il met exactement vingt et une minutes à joindre la sage-femme, puis revient à bord. J'entends le dinghy qui heurte la coque et les rames qui chutent sur le pont. Le maréchal entre et dit :

« Je vais à terre chercher la femme de...

— Trop tard ! Viiite !

— J'ai les mains toutes salées...

— Viiite ! Le bébé va tomber par terre, attrape-le ! »

« *Si un cavalier ennemi galope sur toi pour te sabrer, tourne autour de ton arbre et ne lâche ton coup qu'à bout portant, quand ton cavalier sera à trois pas de toi ; il faut que ta baïonnette touche son uniforme. Bien.* »

« Jean, tu vois le bébé ?

— Oui, je vois sa tête, elle est toute blonde. Pousse encore et elle va passer. »

La tête sort, c'est le coup de baïonnette, le grand déchirement, mais ensuite je peux reprendre souffle.

« Pousse encore et les épaules vont passer, ordonne le maréchal.

— Il n'a pas le cordon ombilical autour du cou, dis ? Tu dois le voir !

— Non, non, tout a l'air bien. Vas-y !

— Attends, je me repose et j'y vais. Attrape-le.

— Oh ! la la ! Il a failli me glisser des mains !

— Donne-le-moi, donne-le-moi ! C'est mon petit ! à moi !

— Il faut le taper pour qu'il pleure.

— Il respire, il est tout rose, regarde comme il est rose !

— Donne-le-moi, je vais le taper tout de même, il doit crier, Maya criait avant même d'être sorti, lui. »

Je m'aperçois que je suis en sueur comme après une charge à la course en terrain découvert. Waterloo morne pleine ? Non, c'est le pont d'Arcole que nous avons réussi à franchir ! Aux pieds de ce nouveau-né, trois milliards d'années d'évolution du vivant nous contemplent !

Ouf. Le lendemain matin, Jean part en kayak offrir le placenta à la mer et notre petit garçon regarde le bébé, mon ventre, le bébé encore, l'air perplexe. Est-ce qu'il pense, comme Marcel Pagnol tout petit, que la maman se déboutonne le nombril pour que sorte le nouveau-né ?

« Cela s'est passé ainsi, monsieur l'inspecteur des âmes. Chaque fois que je pense à une bataille napoléonienne à cause d'une lecture, d'une image, d'un nom de rue ou de gare, je revis la naissance d'Ella. Je n'ai pas le souvenir d'avoir étudié l'épopée napoléonienne en classe, cela ne devait pas être à la mode en ce temps-là, pourtant ma fille est née avec les cheveux blonds du maréchal Ney. Je n'ai rien lu sur lui, je n'ai pas un intérêt particulier pour cette époque, mais c'est ainsi. Sans doute Ella est-elle née sous le signe du Napoléon à poils durs.

— Vous divaguiez.

— Oui, certainement. Ella a été conçue en mer, le 1er décembre 1994 après vingt-quatre jours difficiles dans le Pacifique Nord, dans la joie de l'atterrissage à San Francisco, presque sous le pont du Golden Gate. Elle est née en mer au pied de l'épontille de *Nagual* ; elle est une vraie petite "marine" et son père ne peut avoir aucun doute sur sa paternité. De plus, le maréchal Ney a été fusillé le 7 décembre 1815 pour avoir trahi les Bourbons et être resté fidèle à Napoléon, ou presque.

— Vos raccourcis historiques sont douteux. Mais prendre autant de risques pour la naissance d'un bébé est quelque peu inconscient, non ?

— Vous êtes venu me questionner comment, monsieur l'inspecteur ? En train ? En bateau ?

— En voiture, bien sûr. Jusqu'à mon bureau.

— Alors votre inconscience surpasse la mienne.

— Fallacieuses arguties. Vous avez mis en jeu la vie d'un bébé, en plus de la vôtre.

— Non, j'avais choisi une voie plus balisée, entre une sage-femme et une évacuation sanitaire possible, mais cela s'est joué différemment. La petite sirène de *Nagual* a aujourd'hui sept ans, tandis que je vous parle du fin fond de l'hiver alaskan. Je ne sais par quel mystère, mais je pense que cette première bataille qu'elle a remportée à bord, car c'est *elle* qui a remporté la victoire, lui donnera plus de force pour toute sa vie... »

Notre fils Maya est polynésien, un enfant des îles du Pacifique Sud ; notre fille Ella est canadienne, une pionnière du Nouveau Monde ! Et nous ? Qui sommes-nous, pauvres nomades ?

J'ai la phobie des méduses ; en plongée dans les tropiques, je préfère croiser un squale plutôt qu'une troupe de méduses indolentes. Mais ces cnidaires m'ont appris que nous sommes tous des méduses, en quelque sorte. Elles pulsent et agitent leurs cellules musculaires primitives, semblent aller ici ou là, mais ne font que suivre les courants marins qui les emportent, les échouent ou les apparient. Elles sont faites d'eau de mer à peine différenciée de l'eau de l'océan par une fine et provisoire membrane, elles se dilueront à nouveau dans l'océan qui les a conçues, demain, *morituri te salutant*. Les humains les plus sages, les plus forts ou puissants, ne sont pas plus que des méduses dans l'univers, qu'ils pulsent un peu à droite ou à gauche, sédentaires ou nomades, ils se dilueront pareillement dans les courants qui les emportent. Amen force treize.

C. C.

« »

Virée de cauchemar
sur le *Rainbow Warrior II*
CASSANDRA PURDY

ENGAGÉE comme *cook* sur l'un des navires de Greenpeace, le *Rainbow Warrior II*, Cassandra Purdy, voyageuse américaine, écrivain, cuisinière, se retrouve en mission à bord de l'ancien remorqueur de haute mer, un bateau relativement petit pour faire face aux énormes houles des latitudes australes au large de la Tasmanie. Après des jours de gros temps, une partie de l'équipage souffre du mal de mer et Cassandra nous raconte son cauchemar de cuisinière.

La veille, nous avions dû laisser à terre, sur l'île Lord Howe en mer de Tasman, un garçon que le mal de mer avait rendu très malade. Cette nuit-là, nous avons décidé de faire la fête, car la mer s'était légèrement calmée : la houle ne mesurait plus « que » cinq à huit mètres et ne venait plus de deux directions à la fois ! Nous avons également célébré le dévouement de notre infirmière du bord, la charmante Lesley, qui avait tenu la vie du garçon entre ses mains, restant auprès de lui vingt-quatre heures sur vingt-quatre après l'avoir perfusé. J'avais bien essayé à plusieurs reprises de la remplacer, mais le seul fait d'entrer dans cette pièce pour vérifier la perfusion me rendait malade. Ce soir-là donc, le toubib a ouvert sa bouteille de gin « médicinal » et nous avons débouché notre dernière bouteille de vin bio offerte à l'occasion du cocktail des donateurs qui avait eu lieu à bord en Australie. L'électricien a installé des lumières disco dans le mess et en guise de musique nous avons mis le fameux CD « Motown » de Bernard, avant de nous imbiber. Pas moi bien sûr, vu que j'avais depuis belle lurette cessé de manger ou de boire, étant incapable de garder quoi que ce soit dans mon corps. J'imagine qu'un gin tonic – et Dieu sait que j'en avais envie – m'aurait tuée sur place ; j'ai donc siroté de la limonade et réussi à ingurgiter un peu de nourriture festive.

Comme pour toutes les fêtes à bord, il y avait là un petit côté désespéré, chacun essayant d'imaginer qu'il se trouve ailleurs, alors qu'en réalité nous sommes dans la même pièce, avec les mêmes personnes, depuis des mois... Ce soir pourtant, certains semblaient différents, car ils avaient pu prendre une douche pour la première fois depuis le début du mauvais temps et même se changer. Aussi jouions-nous les étonnés : « Bonjour beau marin, quel est ton nom ? » Mais pour l'essentiel, nous glissions ici et là dans nos chaussettes avec le roulis du bateau et Lesley se mit à danser avec comme seule ordonnance : des cocktails pour tout le monde. Quelle femme étonnante ! Infirmière néo-zélandaise avec deux filles de mon âge, elle est la plus âgée de l'équipage et se trouvait déjà à bord lors de mon dernier voyage sur le *Rainbow Warrior*. Elle est drôle et dure à la tâche et donne des coups de main aux uns et aux autres ; le genre de femme à qui tous voudraient ressembler.

Pendant ce temps-là, nous recevions toutes sortes d'e-mails complexes des autorités néo-zélandaises : ainsi le ministère de l'Agriculture stipulait que le bateau ne pouvait atterrir en Nouvelle-Zélande s'il contenait le moindre produit frais venu d'ailleurs, tels que fruits, légumes ou viande. Comme vous pouvez l'imaginer, c'est un concept un peu vague. Qu'en était-il de la nourriture congelée ? De la viande congelée ? De mon côté, j'avais jusqu'ici utilisé rationnellement les stocks de nourriture dont nous disposions en comptant me ravitailler en Nouvelle-Zélande, mais l'idée d'arriver là-bas avec « rien », me paraissait quelque peu compliqué... Malgré un long échange d'e-mails, je ne savais toujours pas quoi faire. Notre salle réfrigérée était pleine d'étranges paquets sans indications précises, tels que des saucisses, du *minced meat* sans doute en provenance de Djakarta ou Singapour, ainsi que d'étranges poissons. Je les ai donc balancés par le hublot. Le dernier cuistot du bord n'était pas très écolo dans ses achats et les armoires contenaient des boîtes de lait et des céréales, sans doute un gros interdit pour tout écolo qui se respecte... On a même vu des équipiers transvaser du café soluble dans des bocaux sans étiquette avant l'arrivée en Australie. On ne se nourrit pas que de grain germé et de thé à la menthe, à bord !

Une fois le mauvais temps un peu calmé, je suis descendue vérifier l'entrepôt frigorifique, quelque part dans les soutes profondes du navire... La pièce où nous stockions de la nourriture était dans un état épouvantable. Malgré les cordeaux tendus en travers des étagères pour maintenir leur contenu, tout ou presque était répandu en désordre sur le sol. À l'intérieur de l'entrepôt, mes pires craintes furent confirmées ; les mouvements du bateau avaient été si violents que la plupart des quartiers de viande étaient tombés des étagères puis avaient été mille fois raclés sur le sol en ciment par le roulis, avant de se dégager de leur emballage... Je me trouvais ainsi face à des épaules d'agneau dénudées, saupoudrées de poussière de ciment et de peinture incrustée dans la viande, à des filets de poissons et à des fragments de poulets ayant roulé sur le sol sale pendant des jours... Il y avait aussi des boîtes de crème glacée bon marché venues d'Indonésie dont le couvercle s'était ouvert ; à l'intérieur, la crème fouettée était parsemée d'éclats de shrapnells composés de viande et de lambeaux de Cellophane...

Je sortis à reculons du congélateur et lorsque le bateau se souleva sur la houle, la lourde porte se referma toute seule sur moi. Pendant un instant je m'imaginai enfermée là, comme dans un film d'horreur. L'état du frigo était à peine moins épouvantable, maculé par des œufs cassés et des melons agonisants. Je suis allée chercher de l'aide. Mon fidèle ami Carlos, originaire de Galice, et moi-même, avons enfilé des manteaux polaires, et au bout de quelques heures nous avions trié l'essentiel de ce qu'il fallait jeter ou garder. La nuit suivante, malheureusement, la mer redevint très dure et les piles de nourriture s'emmêlèrent à nouveau. Au matin, j'étais trop malade pour me lever. J'ai demandé à Carlos de me remplacer (il ne faut pas croire, mais un cuistot dispose d'une certaine autorité à bord, surtout s'il est capable de se tenir assis) et il a choisi pour l'aider deux filles volontaires qui se trouvaient être de pures végétariennes. Ici on les appelle des « Végans ». Ce petit détail a une grande importance, car lorsqu'elles s'attaquèrent au congélateur, elles jugèrent presque toute la viande « trop dégoûtante » et en balancèrent la plus grande partie par-dessus bord... Je les ai entendues couiner et s'exclamer pendant des heures en bas dans le congélo, mais j'étais incapable de bouger ma carcasse déshydratée, malgré les ordres en provenance de mon cerveau paniqué. Oh, je reconnais cette voix haut perchée qui augmente de volume à la fin de chaque phrase, c'est celle d'Ambre, une Végan radicale, et l'autre voix est celle d'Emma, Végan à temps partiel, venue de Tasmanie... Mais pourquoi diable Carlos les a-t-il choisies elles ?

Lorsque enfin j'ai réussi à me traîner jusqu'à la porte du pont principal, j'ai assisté à un incroyable spectacle... Le pont était balayé par les flots, à la surface flottaient des cartons de lait pleins de viande et de poisson, et les vagues poussaient ces amas en tous sens tandis que les trois petits singes avaient relevé le bas de leurs pantalons pour partir à la chasse aux travers de porc et aux ailes de poulets épars sur le pont. Par moments, tous trois chutaient, se trouvant alors rincés dans un mélange d'eau de mer et de jus de viande. Lorsqu'ils parvenaient enfin à se relever, ils hissaient un

morceau de viande ou autre chose par-dessus bord dans la mer houleuse. Reprenant mes forces, je leur demandai :
« Eh, les gars est-ce qu'il reste UN SEUL morceau de viande dans le congélo ?

— Oh oui, crièrent-ils en chœur par-dessus le bruit du moteur et le fracas des vagues, il doit sûrement en rester UN PEU ? »

Ils se regardèrent tous les trois nerveusement : « Non ?... »

Oh oh, on dirait que presque tout est parti aux requins...

J'ai suggéré qu'on en remette un peu dans le congélateur, mais ça leur a paru trop dégueulasse ! Ambre est venue me voir, m'expliquant à quel point tout cela avait été pour elle une véritable « catharsis » l'ayant obligée à affronter sa « peur de la viande ». Eh bien tant mieux, si ça peut aider le processus... En même temps, je repérai des ailes de poulet égarées près d'un sabord et songeai sérieusement à les laver afin de les cuire au déjeuner. Il n'y avait plus de viande et les mangeurs de viande commençaient à râler. Je leur dis d'adresser leurs complaintes aux Végans et de me laisser tranquille. Pour ma part, j'ai ajouté que je serais ravie d'en rôtir une des deux, la plus petite, et de la servir sur un lit de purée, juste pour ne plus entendre ses complaintes.

Je repartis me coucher de manière à continuer mon agonie. Je n'avais pas dit à Lesley depuis combien de temps je n'avais pas réussi à absorber du liquide sans le rejeter. Elle menaçait de me mettre sous perfusion et je ne voulais pas finir comme le garçon malade. Elle entrait dans ma cabine et me pinçait la peau de la main, me posant des questions impertinentes sur la couleur de mon urine. Je ne lui ai pas répondu. Et d'abord, quelle urine ?

Dans la mesure où tout le monde pensait qu'on allait arriver dans quatre jours, je m'imaginais pouvoir tenir jusque-là avec un fonctionnement rénal limité. Lesley me dit que j'étais stoïque, mais en réalité elle voulait dire rétive. Lorsqu'elle m'a mis des suppositoires sous le nez, je l'ai chassée de ma cabine. J'ai lu beaucoup de livres. Les fameux quatre jours étaient barrés et graffités les uns après les autres sur le calendrier du bord par tous les membres d'équipage, comme des prisonniers au goulag.

Mais les quatre jours fondirent et s'étirèrent en longueur. À la veille du troisième jour, l'un ou l'autre surgissait sur le pont pour demander : « Alors, on arrive demain ? » Question semi-rhétorique qui ne s'adressait à personne en particulier. Suivie par un long silence... Les cartes marines gisaient dans un coin de la table à cartes, tandis que l'écho du radar ne renvoyait rien à des milles à la ronde, ni terre ni bateau. Au-delà d'une infinité marine, Auckland semblait à des millions de milles d'ici, vu sur la carte. Si vous regardiez la carte de plus près, vous pouviez voir que des marins de veille avaient reporté notre trajectoire dessus : elle était zigzagante et tout sauf directe ; nous avions même été repoussés en arrière. Les positions indiquées d'une heure sur l'autre étaient tellement rapprochées qu'elles se chevauchaient. On progressait à peine. Par moments nous avancions à un nœud, alors que le *Rainbow Warrior* navigue normalement entre dix et vingt nœuds. Nous étions sortis de notre route pour prendre le mauvais temps sur le côté plutôt que de face, les gens préférant le roulis au tangage. Puis le capitaine changeait de cap et durant une journée entière, nous prenions la houle de face.

Peut-être n'arriverions-nous jamais à destination et me verrais-je contrainte de faire de faux pains de viande à partir de Weetabix ? Tout ce que j'obtenais comme réponse du capitaine, c'était Johnny Cash si fort sur la stéréo qu'on savait ce que ça voulait dire : ne me demande rien. Ou alors il soupirait : « Achhh, mais qu'est-ce qu'on fout ici ? », ce qui n'était guère encourageant. Ou bien il marmonnait quelque chose à propos de boire un café tranquille dans son Amsterdam natal, à Leidseplein... Nous nous accordions tous à penser que tout aurait été bien pire si nous avions manqué de bière. Heureusement, nous n'en manquions pas.

Un autre moment chaud durant cette période de mauvais temps... Lesley m'avait bien prévenue que parfois « l'eau pénètre par les hublots ». Je n'avais eu que l'expérience d'eaux calmes ou du bateau à quai, et j'avais toujours pu garder mon hublot ouvert, avec parfois d'affreux relents de fumées d'échappement. Par gros temps, nous maintenions les hublots bien boulonnés, mais je n'avais pas entendu qu'il fallait aussi refermer le volet métallique par-dessus. Un soir, nous roulions méchamment d'un bord sur l'autre, j'étais harnachée à mon lit à essayer de lire *Alias Grace**, lorsque le bateau a roulé si violemment sur le côté que l'horizon a disparu pour céder la place à une eau noire. La coque frémit sous l'impact de la vague, nous avons roulé une fois de plus et des alarmes se sont mises à retentir en provenance de la salle des machines. Des gens couraient dans les coursives. Nous devions avoir gîté à plus de soixante degrés. Lorsque nous avons roulé de l'autre côté, mon hublot est passé sous la surface et j'ai vu, incrédule, l'eau jaillir des deux orifices. Et pas qu'un peu. Des seaux entiers coulaient sur le sol, sur ma table. Je me suis précipitée sur le plancher inondé afin de récupérer des affaires qui flottaient, livres en miettes et chaussures détrempées... J'ai essayé de boulonner un peu plus les hublots, sans succès, les écrous étant durs et rouillés. Peut-être était-ce normal ? Mais même si Lesley m'avait avertie que l'eau pouvait couler, je doutais que ce soit à ce point-là ! Je ne savais plus que faire... C'était déjà suffisamment pénible d'avoir le mal de mer, je ne voulais pas passer pour une terrienne alarmiste. Peut-être devrais-je ne rien dire ? Titubant dans un couloir au moment où une autre vague nous frappait, je tombai sur Bernard, un grand Canadien de Winnipeg connu pour ses qualités de guitariste. Je glapis : « Bernard, pourrais-tu venir ici une seconde ? » J'essayai d'avoir l'air naturel.

« Qu'est-ce que tu veux ? » Il semblait perplexe et s'apprêtait à retourner à sa couchette armé d'un sandwich de beurre de cacahuètes et d'un chocolat chaud.

« Non, franchement, je pense que tu devrais jeter un œil à ma cabine. »

Sur le pas de ma porte, il laissa tomber son sandwich et son gobelet de chocolat sur le sol : « Putain de merde, pourquoi n'as-tu rien dit ?

— Mais je te l'ai dit !

— Va me chercher un tournevis ! »

Au bout d'un moment il avait reboulonné les hublots et serré le volet d'acier, condamnant ma cabine à l'obscurité. Nous devions nous tenir debout jambes écartées, nous retenant l'un à l'autre dans les mouvements du bateau pour contempler l'étendue des dégâts. Bernard, qui n'était pourtant pas connu pour son humour, me lança :

« Eh ben dis donc, la prochaine fois que tu m'invites dans ta cabine, tu pourrais au moins faire le ménage ! »

Ramassant sa tasse et son pain trempé, il me laissa sur place. Ce ne fut pas une bonne nuit. Et comme tous les événements potentiellement embarrassants, incriminants ou un peu juteux qui font rapidement le tour du bateau, le matin suivant, au petit-déjeuner, l'épisode entier fut rejoué cent fois, pour la plus grande joie des uns et des autres, qui n'en finissaient pas de rire. Depuis, on me blague souvent là-dessus : « Alors, Cass, tu as pris du poisson dans ta cabine aujourd'hui ? » Ha, ha ha, bande de singes ! Ma revanche était d'en avoir vu un vomir par-dessus bord, du pont supérieur ; vraies ou pas, les accusations de vomissement sont très mauvaises pour la réputation des véritables loups de mer !

C. P.

« »

Un ferry pour l'au-delà
Yaël Kalfon

Passionnée d'écriture, prix de poésie à seize ans, Yaël Kalfon est écrivain, romancière et journaliste, mais ayant plus d'une corde à son arc, elle a aussi été proviseur, éditeur, thérapeute. Elle nous raconte ici comment une simple traversée en ferry peut se transformer en cauchemar océanique, lorsque les circonstances s'y prêtent et qu'on a une imagination fertile.

Aujourd'hui je vais mourir.
Moi qui ai sillonné la planète par air ou mer, selon les circonstances, moi qui sais ce qu'est une croisière d'agrément ou un départ précipité pour l'exil, moi qui ai connu le danger

et ne le crains presque plus, ce que j'entreprends aujourd'hui ressemble à peine à une pichenette sur la joue d'un enfant ! En effet, je traverse le Channel pour rendre visite à mon amie d'enfance exilée à Maidenhead, dans la banlieue londonienne. Les exils d'amour sont lourds, aussi m'attend-elle avec impatience. J'ai embarqué ma voiture sur le ferry, comme d'habitude. Je fais partie des voyageurs qui ont accepté d'embarquer « malgré les intempéries ».

« Faut pas exagérer, quand même ; il ne s'agit que d'une heure et demie de traversée sur une eau agitée ; j'en ai vu de plus rudes, croyez-moi ! »

Je suis montée sur le pont observer les manœuvres de départ, pendant que c'est encore permis, ou plutôt que personne ne fait attention à moi. Je sais me faire discrète lorsque je suis curieuse !

La mer est gris métal, l'eau se creuse sous ses attaques. La pluie ruisselle sur toutes les surfaces, gifle les parois de métal et de verre, confine les passagers à l'intérieur. C'est décidément une aubaine pour moi, qui m'installe seule à l'avant, avec une agréable perspective de solitude afin de jouir de la traversée, dont je ne déteste pas le côté agité. C'est le départ. Au fur et à mesure je sens le bateau vibrer, s'accrocher aux flancs liquides qui se dérobent sans préavis. La tempête est étonnamment violente. Ça fait longtemps qu'un membre de l'équipage m'a enjoint de regagner l'intérieur, mais je n'en ai pas envie, et il m'oublie très vite pour courir à ses occupations. À ma grande surprise, je commence à souffrir d'un léger et inhabituel mal de mer. Les dénivelés énormes que subit le ferry sont ponctués par les cris des passagers que j'entends faiblement, car le vent se déchaîne.

Et tout à coup, sans préavis, juste devant moi, à la toucher, surgit une créature terrifiante qui darde son regard liquide sur

ma gorge, avant de foncer sur moi, sans jamais m'atteindre.
Et pourtant, mes chairs se déchirent sous ses crocs. Douloureux paradoxe !

Dans un bruit assourdissant d'aspirations gigantesques, cette
chose effrayante avale des spirales d'eau pendant que des
giclées d'écume barbouillent ses lèvres épaisses et puantes.
Qu'est-ce que je fais ici, au milieu de l'océan déchaîné, tout
à coup accrochée à une vieille planche rugueuse qui m'empêche provisoirement de dégringoler dans les profondeurs
abominables de l'immense vide aquatique ? Où est le ciel ?
Où est la terre ? Où est ma mère ? Elle seule pourrait me
tirer de ce cauchemar dantesque. Elle seule saurait dire les
mots qu'il faut pour apaiser cette folie liquide et me tracer
ainsi le chemin vers la terre disparue. Je sens sa présence
là, sur le côté de la vague déchaînée qui fond sur moi en
hurlant. Mais pourquoi ma mère ne tend-elle pas le bras
pour m'agripper, me tirer, me sortir de l'enfer ? Et cette
vague, haute comme un gratte-ciel, qui me vise en ricanant !
Elle ne referme pas sa gueule, trop excitée par la peur qu'elle
provoque et qui me cloue à ma planche pourrie ; elle tourne
autour de moi dans une valse titanesque et sournoise.
J'essaie de respirer, de reprendre mon souffle, je lève le
regard sur ce plafond dangereux qui menace de s'écrouler
en millions de tonnes flasques et musclées à la fois : je vais
mourir !

Le ciel est verdâtre, grumeleux ; j'essaie pourtant de l'atteindre afin d'échapper au passage à tabac géant que je subis
en suffoquant, mais le monstre se moque de moi en hurlant
mon impuissance. Des tourbillons colossaux agitent la surface de l'océan, comme pour recracher une ingurgitation
monstrueuse, pour expulser une géhenne océane. Je suis
aspirée, puis rejetée, bousculée. Mes cheveux se tordent

autour de mes bras, s'enfoncent dans ma gorge brûlée par le sel et griffée par les animaux minuscules qui s'infiltrent partout, sous mes ongles, dans mes oreilles...

L'air est dangereusement opaque. Un souffle démesuré pousse les montagnes fluides les unes contre les autres, dans des entrechoquements monumentaux de geysers en furie. L'eau vrombit, hurle sa colère, refuse de laisser surgir une masse impressionnante dont je devine le sommet, affleurant l'eau hargneuse. J'assiste à la naissance d'un iceberg, au jaillissement incommensurable d'une masse abyssale. L'océan se soulève, s'écarte en protestations dangereuses, fait place à une tour de Babel grouillant d'êtres nautiques, qui gicle de l'océan dans une formidable explosion de sons lourds, de paquets de mer violents.

Je sais que je vais mourir.

Cet immeuble incongru, résistant aux déplacements cyclopéens d'une eau enragée, continue sa poussée vers le ciel grondant. Un mur me frôle ; j'ai une seconde l'espoir de me raccrocher à une aspérité, une pierre qui m'enlèverait aux succions répétées de l'océan trompeur. Mais non ; rien. La tour de Babel s'élève jusqu'au ciel. Je la croyais solide comme une pyramide, quand soudain ses parois se caoutchoutisent, et voilà qu'outre les gifles océanes je suis écrasée par des parois élastiques !

Je pense à mes enfants, mes merveilles. Il ne sera pas dit que je me laisserai faire, océan ou pas. J'ai peur, je crève de peur, mais je ne vais pas me laisser mourir sans lutter. Je hurle le nom de l'homme que j'aime. S'il m'entend, il me dira que faire. Mais où est-il, lui aussi ? Les ballottements démesurés continuent de me projeter contre la tour infinie. De bruits de succion d'ogres en rugissements marins, je sens le poids du malheur fatal, la présence violente de la mort qui me concocte un cercueil imminent.

Je me bats. J'ai du mal à respirer, la mer agressive se charge d'envahir mes poumons ; je crache, hoquette, résiste. Tel un démoniaque Tartarin, le monstre appuie sur mon torse, s'appliquant à vider mes poumons de toute force vitale. Je gesticule, je lui complique la tâche, je cherche ma mère partout du regard, car je connais sa force et sa volonté de me protéger. Cependant ce n'est pas sa voix que je perçois dans ce désert tourmenté ; c'est une voix masculine qui hurle plus fort que le vent : « Elle est morte ! »

Morte, moi, déjà ? Mais je n'ai pas fini de lutter ! Et ce colosse qui me cloue à terre, je veux le terrasser !

Est-ce ma mère qui réplique : « Morte ? Elle ouvre les yeux. Je vous le disais, qu'elle n'était pas morte ! »

Qui sont ces gens ? D'où sortent-ils, alors que quelques secondes auparavant je m'engluais seule dans la tourmente ? Je suis frigorifiée, bien qu'enveloppée d'une sorte de bâche en caoutchouc vert dégueulis. Caoutchouc ? C'est donc ça ? Je croyais me faire dévorer par une sorte de paroi souple comme de la gomme d'hévéa, et c'était cette bâche inconfortable qui entravait mes mouvements ?

« S'il vous plaît... Quelqu'un peut-il m'expliquer ?...

— Elle revient !

— Madame, vous m'entendez ? »

Je reconnais mon matelot de tout à l'heure, entre autres visages penchés sur moi. Mais pourquoi sont-ils tous en train de me considérer comme l'insecte sous le microscope de l'entomologiste ? Bien sûr que je les entends ! Je suis fatiguée par ma lutte avec les éléments, mais je ne suis ni sourde ni aveugle, tout de même !

« Madame, madame ? Vous m'entendez ? »

Bien sûr que je l'entends ! Pourquoi hurle-t-il ainsi ?

« Madame ?

— Oui ?

— Ah, ouf, elle revient ! Je vous ai dit tout à l'heure d'aller vous abriter, vous vous souvenez ?

— Mmm...

— Je suis revenu voir si vous aviez regagné l'intérieur du ferry, et je vous ai trouvée effondrée sous le canot de sauvetage, le torse coincé sous une échelle. Je vous ai recouverte avec la bâche et suis allé chercher du secours. Vous avez perdu pas mal de sang. La dame qui est là est médecin, ne vous inquiétez pas.

— Je ne suis pas inquiète, seulement fatiguée, et... soulagée...

— Ce n'est pas surprenant, déclare le médecin. Je vous avais remarquée, là-dehors. Vous sembliez fascinée par le spectacle ; et moi-même je me posais mille questions à votre sujet lorsque l'échelle est tombée sur vous et que le canot vous a violemment heurtée à la gorge. Vous avez beaucoup de chance, savez-vous ?

— Heureusement qu'elle ne s'est rendu compte de rien et qu'elle a perdu conscience ! Allez, on la place sur la civière, maintenant qu'on sait qu'elle peut bouger. Madame ? »

Perdu conscience ? Je sais bien, moi, qu'à aucun moment je n'ai perdu conscience. Tout est encore à vif, mon regard est encore marqué des ricanements hululants du monstre ! Je l'entends, ce brave matelot, mais si je ne lui réponds plus, c'est qu'une créature bizarre, mi-serpent mi-gargouille, se faufile entre les jambes des autres et me souffle à l'oreille, dans une odeur de pourriture marine :

« Dommage ! On a bien failli réussir à t'emmener avec nous cette fois ! Mais c'est partie remise... »

J'ai fermé les yeux. J'attends la fin du voyage.

Y. K.

« »

Force douce
JEAN-CHARLES DURAND

PLAISANCIER ayant fait son apprentissage sur les bords du Léman, entre Nyon et Prangins, (ça ne dira rien à personne, mais pour lui c'est important ; la Bise, le Séchard et le Joran s'y donnent rendez-vous), journaliste, ex-rédacteur en chef de la revue *Bateaux*, Îlais de cœur, il s'escrime depuis quelque temps à pêcher le bar de l'île d'Yeu.

Vingt-quatre heures déjà qu'on batifole dans la mousse. À force de grossir, les vagues atteignent la hauteur du mât. Bon, c'est vrai que le bateau n'a rien d'une goélette... Six mètres cinquante au plus long, avec une tige équivalente au-dessus du pont. Tout de même, ça impressionne. Au petit matin, le mistral en a remis une louche... de tout : vent, vagues, déferlantes, embruns. Vers midi, j'entends un train qui m'arrive dans le dos, je courbe l'échine... On démarre comme des flèches, un peu trop sur le travers. La locomotive nous passe dessus après nous avoir shootés loin devant elle, comme une vulgaire cannette de bière. Derrière la déferlante, tout est calme, mousseux, laiteux... Et puis ça reprend, encore et encore...

À la tombée du jour, je cligne un peu des yeux. J'attaque ma deuxième nuit blanche et j'ai envie de pisser. La nuit, plus encore que le jour, on barre au bruit... Mais on ne peut pas s'empêcher de jeter un coup d'œil quand la vague fait un boucan d'enfer derrière soi.

Soudain j'entends un bruit de TGV qui arrive sur moi. Je me retourne machinalement et à ce moment quelque chose me fouette le visage. Je gueule un grand coup, ça fait mal comme une branche qu'on vous lâche en pleine figure. Cherchant à voir de quoi il s'agit, je me retourne et une fois de plus je suis fouetté sous l'œil ; cette fois-ci j'en suis sûr, c'est une branche, avec ses brindilles sèches et coupantes ! Toute la nuit que dure ce coup de vent, la branche, de plus en plus agressive, cherche à me griffer le visage. À l'aube, j'ai la joue en sang, déchiquetée, du moins en suis-je persuadé.

Vient enfin le jour, lueur blême à l'est, mer noire et blanche. Et là, dans le petit jour et les embruns, je discerne un arbre avec une branche démesurée. Je reconnais cet arbre : enfant, je m'y étais construit une cabane façon Marsupilami. Il grouillait d'écureuils et maman m'a souvent supplié de ne pas déranger les petits habitants du plus beau noyer du jardin...

Oui, je me souviens de ce noyer... parce qu'il faut bien que ça finisse d'une manière ou d'une autre... Se noyer par une nuit noire au creux d'une vague laiteuse ; ce noyer, avec, au bout de sa branche, un pendu qui se balance... Si je disparais cette nuit, je ne connaîtrai jamais la fin de l'histoire. Voilà

des heures que j'hallucine. Ligoté à la barre, je ne vois rien
de ce qui se passe dans le carré, je suis ligoté à la barre.
« Plonge dans la vague ! me dis-je. Vas-y, plonge dedans ! »
Et si c'était doux dedans, de là d'où je viens, de là-dedans,
de la mousse ? « Une mousse, patron, pour la trois ! »
Voilà qu'elle a encore faim, la vague. Elle m'avale, me suce,
c'est si doux ; me décortique, c'est si dur. Me recrache du
bout de ses lèvres, tendres comme un noyau d'olive. Je roule
sous la déferlante, j'aspire, j'expire, j'aspire, j'expire. À ce
moment-là, c'est clair, je n'aspire plus à rien. Un noyau
d'olive, ça ne fait pas d'huile. Juste expirer. Crever, la bulle
d'air crève à la surface ; crever dans la mousse salée. Le fond
de l'air est humide et le fond de la mer, il est comment ?
Peur de crever à la surface ; si au moins c'était en allant au
fond. Qu'est-ce qu'il y a au fond ? Des Belges, sans doute.
Il paraît qu'au fond ils ne sont pas si cons que ça. C'est nul.
En arriver là pour se retrouver ligoté à la barre. Alors que
je pourrais aller au fond, là où les poissons pêchent aux
lamparos avec des petites loupiotes vissées sur leur tarin,
juste au-dessus de leurs ratiches. Ils devraient savoir que
c'est interdit par les conventions internationales, le ministère
de la Pêche, Amnesty International, la CEE et la Croix-
Rouge... Mais à cinq mille mètres de fond, ils s'en foutent.
Cinq kilomètres, c'est pourtant pas grand-chose. Mais à la
verticale, c'est autre chose, surtout vers le bas.
Et si j'allais y voir ? Mais on n'y voit rien là-dessous. C'est
pire que d'aller se cacher dans la cave sans lumière.
Quoique. Dans la cave y a peut-être des rats, « des rats gros
comme ça » dit la chanson. Là-dessous y a peut-être juste
rien. Mais ça, pardon, ça fout vraiment la trouille. Donc je
les ai à zéro. Quand je dis que dans la cave y a des rats, en
fait, y a pas que ça. Y a un vieux plumard et Cathy avec ses

cuisses comme des pêches. Moi j'adore les pêches ; personnellement je les aime pelées. Arrive un moment où « ça » ressemble vraiment à un quartier de pêche pelée. Et bing ! Voilà que ça durcit au fond du pantalon jaune de mon ciré. C'est vraiment pas le moment... Si seulement j'étais routier ; une petite gâterie à cent dix à l'heure sur l'autoroute. Visage congestionné, vitesse sur automatique, le tout à deux mètres de haut dans la cabine du bahut, hors de portée du civil ou du motard assermenté. Ni vu ni connu... Ça s'étire. En météo, on appelle ça un front chaud. Des petites boules rondes sur la courbe des isobares. Ça enfle doucement sous la langue. Les yeux clignotent. Elle relève la tête, trop vite ; je vais dans le décor sans prévenir. Même pas peur. Tout glisse, s'échappe...

Je dormais et c'est maintenant le bateau qui barre tout seul. Il a pris un chemin de traverse pour dévaler la pente. Vertigineuse. Une piste noire dans la poudreuse, tout schuss. Surtout lui faire confiance. Moi je ne sais plus, je ne sais rien. Très loin, là-bas, au creux de la vague, la mer est noire comme le fond d'un puits. Un salopard a lâché la corde qui retenait le seau. Est-ce que ça coule, un seau qui tombe dans l'eau ?

Roulement de tambour, l'anémomètre rôde dans le secteur des quarante nœuds. Dans les ouvrages que l'on déguste au coin du feu, on qualifie doctement de « très forte à grosse » cette étendue d'eau hérissée de cauchemars, bourrée de pièges et de chausse-trappes. Étonnant comme dans ces moments-là on se souvient dans le moindre détail des descriptions de l'amiral Francis Beaufort : « grosses lames déferlant en rouleaux, tourbillons d'embruns arrachés aux lames, nettes traînées d'écume, visibilité réduite par les embruns ». C'est bien ce que je pensais, ça oscille entre huit et neuf, un coup de vent, voire un fort coup de vent. Même pas le statut de tempête. Mourir en pleine tempête, voilà qui en jette, mais dans un coup de vent... Petit bateau, petit problème... Tu parles ! Au port, sans l'ombre d'un doute et en plus, c'est moins cher ! Mais au large, quand ça hurle dans les haubans, on rêve d'un canot de seize mètres ! Petit, voilà, je suis trop petit ! Trop con, surtout, dans ce shaker, secoué par un barman géant. Drôle de cocktail, Cointreau, rhum blanc, curaçao, champagne ? Que nenni. Rien que du Tabasco et de l'alcool pur... Du Molotov qui vous vrille les entrailles avant de vous expédier *ad patres*.

Un instant encore, je vois un soleil pâle et baveux émerger d'une blessure noire frangée d'écume. Un instant encore et la déferlante me projette, me reprend, m'enlace, me submerge... Je ne sens plus rien sous mon cul et dans mes mains, le bateau m'a abandonné. Je flotte entre deux eaux. Une gorgée d'air, une gorgée d'eau. La terre la plus proche est à mille milles.

Lorsque je vois mon bateau, du moins ce qu'il en reste, il est à trois mètres de moi, avachi, le cockpit plein d'eau, le mât coupé en deux, écoutes par-dessus bord. Nager, non, me traîner sur les vagues, ramper sur l'écume jusqu'à lui. Ça n'en finit pas ; plus je vais vers lui, plus il s'éloigne. « Pas envie de jouer au chat et à la souris, viens ici ! Écoute ! » Il m'écoute et m'en tend une. Un bon gros bout auquel je m'agrippe. À moitié submergé, il est bas sur l'eau. C'est ma chance, je me glisse dans le cockpit transformé en baignoire. J'attends un trou entre deux vagues pour entrer dans le carré. Je referme la porte. Les bruits du dehors me parviennent étouffés. Mes oreilles bourdonnent, tout glisse, s'échappe, vacille, se fragmente ; je ferme les yeux, les rouvre, les ferme, anesthésié. Maintenant, je sais. Je sais que si un jour je remets les pieds sur un quai, j'irai cueillir une pêche, je la déshabillerai de toute sa peau, du bout des doigts, du bout des ongles... et je la lécherai avant de la faire exploser dans ma bouche... J'en fais le serment, Cathy, je te retrouverai coûte que coûte. Pour te sentir enfin, tel un poisson au bout de ma ligne. Te sentir gigoter après t'avoir bien ferrée, avec ta petite fraise en forme d'orchidée... Quand je serai vieux, promis, je serai orchidophile ou pire encore !

J-C. D.

« »

Le Naufrage de *La Boudeuse*
PATRICE FRANCESCHI

APRÈS vingt-cinq ans d'aventures, Patrice Franceschi a fait sienne la devise d'un autre grand aventurier, Shackelton : « Jamais ne baisse pavillon. » Capitaine de *La Boudeuse*, goélette trois-mâts d'exploration, cinéaste, écrivain, président de la Société des explorateurs français, Franceschi raconte ici le naufrage du précédent navire du même nom, en mars 2001 au large de l'île de Malte, après avoir heurté une épave entre deux eaux. De l'eau jusqu'aux cuisses dans la coursive centrale, en combinaisons de plongée, lui et ses équipiers se retrouvent entourés d'objets qui flottent, tandis que le bateau coule peu à peu.

Nous rejoignons nos compagnons sur la dunette, assis à même le caillebotis, silencieux dans l'ombre de la nuit. Je m'installe parmi eux et dis :

« Je vais rester à bord avec deux d'entre vous, afin de continuer à faire tout ce qu'on peut avec la motopompe. À trois, nous serons bien assez pour ce travail ; nous essaierons de tenir jusqu'à l'aube. Les autres seront évacués sur le cargo italien avec tout ce que nous pouvons sauver. Qui est volontaire pour rester avec moi ? »

Comme à l'ordinaire, toutes les mains se lèvent en même temps.

« Je vois que vous ne changerez jamais, dis-je en essayant de paraître narquois. Toujours les mêmes... Parfait. Alors les volontaires désignés seront en bonne logique les lieutenants : Maury et Delaroche. Kerneau, en tant que second, dirigera l'opération d'évacuation du Zodiac. Celle-ci achevée, il reviendra à bord si les circonstances le permettent. »

Toutes les voix s'élèvent pour protester. Chacun a une bonne raison de ne pas vouloir quitter le navire. Je calme mes compagnons sans pouvoir tout à fait cacher mon émotion :

« Allons, c'est le choix le plus normal... De toute façon, on se retrouvera bientôt, d'une manière ou d'une autre. Préparez-vous. On va déhaler le Zodiac de la dunette. »

Nous nous levons, les gestes gourds, encombrés par nos harnachements de survie. Les lampes frontales rallumées trouent l'obscurité, révélant le désordre qui règne aussi sur le pont. Une idée me vient alors, parfaitement incongrue, mais qui semble un contre-pied absolu à notre situation :

« Attendez, dis-je... Il y a une chose qu'il faut absolument faire avant de se mettre au travail, une chose essentielle...

— Quoi donc ? » demande Delaroche qui tient déjà l'une des anses du Zodiac.

— Une fête ! ...

— Une fête ? » s'étonne Rondel. Il me regarde, les bras ballants, un air de stupéfaction sur son visage rond.

— Oui, une fête, une vraie. On est peut-être en train de dire adieu à *La Boudeuse*, n'est-ce pas ? Alors si vous voulez mon avis, il ne faudrait pas la quitter sans lui rendre un dernier hommage. Et une fête en son honneur, alors que tout fout le camp, je crois qu'elle aimera ça... Et pis, disons que dans les circonstances qui sont les nôtres, ça ne me déplaît pas de faire un pied de nez au destin. Alors allons nous moquer de ce qu'il nous réserve... Direction le bar, on va boire tout ce qui reste dans les bouteilles, et ne rien laisser à la mer ! »

Tous se mettent à rire, partagés entre surprise et incrédulité. « Ça me plaît bien cette idée, s'exclame Maury. Faut pas s'en laisser conter...

— J'en suis aussi, fait Guilbert, ça aura de la gueule cette affaire. Allez, tous au bar de *La Boudeuse* ! »

D'un coup, l'ambiance devient surréaliste. Ce qui pesait sur nos épaules semble s'évanouir d'un coup et nous franchissons la porte de la pagode emplis d'une force nouvelle, libérés d'avance du sort que le destin nous promet. Quelques instants plus tard, nous nous bousculons devant le bar qui se dresse face au grand carré. Après être passé derrière le comptoir de bois verni, je sors les bouteilles et fais le service. Bientôt les verres débordent, s'entrechoquent dans les rires. « À la santé de *La Boudeuse* ! À tout ce qu'elle nous a donné...

— À l'aventure ! À tout l'équipage... »

Nous allumons des cigarettes à demi trempées, échangeons des plaisanteries. La fumée emplit tout l'espace d'énormes volutes qui tournoient dans les faisceaux de nos lampes de manière fantasmagorique. L'espace d'un instant, il me semble voir l'image de Zorba dansant sur la plage après la destruction du rêve de sa vie, tout là-bas en Grèce, il y a très longtemps. Je ne dis plus rien. Je regarde la grande bibliothèque au fond du carré, ces centaines de livres que j'aime, tant de fois lus et relus, annotés année après année. Le livre de *Zorba** est parmi eux, avec *Don Quichotte**, Drogo dans *Le Désert des Tartares** et quelques autres auxquels je suis viscéralement attaché, parce que, tout au long de ma vie, ils m'ont montré des routes à suivre. Brutalement je réalise que je vais probablement perdre aussi toute cette bibliothèque, une partie de mon histoire. Le sentiment d'injustice m'envahit à nouveau avec violence. Levant le bras, je demande un instant d'attention :

« Il y a un serment que je voudrais faire, dis-je. Le voici : si par malheur *La Boudeuse* disparaissait cette nuit, je vous promets qu'un autre navire prendra sa relève pour poursuivre les mêmes aventures. Quoi qu'il en coûte... Et à l'intérieur, il y aura une bibliothèque encore plus grande que celle-ci. » Nous levons à nouveau nos verres. À une heure cinquante du matin, nous sommes revenus sur le pont. La nuit est toujours profonde et glaciale, interminable. Je regarde la mer avec la sensation presque physique de l'entendre respirer d'un souffle puissant tout autour du navire.

P. F.

«   »

À contre-courant
ANNE QUÉMÉRÉ

BRETONNE et passionnée, Anne Quéméré a grandi dans l'univers des bateaux, au contact de son océan de prédilection. En 2002, elle traverse l'Atlantique en solitaire à l'aviron par la route sud, vers l'Amérique (cinquante-six jours). En 2004 elle effectue, toujours en solitaire, une difficile traversée de l'Atlantique Nord à la rame (six mille quatre cent cinquante kilomètres parcourus en quatre-vingt-sept jours) vers l'Europe, dans des conditions météo détestables, comme on va le voir. En 2006, elle s'attaque à la traversée de l'Atlantique en solitaire, tractée par un cerf-volant.

Trop c'est trop ! C'est sûr, j'ai la poisse. Je me doutais qu'en baptisant le bateau un vendredi, et bien que la bouteille de champagne se soit cassée du premier coup, j'attirerais sur moi le mauvais œil. Comment avais-je pu imaginer un seul instant échapper à LA malédiction du vendredi ? Quelle inconscience de ma part. Et maintenant, le mal est fait. Oh, n'allez pas croire que ce ne sont que superstitions de marins d'autrefois, car le résultat est là : je n'avance plus. Pire... je recule, malgré mes efforts considérables je reviens sur mes pas. Vent glacial dans le nez, courant contraire, à raison d'environ deux nœuds de dérive à l'heure, j'imagine déjà l'ampleur des dégâts d'ici à la fin de la journée. Ce qui était censé n'être qu'une petite brise d'est s'est sournoisement installé en se renforçant au fur et à mesure des interminables heures, et rien – de quelque côté que ce soit – n'indique l'arrivée d'une éventuelle accalmie. Si l'on y ajoute la purée de pois qui baigne les abords des bancs de Terre-Neuve et dans laquelle je patauge allègrement depuis des jours, ainsi qu'un crachin persistant qui s'abat avec une régularité déconcertante, on imagine sans peine l'immense découragement dans lequel je me trouve. Images d'ambiance de fin du monde, je suis transie, trempée et... et alors quoi ? Il faut que je réagisse, que je résiste, un point c'est tout ! Que je me réattelle à mes avirons, que je m'y agrippe. Et pas question de faire semblant ! Parce que le cauchemar n'est pas fini. Parce qu'il reste encore quatre mille cinq cent quatre-vingts kilomètres avant la pointe de Bretagne... Parce que la route est longue et que mon frêle esquif n'est pas au mieux de ses performances dans cette mer houleuse et ces vents contraires.

Dire que cette traversée de l'Atlantique Nord à l'aviron et en solitaire était mon idée, mon rêve devrais-je dire ! Un rêve dont j'ai minutieusement préparé les moindres détails avec une évidente excitation. Une obsession de tous les jours, une ambition qui chaque semaine depuis quatre ans berçait mon quotidien. Mais qu'est-ce qui m'a pris ? Tant de nuits blanches à terre pour tant d'heures noires au final ! Y aurait-il quelque chose qui m'a échappé, une donnée essentielle que mon disque dur n'aurait pas intégrée ? L'exaltante sensation de liberté des premiers jours qui ont suivi le départ de Cape Cod n'est plus en effet qu'un lointain souvenir. Partie la fleur au fusil, je me promène depuis trois semaines entre dépression et pétole molle, température polaire et chaleur torride, sans parler de la partie de ping-pong qui s'est engagée il y a quelques jours entre cette météo capricieuse et mes nerfs désormais à vif. Bref, les compensations se font attendre et l'entrée en matière est plus que laborieuse !

Savoir que mon bateau est insubmersible et autoredressable ne réussit même plus à me rassurer. Après un premier chavirage il y a une semaine, mon humeur s'est quelque peu assombrie et mes doutes quant au succès de ces pérégrinations océaniques sont maintenant très sérieux...

Cellule de crise ! Tel un animal pris au piège, je me débats, me révolte, et les mains rivées aux avirons, j'essaye péniblement de gagner quelques milles supplémentaires. Je n'attends pas grand-chose, juste un peu de clémence alors que la nuit va tomber et que le brouillard avale tout autour de lui. Peine perdue. Après de longues heures d'efforts, je mesure toute mon impuissance. Maintenant plongée dans l'obscurité, je fais au mieux du surplace, au pire je retourne inexorablement sur mes pas, entraînée dans le courant contraire d'un *warm eddy* dans lequel je reste scotchée. Ramer ne sert plus à grand-chose et pourtant je m'acharne encore, résistance vaine mais vitale. Je sais pertinemment que je ferais mieux d'aller me reposer quelques heures, m'étendre et dormir pour laisser le temps au vent de tourner, mais un sentiment d'injustice me pousse à continuer le combat.

« Cher Gulf Stream, source de tous mes espoirs et mes désespoirs, sache que pour l'heure je te maudis ! » Je sais que je serai bientôt à l'ancre flottante, et que tout comme hier et avant-hier, je ne serai plus qu'une minuscule coque de noix trimballée par Éole au gré de sa folie. Combat perdu d'avance. Alors pourquoi se donner tout ce mal ? Pour moi ? Pour ceux qui m'attendent à terre ? Question de fierté ? J'ai le sentiment de ne plus rien comprendre au film, où rien ne se passe comme je me l'étais imaginé, ou alors je suis coincée

là pour la nuit des temps à cause d'un défi que j'ai cru
accessible.

« Allons, Anne. Du calme. Tout ça c'est de TA faute, d'accord ? Mais il y a encore de l'espoir. Essaye de sauver
quelques milles et n'oublie pas une petite prière au passage,
on ne sait jamais ! » Une prière ? Mais à qui ? À quoi ? J'ai
déjà invoqué tous les dieux de la Terre, des mers et du cosmos. J'ai essayé de négocier avec la nature, promettant de
me conduire en citoyenne modèle, de recycler toujours, de ne
gaspiller jamais. Qui ai-je bien pu oublier lors de mes orai-
sons et dont le courroux fait trembler l'océan ?

Manœuvrant en équilibre précaire, marmonnant des jurons
à qui mieux mieux, j'installe l'ancre flottante censée freiner
ma dérive et me réfugie dans la moiteur de la cabine. Une
forte odeur de renfermé, d'humidité et de moisi m'agace les
narines, infâmes effluves qui m'accompagneront tout au long
du voyage. Telle l'expression entendue sur les quais de
Douarnenez, je me retrouve « prise comme un tacaud dans
la vase à marée descendante ». Il y a quelques mois j'en
aurais souri, mais en cette fin de journée pitoyable, cela ne
me viendrait pas à l'esprit.

Malgré le découragement et le doute qui refont surface, j'essaye de me convaincre que ce n'est qu'une épreuve de plus
qu'il me faut traverser, que tout ira mieux demain. Pourquoi
se mettre dans un tel état d'ailleurs ? Je ne vais pas si mal
après tout ! Hormis la paume de mes mains en lambeaux, la
peau des fesses couverte d'escarres et quelques bleus de-ci
de-là, je suis à peu près présentable, j'imagine. Mais qui s'en
soucie ! Je suis la seule âme humaine à quelques milles à la
ronde et je ne pense pas que dauphins, globicéphales et
autres mammifères marins croisés au fil de l'eau trouveraient
à redire à mon apparence physique. Leur désintérêt envers

notre curieux équipage est évident, ma faible vitesse en est probablement responsable. Pas de vague d'étrave grisante, pas de sillage enivrant, bref rien de ludique pour ces joueurs facétieux qui malgré tout m'ont offert quelques représentations clownesques ! Dommage, leur compagnie est un baume au cœur dont je ne me lasse pas et qui conserve la magie de mes rêves d'enfant.

Mais pour l'heure, place au côté pratique et cartésien. Je dois essayer de dormir une heure ou deux, arrêter de penser, reprendre mon souffle, c'est tout ! Tôt ou tard les conditions météo faibliront, c'est mathématique, et cela me réconforte un peu. C'est déjà ça. L'oreille à l'affût, je guette les moindres appels de mon embarcation, sursaute à ses moindres gémissements. Ses plaintes inhabituelles me gardent en éveil quelques instants encore, avant que je ne sombre dans un profond sommeil.

A. Q.

« 　 »

Une sourde envie de tuer
NADY GIL-ARTAGNAN

APRÈS avoir tenté deux traversées de l'Atlantique sur des radeaux antiques à la façon de Thor Heyerdhal, Nady et son mari André Gil-Artagnan se sont intéressés à un navire égyptien mentionné par

Hérodote. Un tel bateau aurait fait le tour de l'Afrique sept siècles avant notre ère. Pour prouver que cela était possible, Nady et André ont construit en 1988 un bateau à l'identique, le *Pount*, avant d'accomplir, en compagnie de leurs deux enfants, un passionnant et périlleux tour d'Afrique qui va durer deux ans (lire *Le Grand Voyage du Pount**).

Je passe et repasse les souvenirs récents au tamis de ma mémoire qui ricoche sur l'étendue des vagues, des sons et des couleurs, patiemment enregistrés ces dernières semaines. À Sète, un promeneur s'est arrêté un soir sur le quai, près du bateau. La vallée de la Loire résonnait dans sa voix :
« C'est beau ce que vous faites. Si vous avez besoin, je pourrais peut-être venir vous donner un coup de main. Je suis au chômage. » La quarantaine, sec, le front bas, des yeux gris protégés par d'épais sourcils et des lunettes, Pierre, plutôt sympathique, nous a paru sérieux. Très vite, nous avons accepté sa proposition. Il aimerait aussi nous accompagner en Afrique :
« S'il y a une place pour moi. Les Noirs, ça ne me dérange pas, je les aime bien, ils sont plutôt sympas. » Il est libre, dispose de quelques économies, n'a pas le mal de mer et fait de la planche à voile.
Au début de mai, notre compagnon commande la cloche du bord à l'un des derniers fondeurs encore en activité vers Orléans. « Ce sera ma contribution symbolique à l'armement », nous dit-il. Symbolique en effet, car nous savons maintenant qu'il a été prêtre-ouvrier. Il a aussi rapporté une bonne bouteille d'eau-de-vie de poire à soixante-dix degrés « faite à l'ancienne par un paysan de chez nous ».

Au matin d'une sortie en mer, près de nous, un pinardier fait le plein. Pierre suggère de demander à l'ouvrier s'il nous remplirait un jerrycan. « Bien sûr, une goutte dans un océan de rouge... Mais méfiez-vous quand même, il est fort. »

Le soir, pendant la manœuvre d'accostage, la gaffe de Rolf, un Norvégien candidat à l'embarquement, glisse sur le bord du quai. Il tombe lourdement sur la lisse de pavois. Accroupi sur le pont, l'œil vague, je comprends alors seulement qu'il est ivre ! Merci à Pierre d'avoir embarqué ce fameux vin italien.

De Sète, nous appareillons avec Pierre et Jean-Marc, tous deux volontaires pour un tour d'Afrique, ainsi que Théo, un Bulgare. Gérard, que nous avions rencontré sur le quai à Monaco, nous rejoint à Bastia. Mais tout comme Théo, il ne peut s'engager que jusqu'en Égypte.

En Méditerranée, craignant d'être surpris par une tempête, Pierre surveille anxieusement le baromètre, le tapote et le retapote, affolé à la moindre baisse de l'aiguille. Son angoisse contagieuse démoraliserait une armada de pirates. Pour résister, je décide d'ignorer le « baro ». Pierre propose de plus en plus souvent le « p'tit coup d'poire ». Le capitaine, sobre comme un chameau, ne voit pas la chose d'un bon œil. Où Pierre placera-t-il la limite à ne pas dépasser ?

En Grèce, les amarres passées, nos quatre équipiers quittent le bord, sans souci, pour faire la tournée des bars, nous laissant seuls, André et moi, assurer le gardiennage, l'approvisionnement et l'entretien du bateau. Un après-midi de tramontane, le bateau roule beaucoup. Les huit ballons suffisent à peine à protéger le pavois qui racle à plusieurs reprises. Nous sommes seuls face à la force de la houle. Pierre ne rentre que vers minuit (mi-cuit, mi-gnôle), l'œil vif, un côté du visage tuméfié.

« J'ai pris un raccourci et en sautant le mur, je me suis cassé la gueule... »

Bien sûr, je n'en crois pas un mot. Nous devons quitter Pilos à midi. Pierre n'arrive que vers quatorze heures, passablement ivre. André et moi l'envoyons dormir et prenons son quart.

Nous élongons la côte, à deux milles au large. Je suis assise à l'arrière. À dix-sept heures, lorsque Pierre prend le quart, Théo lui donne une modification de cap : « Maintenant, tu gouvernes au cent soixante-dix. »

Pourquoi Pierre pousse-t-il la barre à droite, cap sur la terre, juste devant l'étrave d'un cargo remontant du sud, entre la côte et nous ? Par chance, l'équipage veille à bord du cargo qui évolue rapidement sur sa gauche et passe juste sur notre arrière, évitant ainsi de nous envoyer par le fond. Le bruit des hélices fait bondir le capitaine hors de sa cabine. Pierre, qui chante à tue-tête, n'a toujours rien vu et maintient son cap. On lui demande ce qu'il fait : « C'est Théo. Il m'a dit : "Cap au soixante-dix." » Après un court dialogue de sourds, on le renvoie dormir.

Depuis l'arrivée en Égypte, Pierre et Jean-Marc, désormais nos seuls équipiers, sont de plus en plus irritables : en pays musulman, il n'est pas facile d'arroser le *caoua* d'un « p'tit coup d'gnôle ». Le moral est en baisse. À Suez, nos équipiers s'installent paresseusement à l'ombre des grands arbres du parc du yacht-club, ne revenant à bord que pour poser les pieds sous la table ou sur leur couchette.

La chaîne de télé CNN vient faire un reportage sur notre aventure. De manière à simuler notre arrivée, les journalistes demandent de déplacer un peu le bateau et de hisser la voile. De mauvaise grâce, Pierre et Jean-Marc s'arrachent un moment à leurs transats afin de venir aider à la manœuvre.

« On n'est pas ici pour faire du cinéma. Nous, on n'en a rien à foutre : c'est pas notre problème. » Deux heures plus tard, le *Pount* retourne à son poste. Nos équipiers reprennent leur place sous les feuillages. Le capitaine et moi réinstallons péniblement les tauds.

L'idée de rassembler un équipage exclusivement africain a fait son bonhomme de chemin. La Marine djiboutienne nous envoie deux marins, Fouad et Sasso. Sur place, nous recrutons deux Soudanais, Hassan et O'Sheick.

Depuis l'arrivée des quatre Africains, les deux anciens prennent de plus en plus leurs distances. Ils ne portent plus aucun intérêt à la navigation. Taciturnes, ils n'ouvrent la bouche que pour émettre des grognements amers. Quelle vie amère que la vie en mer ! Dans ce monde différent de celui qu'il s'était imaginé trouver, Pierre a perdu ses marques et n'est plus l'aimable compagnon qu'il était à Sète. Un après-midi, emportée par une grosse prise, la ligne de traîne se déroule vivement. Tout l'équipage est sur le pont. « Pour l'étourdir », Pierre saisit une gaffe et tape sur la tête du thon qui se débat violemment : la ligne casse.

Depuis des heures, Pierre joue la même rengaine sur son *ruine-babine*. Dans les cordages, le vent gémit en arpège. Après tant de quarts et de relèves supplémentaires, je ne sais plus où j'en suis. Depuis le départ de France, Pierre m'a si souvent et tant agacée que je perds le contrôle de mes réactions. J'amplifie chaque événement, le jugeant beaucoup plus grave qu'il ne l'est. Je perds la notion des réalités.

Autour de moi, les bleus sombres du ciel et de l'eau se fondent. Je ne vois pourtant que le gris de mon exaspération. Hier après-midi, quand il a massacré ce magnifique thon, c'est sur lui que j'avais envie de taper.

L'or étincelant du ciel vire au rouge puis au pourpre foncé, étouffant les couleurs jusqu'au noir. La nuit tombe brusquement, tel un tapis magique.

Avec Pierre, j'ai pris le quart de trois à six heures. Tous les trois quarts d'heure, nous nous relayons à la barre.

Alors que je profite d'un changement pour descendre embrasser les enfants endormis et boire un peu, une brusque saute d'allure me fait remonter précipitamment. Une fois encore, nous sommes tombés à contre, par vent de travers. Dans cette configuration, sous la pression du vent dans l'immense voile, les vergues, appuyées contre le mât, peuvent casser. Cette nuit le vent est modéré. Mais par grosse mer, sans vergues, donc sans voile, que vaudrait notre petit moteur de soixante et un chevaux contre la force des vents ? Dérisoire !

André et deux équipiers montent faire la manœuvre pour reprendre le cap. Lorsqu'ils redescendent, je suis à nouveau seule avec Pierre, muet, le front buté, l'œil viré sur la faible lampe du compas. Ballotté par une mer désordonnée, mon cerveau travaille à vide. Mes pensées se mêlent, s'entrechoquent et ricochent sur la paroi de mon crâne. Un tourbillon de mots m'amène au bord du vertige. J'ai la gorge nouée. Impossible de rompre notre silence. Une lourde incompréhension plane sur l'eau nacrée de lune. Les non-dits accumulés sont prêts à fuser en désordre.

À chaque changement de quart, pendant quelques secondes, le barreur sortant et celui qui vient le relever sont en danger, en équilibre instable. Nul cordage, nul appui ne les retient au moment où ils passent la barre. Il suffirait d'une lame inopinée, plus forte que les précédentes, pour faire basculer l'un ou l'autre, pour...

Le chuintement de l'eau le long de la coque me fascine. Tapie dans l'obscurité de cette nuit étrange, à quelques pas, j'observe Pierre. Je sais à cet instant que je ne supporte plus sa présence. Un silence bourdonnant nous écrase, raidit nos gestes. Les minutes s'ajoutent aux minutes, deviennent des heures, des siècles de pesanteur. Loin d'apaiser ma fébrilité, la mer commence à s'agiter, excitant ma furie.

Dans l'atmosphère oppressante qui précède un orage, je ne vois plus que cette silhouette. Je voudrais pouvoir la gommer, l'effacer, la rayer de ma vue. Des idées assassines errent dans tout mon corps, envahissant peu à peu chaque muscle. Mes mains frémissent. Mes doigts se contractent. La colère s'insinue sournoisement, glisse le long de mes fibres profondes. Je crains qu'à la faveur d'un détail plus piquant que les autres, les folies les plus lancinantes qui dorment au fond de moi n'éclatent brusquement.

La respiration profonde de la mer semble m'appeler. Des images défilent vertigineusement sur l'écran vert de mes yeux clos. Bousculé par la tempête qui déferle dans ma tête, mon esprit vacille... Je me laisse glisser le long de la coque et emporter par de légers courants salés... Comme par magie, une lumière phosphorescente déchire le voile sombre qui couvrait la surface... Je me pose sur le fond, accueillie par un délicat matelas d'éponge... Je suis parée de colliers de perles blanches, noires, rondes, oblongues, lisses ou baroques... Une douce anémone s'accroche à mes cheveux... Des guirlandes de poissons multicolores me caressent... Des algues échevelées m'enlacent... De fragiles coraux forment un écrin précieux autour de moi... Je me laisse pénétrer par la vie aquatique...

Soudain, en un éclair fulgurant, la peau ensoleillée, les yeux rieurs, les rires sucrés de mes enfants, Bérénice et Aurélien, effacent cette vision étrange. La vie me retient.

Encore chavirée par ce mirage fascinant, j'ai peine à retrouver la lourdeur de mon corps. En silence, l'âme noire de rancœur, je m'approche de Pierre. Mon âme et mon corps luttent contre une pulsion barbare. Je dois prendre la barre. Quand il se lève, sans aucun appui, Pierre est vulnérable... Je m'agrippe au timon... Tous les muscles de mon corps sont contractés, prêts à une détente violente qui me libérera... Pas un cri, pas un geste de résistance. Pierre bascule. Sans bruit, son corps glisse sous la surface frissonnante de l'eau...

Ignorant ma confusion, Pierre se redresse. Mes lèvres s'ouvrent, mais la rage n'a laissé que des notes rauques dans ma voix. La saveur violente du moment présent, pimentée du cauchemar qu'elle m'a inspiré, m'a anéantie. Alors que je tenais le loup par les oreilles, l'amour de mes enfants – et peut-être la peur d'être entraînée par la chute de Pierre – a maîtrisé mon égarement.

À présent, une lueur bleutée s'étend peu à peu à l'horizon, d'abord à peine perceptible, puis virant au bleu électrique, avant d'être balayée par un éclat orangé, insolent. Le jour point à point ! Le soleil, suspendu au-dessus de nous, empourpre le bleu de la mer Rouge et moire de zinzoline l'immensité du ciel. Des millions de paillettes, grains de soleil éparpillés, miroitent sur l'eau. La mer et l'exaspération m'aveuglent. Entre ce que l'on paraît être et ce que l'on est, se place toute la différence. Là se situe peut-être la vérité. Je ne suis pas allée au bout de mon délire.

N. G-A.

« »

Miction impossible
Dominique Baron

MÉDECIN rhumatologue de renom, Dominique Baron, Breton passionné de voile, a été médecin de la course du Figaro et il a navigué entre la Bretagne et les Antilles.

Nous sommes au milieu du golfe de Gascogne le bien nommé, depuis aujourd'hui du moins, car ça cogne dur. Dès le départ, deux jours plus tôt, une houle longue et croisée, associée à une brise de fond de culotte, a entravé notre remontée vers la Bretagne sud. La zone dépressionnaire vient de nous rejoindre avec son vent de suroît. Le contact a été brutal. Le vent venait debout, mais modéré ; en quelques heures, il est passé au portant, avec des rafales à plus de quarante nœuds de vent apparent qu'il fallait rajouter à notre vitesse. Nous allons devoir changer nos habitudes à l'intérieur, les coups de roulis ont tout déstabilisé, le travail de sape a commencé.

Avec le vent, la houle se lève ; à plus de quinze nœuds, le bateau descend la vague, proue vers le bas, comme l'enfant sur un toboggan. Au fond de la vague, le voilier ralentit brutalement, au point de paraître arrêté. Puis il remonte, poussé par la vague suivante qui nous dépasse et nous propose, en passant, son aide pour mieux glisser. Même installé dans ma bannette, je reconnais les moindres mouvements du voilier, là, du fond de ses entrailles. L'heure du quart

approche : je ne dois plus fermer les yeux. La succession
de vagues me submerge. Pour l'instant j'ai l'impression de
redevenir enfant, d'être bercé par la mère. Je suis en état
de veille, j'oublie, puis j'essaie de me réveiller complètement,
mais je flotte dans un état de torpeur, je n'y arrive pas, prisonnier de moi-même et des éléments. Comme si, au lieu
d'être bercé, j'étais berné par la mer : horreur, tromperie,
trahison. Impression d'être empêtré, pris au piège d'une toile
dont on ne peut s'extraire. Le mal de mer guette, mais la
conscience le refuse. Le mouvement incessant me plonge
dans un état de sidération : je me révolte, je ne peux pas, je
lutte, non, j'essaie de lutter. Je sens mes forces me quitter :
les bras ne répondent plus à mes ordres. Pourtant ils sont
clairs, il faut tenir bon, mais je n'arrive pas à me raisonner.
Je flotte dans un brouillard intense, un brouillard interne,
mes « houlantes » personnelles ne répondent pas, elles ne se
sont pas déclenchées. Je sombre, je ne veux plus lutter. Un
instant plus tôt je voulais me battre, maintenant je voudrais
en finir. J'arrive à sourire en me disant que je suis au creux
de la vague. Je sais que me lever me ferait le plus grand
bien. Ai-je peur, ou le mal de mer m'a-t-il kidnappé ? Peut-
être bien les deux. Je dois me lever, ne serait-ce que pour
aller pisser au vent. Cela paraît naturel comme envie et en
même temps si difficile à accomplir. Je connais exactement
le nombre de pas qui me séparent du pont : dix avant
l'échelle qui mène à la liberté, au soulagement. Je m'en sens
tout juste capable. Encore faudrait-il ne croiser personne
dans le cockpit. Si je rencontre Alain, il risque d'en garder
un souvenir un peu glauque, d'autant que c'est lui qui m'a
préparé ma dernière collation – sandwich au saucisson et
thé vert. Voilà une éternité – depuis le début de l'après-midi
– que je revis cette scène, sans pouvoir résoudre ce problème

devenu un calvaire. Par moments, lors de courts instants de lucidité, j'entends le générique du feuilleton télé *Mission impossible* qui devient pour l'occasion *Miction impossible* ; j'arrive encore à en sourire.

Ça y est, j'y vais : je profite de ce sourire échappé de nulle part pour rassembler mes forces et me concentrer sur le trajet. J'y parviens quasiment sans encombre. Je me sens un peu faible mais je vais pisser tranquillement, sous le vent, et non dans les bastaques comme d'habitude. J'ai pris mon quart, Alain m'a préparé une grande tasse de thé ; mais je n'aime pas l'allure du bateau. Le roulis est difficile à prévoir. Par moments les rafales sont épouvantables ; c'est comme une claque non méritée. Enfin, c'est moi qui ai décidé de ramener ce bateau, j'ai l'habitude. J'essaie de me rassurer, mais je me brave tout seul, quel con ! Je n'ai même pas envie de réveiller Alain, qui vient juste de se glisser dans son duvet. Heureusement je ne suis pas seul, avec Mylène Farmer et Phil Collins. Non, je ne délire pas, j'ai mon baladeur MP3 avec mes chansons préférées, et c'est à fond que je les écoute. Entre deux morceaux, la réalité reprend le dessus : je crois que j'ai peur. Certaines déferlantes terminent leur chevauchée dans un râle fracassant. Passant du bleu profond au turquoise, elles s'écrasent bruyamment sur la coque du bateau qui se transforme un instant en un Jacuzzi géant d'eau blanche et mousseuse dans la nuit noire. Il est trois heures du matin. Le temps s'arrête... À plusieurs reprises, les vagues submergent le cockpit, se glissant malicieusement à l'intérieur par les quelques centimètres d'un hublot laissé entrouvert pour aérer l'intérieur. Je me retourne : qu'est-ce que c'est que cette lueur blanche et fantomatique qui flotte derrière le bateau, bien au-dessus du niveau de l'eau, plus haut que le mât lui-même ? Les crêtes de déferlantes.

Je n'en crois pas mes yeux : à une quinzaine de mètres, presque au-dessus de ma tête, nous sommes poursuivis par des fantômes géants. Ce sont des monstres informes qui nous épient, nous attaquent. Leurs tentacules effilés et velus essaient de nous encercler. Mais non, déconne pas, ce ne sont que des vagues, oui, mais des... « Mayday, j'ai dit Médée, je ne comprends plus. » Je ne suis pas en danger pourtant : la mer est forte, ce n'est pas la première fois.

Quelle est donc cette faculté qui peut à la fois stimuler mon cerveau rationnel (je vois, j'analyse, je suis conscient), et mon cerveau gauche, celui qui interprète ce qu'il voit de façon déraisonnable, incohérente, insensée. C'est pourtant cette partie du cerveau qui me convainc le mieux : je deviens la victime de mon propre imaginaire. Mais ce buisson qui traverse la route devant moi comme un chaparral, je ne l'ai pas rêvé tout de même, ou bien était-ce un paquet de mer ? Comment ai-je pu confondre les deux ? Je comprends mieux pourquoi on attachait le barreur lors des tempêtes, du temps des cap-horniers : il y a un gouffre entre ce qu'on peut entendre au coin d'un bar brestois et ce qu'on voit vraiment lorsqu'on y est.

Le roulis du bateau a réussi à me mettre en rythme alpha... Alpha, Papa, Roméo et Juliette. Mais je ne l'ai pas invité, Shakespeare, que je sache ; j'ai déjà assez de mal tout seul. Le roulis du bateau s'est emparé de moi, il m'a investi ou plus exactement a décidé de rouler mon cerveau, de rouler dans mon cerveau, entre mes deux cerveaux ; le roulis est devenu interne : un coup à gauche, je déconne, un coup à droite, je raisonne. La preuve ? Je ne suis plus étanche : la tempête me touche, m'envahit, la tempête est en moi. Merde, c'est pas des conneries, le bateau part au lof, j'ai dû me déconcentrer entre Phil Collins et les idées qui trottent dans ma tête un peu éthérée. Je ne peux pas redresser les quinze mètres du Swan. Les haubans vont toucher l'eau : j'ai l'impression de faire un demi-tour sur place. Impressionnant : j'entends la Cocotte-Minute qui vient de passer de bâbord à tribord. Je crois que tout le reste suit. Alain arrive, la tête dans le duvet ; le pauvre ne comprend rien : on est bout au vent, à la cape. Le bruit devient encore plus perçant, les sons du vent, de la mer, du bateau et des coups de boutoir des déferlantes forment une véritable cacophonie du chaos. Il faut réduire la toile, ce qui est fait de façon cartésienne dans les règles de l'art...

Ouf, ça y est, je me sens mieux, mais je ne peux m'empêcher de repenser à ce mini raz-de-marée intérieur qui m'a bouleversé. Le roulis, d'abord physique, était devenu mental. Ce bercement m'a mis dans un état de veille, comme au début du sommeil ; ma vigilance a fini par se fractionner, donnant libre cours à l'interprétatif, à l'instar de l'artiste qui essaie de se défaire de cet habit de contrôle, lui qui a besoin de se laisser aller, de permettre à son cerveau gauche de transformer ses idées, ses envies, en création, en une œuvre. Bon, je vais essayer de maintenir le cap jusqu'à la fin de mon quart, sans écart, enfin peut-être... Cette fois-ci on a eu de la chance... Merci à ceux qui nous protègent !

D. B.

« »

Traversée initiatique
LIANA WELTY

LIBRAIRE francophone à Vancouver, enseignante, navigatrice, marcheuse en Chine ou dans les Andes, originaire de New York, Liana nous raconte comment les calmes plats peuvent s'avérer pires pour un équipage que bien des tempêtes, et comment un tel cauchemar peut se transformer en voyage initiatique. Embarquée comme simple équipière à Hawaii, elle se retrouve capitaine malgré elle, à bord d'un voilier déglingué en route pour les Marquises...

Mon échine se contracta sous le choc glacé de l'eau salée jaillissant par les écoutilles. Je rampai dans mon sac de couchage trempé à la recherche d'un peu de réconfort. Ce voilier, que je considérais comme mon port d'attache, n'était plus à présent qu'une fragile coquille d'œuf attendant de se briser. Dans ma couchette détrempée, je me débattais avec des visions et me voyais condamnée dans cette passoire avec un capitaine qui ne pensait qu'à se noyer lui-même, et nous avec. L'océan et son martèlement incessant montaient à l'assaut de la coque.

Des heures plus tard, je me suis traînée sur le pont. Un équipier grimaçant, nimbé par des nuages menaçants que la lune illuminait, me céda son poste sans desserrer les lèvres. Je m'installai à la barre, tournant le dos à la vague noire et vicieuse qui planait autour de moi, tel l'aigle qui attend que sa proie montre des signes de faiblesse. Les jambes raides, dans une position d'amazone, je me suis préparée au combat. Puis les heures ont passé et, comme un cavalier qui « casse » un cheval sauvage pour le dompter, les muscles bandés, je fus rassurée de constater que je contrôlais le voilier dans la tempête ; alors ma peur s'est muée en émerveillement. Les vents me pénétraient, les houles me séduisaient, dans une alliance confiante avec les éléments. Je ne me sentais plus assiégée par des vagues agressives, mais les voyais désormais comme le flux et le reflux qui se manifestaient à moi, tels ces dauphins qui guident les navires hors du danger, les vagues m'invitaient à me relaxer tandis que je tenais la barre à roue.

Un craquement sinistre rompit ma sérénité. Mon corps tout entier fut secoué : la barre venait de se briser et son poids me fit tomber sur le pont. Je me mis à rire comme une hystérique, pleurant et maudissant tout le monde : ce bateau qui partait en miettes, ce capitaine pour nous avoir entraînés à bord d'un voilier prétendument marin, et moi-même pour l'avoir cru. Sous le choc, je continuai à barrer avec la roue détachée, comme quelqu'un qui ne comprend pas que son membre, qui vient d'être sectionné, n'est plus bon à rien.

Le souffle retenu, j'entendais battre mon cœur en attendant je ne sais quoi, cramponnée à la barre comme à une béquille. Je regardais la mer et le bateau. Peut-être finiraient-ils par s'arranger entre eux comme ils l'avaient fait en me dupant afin de me faire croire que j'avais un rôle à jouer dans ce voyage. Les mouvements désordonnés du bateau vinrent me rappeler qu'il y avait une autre barre à l'intérieur et je descendis dare-dare dans la cabine. Pas question d'abandonner le contrôle de ma vie, aussi illusoire soit cette maîtrise.

De retour dans la chaleur et l'obscurité de la cabine, à l'abri du vent et de la mer, j'ai repris mes esprits et me suis timidement remise à la barre. Lorsque je regardais la mer, je me sentais faible, petite et seule. Dans le silence de l'équipage endormi, la douleur du souvenir me submergea : je repensais à de tendres moments partagés avec mon ex-mari, des moments perdus. « Finalement, tout est pour le mieux », me disaient les amis cherchant à me consoler de l'échec de mon mariage. La phrase me tourmenta. Que pouvait-il y avoir de bon dans l'agonie de cette rupture ?

J'avais donc choisi de prendre la mer, que l'eau salée panse mes blessures les plus profondes, qu'elle m'entoure de l'énergie qui avait été drainée de moi. J'avais fantasmé sur un héros à la Moitessier qui viendrait m'enlever sur son voilier et me remplirait d'admiration, de façon à exorciser l'homme que j'essayais d'oublier. Non seulement ce capitaine-ci n'avait rien d'un homme mythique, aventureux, amoureux de la vie et susceptible de me sauver corps et âme, mais je le suspectais d'être totalement incompétent et surtout je ne voulais pas qu'il devienne l'instrument de ma propre défaite !

Tout au long de la nuit, j'ai songé à la vie que j'avais choisi de quitter et je rêvais de revenir à ma librairie française de Vancouver, de parler aux clients, de passer en revue les dernières parutions... Mais la douleur du souvenir revenait, insidieuse, me rappeler que ma librairie bien-aimée était aussi devenue une cage. Pendant des heures j'ai fixé le compas au travers de mes larmes, à l'idée que ma chère mère si anxieuse allait apprendre ma disparition en mer. Au moins pleurer m'apporta-t-il un peu d'apaisement et les liens mère-fille me donnèrent-ils une bonne raison de survivre. Je nous gardai sur le bon cap toute la nuit et au matin, épuisée, je plongeai dans une somnolence troublée, peuplée de cauchemars.

Des mots percèrent le vent : « Merde ! À l'aide ! Une barre de flèche est cassée. » Mouvements frénétiques et hurlements du capitaine : « Assurez-moi. Je monte sur le mât pour la réparer. » Puis j'entendis un énorme plouf et un coup sourd contre la coque. Je fus alors emplie par une vague de nausée, imaginant que le bateau venait de perdre son capitaine par-dessus bord. Je me suis précipitée sur le pont. Il était là, notre consternant skipper, toujours accroché au mât, qui se balançait mollement, fouetté par les vents, contemplant, impuissant, ses outils qui coulaient dans la mer.

Mon poing et ma mâchoire se desserrèrent, tandis que ma haine se muait en pitié pour cette caricature de marin, ficelé, prêt à mourir. Cet homme, qui rêvait d'être un capitaine Cook, était en réalité tel un adolescent dans une voiture de sport décapotable, rêvant de conquête et de puissance – un très lointain ersatz du chevalier de mes contes de fées. Mais devant ce capitaine pathétique, accroché au mât, j'ai compris que ses faiblesses pouvaient aussi être un don du ciel inattendu. Sa faiblesse deviendrait ma force. Je serais moi-même la personne inspirée dont j'étais en quête. Dans ce défi pour la survie, je découvrirais mes ressources intérieures. L'équipage n'avait aucune expérience. J'en avais un peu. Ils sont venus à moi :

« Nous voulons nous mutiner, mais te laissons prendre la décision. »

Ma seule préparation à une pareille responsabilité était un cours de navigation, destiné à me faire valoir autrement qu'en tant que femme. Ma tête commençait à battre, comme toujours lorsque j'essayais de comprendre pourquoi mes calculs ne correspondaient pas à ceux du skipper. Bien qu'ayant conscience que le monde est rond, la perspective de me perdre en plein océan me donna l'impression de couler ou d'arriver de l'autre côté de la Terre, au-delà des limites de mon cerveau. J'avais seulement voulu partir à la poursuite de l'horizon afin de m'éloigner de ma vie en morceaux. Sur le pont de ce bateau mutilé, avec son équipage fragile et effrayé, j'ai passé un moment à scruter l'horizon, mon seul point de repère, guide et compagnon indéfectible, puis je suis revenue aux limites de mon nouveau foyer flottant. Après avoir chassé un sentiment nauséeux de panique, j'ai contemplé l'ampleur de ma décision, qui allait déterminer le sort de cinq personnes. Le poids de cette responsabilité rendait le reste insignifiant. L'angoisse se retira de mon cœur tandis que des pulsations d'adrénaline envoyaient du sang au côté gauche de mon cerveau. Et l'océan attendait le dénouement.

Devais-je faire cap au sud vers l'équateur dans l'espoir d'y trouver une meilleure météo, peut-être même des calmes, en risquant de nous perdre et de rater les îles Marquises ? Ou bien devais-je me mutiner et revenir au nord, vers Hawaii, dans les tempêtes d'hiver avec un mât fragilisé ? En prenant conscience de l'impact qu'auraient mes décisions sur l'équipage et sur moi-même, j'ai mieux compris pourquoi j'avais pris la mer... En un flash-back, je me revis grimpant dans les sierras et les Rocheuses, au milieu des tempêtes, atteignant finalement les sommets. Ce n'est qu'après de hautes luttes que je me suis sentie en accord avec la montagne. De retour à la civilisation, lorsque je contemplais la montagne distante, elle était devenue une amie intime avec laquelle j'avais partagé des moments difficiles ou extatiques...

Jusqu'au moment où un arrêt prématuré de ce voyage en mer est devenu une option, je ne savais pas encore que je poursuivais le même parcours initiatique avec l'océan qu'avec la montagne. Ma quête consistait à éliminer le flou nébuleux de la vie moderne en espérant être récompensée par une belle expérience qui extirperait de moi les pensées moroses et lancinantes tout en répondant à mes interrogations sur la banalité et la finalité de mon existence. À ce point du voyage, l'océan m'apparaissait toujours tel un étranger froid et mystérieux, mais si je survivais aux tempêtes et aux défaillances du bateau, sûrement pourrais-je me tourner vers l'océan et aller jusqu'à l'illumination spirituelle par un délice transcendantal !

« Eh bien je peux maintenant vous donner une réponse. Après avoir soupesé le pour et le contre, j'ai conclu qu'il est plus sûr de continuer à faire route vers le sud.

— Mais, demandèrent-ils d'un ton défiant, sauras-tu nous mener là-bas ? »

C'est ainsi que je fus désignée navigatrice par l'équipage. Tout d'abord il fallait impérativement résoudre un problème de navigation qui me rongeait. Depuis le départ, malgré des relevés identiques au sextant, mes résultats différaient de ceux du skipper. J'ai voulu savoir quelles données il avait utilisées pour son navigateur électronique, cachant mon anxiété et me comportant en humble sous-fifre afin de ne pas froisser sa fierté ou provoquer son agressivité. Après avoir grommelé, il a fini par déclarer que je semblais mieux m'y connaître que lui et qu'en conséquence il me nommait navigatrice. Je fus donc ainsi doublement sacrée. Mais je n'ai joui de ce triomphe qu'un court instant ; à partir de là, ce furent d'incessants relevés au sextant ; calculs et lectures de cartes devinrent pour moi de puissants mantras, une méditation m'aidant à chasser les miasmes de mes saumâtres ruminations.

Jour après jour, je me réveillais dans la pluie et le vent pour effectuer mes relevés sur des ciels sombres, à bord d'un bateau roulant bord sur bord. L'équipage, les yeux pleins de colère et de peur, m'observait silencieusement. Et puis un beau jour, alors que je commençais à croire que j'avais dû me tromper et que cela n'en finirait jamais, la météo a changé et le vent s'est calmé à l'approche de l'équateur. Après le soulagement initial de l'équipage, arrivèrent les grands calmes tant redoutés : claustrophobie, chaleur, balancements interminables, cliquètements métalliques. Équipage et skipper devinrent irritables, la peur oubliée fit place à l'impatience.

Tous s'énervaient de façon irraisonnée, sautant par-dessus bord sans filin dans l'eau, ignorant les courants sous-marins et tentant ainsi le destin, s'excitant mutuellement afin d'échapper à la claustrophobie, à la chaleur torride, aux cliquetis incessants des haubans, au roulis, à l'intimité étouffante de l'équipage. Le capitaine refusait de manger avec nous, nous traitant de cannibales tandis que nous nous régalions de filets de thon cru. Cette atmosphère déplaisante m'écrasait. Bientôt l'équipage me reprocha de faire semblant de consulter mes cartes pour échapper aux corvées ; je me sentais blessée.

J'ai dû m'isoler, à l'écart de leur agitation. Je désirais me retrouver seule face à l'océan et à son calme gigantesque. Dans son immobilité, l'océan exerçait un grand pouvoir sur moi, tout comme l'avaient fait les mers tempétueuses plus au nord. Sur cette étendue d'eau plate, le voilier devenait une pendule arrêtée que seuls vents et courants pourraient redémarrer. Me laisser aller de façon à me soumettre aux forces de la nature, tel était le contrat que j'avais accepté en embarquant à bord d'un navire propulsé par le vent seul. Dans

ces calmes, à bord d'un voilier sur l'équateur, moi, la navigatrice, me sentais impuissante, insignifiante et intruse ; toute
décision semblait futile. Quelle rare opportunité et quelle
dichotomie frappante en regard de ma vie moderne occiden-
tale, où je dispose d'une infinité de choix et de pressions
pour optimiser le temps et la liberté qui me sont impartis.
Face à cette absence de jugement, de décisions à prendre,
mes voix intérieures commencèrent à emplir le vide. Sereine,
je me mis à l'écoute. Les mélopées du tourment s'étaient
tues. Les claquements des haubans se transformaient en per-
cussions joyeuses et le roulis du bateau, jusque-là symbole
de nausée dans cette tombe humide, devenait le doux grince-
ment d'un berceau. Je succombai à la fatalité, perdis la
notion du temps, et cela m'aida à guérir. Je n'essayais plus
d'échapper à mes pensées et mon esprit redevenait un lieu
confortable, la douleur de l'absence peu à peu remplacée par
une nouvelle perception de moi-même et de cette nouvelle
vie dont je faisais l'expérience toute seule. Je me sentis redevenir entière.

Je ne sais plus combien de temps nous sommes restés dans
les pots-au-noir de l'équateur. Un jour enfin, les brises se
remirent à souffler. Je m'ébrouai hors de ma soumission
tranquille, repris conscience du temps et commençai à
prendre des décisions, à établir buts et délais. La pression
revenait : il fallait atteindre notre destination. Capitaine et
équipage firent de leur mieux pour s'extirper de leur torpeur. Nous reprîmes notre route. Plus nous nous appro-
chions, moins je dormais. Ce n'est qu'en arrivant que je
découvrirais si mes calculs étaient exacts et si l'équipage
avait eu raison de me faire confiance.

La veille du grand jour, j'ai passé la nuit sur le pont, face au
sud, le cœur battant, le souffle court, comme si je courais

moi-même vers l'horizon. Je savais à quelle heure se levait le soleil, mais je me devais d'être là, prête à accueillir ses rayons qui viendraient (si le script avait été correctement écrit), dévoiler les majestueuses montagnes des Marquises. Clouée à mon poste, le doute et l'anxiété s'insinuaient dans mes pensées. Comment pouvais-je m'attendre à des relevés exacts sur un bateau en perpétuel mouvement, avec des ciels couverts ? À l'aube, le rideau se leva enfin, tandis que des rayons lumineux voilaient l'horizon. Mes yeux scrutaient la ligne scintillante entre ciel et mer, en quête de la moindre courbure qui signalerait une île. Et enfin, comme dans un mirage, une montagne émergea au sud, en plein dans notre direction. Je regardai encore et encore, au fur et à mesure que le ciel s'éclairait. Prenant une profonde respiration, je me mis à crier. Un profond sanglot jaillit de moi, libérant à lui seul la tension et la trépidation enfouis et exprimant ma gratitude envers l'océan. Sans doute aussi me félicitais-je d'avoir surmonté mes peurs pour faire face à ces pressions qui me terrifiaient. Commencé dans la crainte, en pleine tempête, mon interminable quart se terminait enfin.

L. W.

Folle bourlingue en Alaska
Céline « Seadrifter » Casalis

Céline Casalis (voir p. 59) porte bien son surnom de *Seadrifter* (« bourlingueuse »), comme on le voit dans ce récit picaresque du convoyage d'un vieux bateau de pêche russe dans les eaux glacées d'Alaska.

Mais qu'est-ce que je fiche ici, sur ce rafiot russe qui n'a même pas un GPS ? Qui n'a pas de carte marine, ni de compas à pointe sèche, ni de relèvement, ni même une boussole de terrien, pas de sondeur, pas de bière ni de roquefort Papillon et encore moins de jumelles ou de téléphone, pas même de chauffage ?... Ah si ! Il y a une bible à bord, mais elle est en russe.

Mais qu'est-ce que je fiche là, en hiver, dans ce chenal d'enfer de Shelikof Strait, au nord de l'île Kodiak, en Alaska, alors que les plaisanciers se la coulent douce sous les tropiques, au portant, dans les alizés ? Est-ce du masochisme ? Ou bien ai-je dérapé sur les ancres de ma raison ? Je suis déboussolée. « Seadrifter », je mérite bien ce surnom...

Igor est un géant qui a subi une descente d'organes assez courante à notre époque et connue depuis les temps les plus reculés des balbutiements de l'anatomie humaine : son cerveau est logé dans ses biceps, ce qui est bien utile pour barrer le bateau durant des heures car, bien sûr, il n'y a pas de pilote automatique... Les bateaux de pêche dits « russes » sont, la plupart du temps, immatriculés au port de Homer et reconnaissables au premier coup d'œil par leur habitacle de bois ou d'alu qui surmonte le pont de façon inesthétique (mais protectrice), par le bordel qui règne à l'intérieur, par la peinture écaillée et la rouille, par mille détails qui font qu'un corbeau ne se confond pas avec un aigle.

Comme on ne mélange pas torchons et serviettes, les pêcheurs « russes » ne se mêlent pas aux pêcheurs natifs (indiens ou aléoutes d'origine) et aux Anglo-Saxons. Bref, les Russes de Homer sont un groupe social très spécial et de mauvaise réputation : ils boivent des vodkas comme d'autres s'enfilent des bières sans alcool, ne respectent aucune règle, parlent russe afin que les gardes-côtes ne puissent y entraver que dalle, trichent sur la conservation du poisson et les zones de pêche... Les gens bien sous tous rapports en disent trop de mal pour qu'ils ne soient pas intéressants.

Eh bien me voilà donc sur *Sheklov*, bateau russe qu'Igor et moi devons convoyer depuis Sand Point (îles Shumagin) jusqu'à Homer, près d'Anchorage. Un voyage de trois ou quatre jours, si tout se passe bien. En hiver et en Alaska. Cela tombe bien, l'hiver alaskan est ma saison préférée.

J'ai déjà fait ce périple au printemps, avec notre voilier *Nagual* et des cartes à profusion, avec un radar, trois GPS, un sondeur, deux enfants, un capitaine, un poêle à fuel et du beau temps. Nous avions passé un an dans les îles Aléoutiennes ; j'avais alors pêché la morue en mer de Béring et autour de l'île de Sanak, sur un petit bateau de pêche, en tant que simple matelot. Je connais donc un peu la côte ; mais ce « un peu » est un humble « à peine », car toute une vie ne suffirait pas pour explorer fjords et criques, îles et îlots éparpillés sur la barrière nord de l'océan Pacifique. Avec six bons mètres de marnage, il faut aussi compter sur les courants violents et le brouillard qui estompe les contours acérés des falaises de sa gomme incertaine. C'est le pays des brumes éternelles. *Mysty fjord*.

Igor m'a embarquée parce qu'il était seul et quelque peu hésitant quant à ses capacités à naviguer sans carte électronique, après que son bateau de pêche eut été pillé dans le port de Sand Point par de jeunes Américains de bonne réputation qui ont transformé en fumée (de marijuana) l'équipement électronique du *Sheklov*. Il pense peut-être que je suis une experte de ces côtes, car je termine une seconde campagne de pêche (à la morue, c'est mon signe zodiacal ! La Morue à poils durs). Nous en sommes là : Igor barre et je me cramponne pour ne pas tomber de ma banquette tellement le bateau tape et plante des pieux à la sortie du chenal. L'unique moteur de ce solide rafiot de pêche en alu consomme vingt-cinq à trente gallons de fuel à l'heure pour nous propulser à dix ou quinze nœuds. Le problème sera celui de l'approvisionnement en carburant : les réservoirs du bateau sont de sept cent cinquante gallons et ne permettent pas d'effectuer ce trajet d'une seule traite.

Le premier jour sur *Sheklov*, je m'applique à calculer la vitesse du bateau sur mer un peu formée, en prenant des relèvements d'île en île, au pifomètre : nous n'avons qu'une seule montre à bord. Une montre pour deux, voilà notre seul instrument de navigation. Notre carte n'est pas une carte marine, mais un dépliant publicitaire pour l'achat de cartes marines selon diverses zones ! En Méditerranée, dans mes débuts, j'avais déjà navigué avec une carte routière, mais c'est la première fois que je fais le point sur un dépliant commercial. Douze nœuds, notre moyenne se fixe à douze nœuds et la stabilité du bateau est remarquable.

Les baleines sont là, elles soufflent entre nous et la terre, nous sommes à l'abri de la timonerie – même si celle-ci n'est pas chauffée –, nous naviguons à vue et Igor détecte de traîtres récifs dont ma mémoire n'a aucun souvenir ; il a bonne vue. Tout va bien. Cependant je constate encore l'infidélité de ma mémoire sur un trajet effectué une seule fois. J'ai accepté ce convoyage en toute connaissance de cause, sachant qu'il n'y aurait plus d'instrument de navigation à bord, pressentant que ce voyage était faisable, tout de même. En fait, je me fichais complètement du risque, tant que les probabilités n'étaient pas alarmantes ; j'avais envie de repartir par mer après une campagne de pêche stressante. Envie, c'est tout. Et quoi de plus apaisant pour un désir que de l'assouvir ?

Dans le brouillard, d'un coup, les plus fortes certitudes ont le vertige et chutent dans un abîme incontrôlable ; en plongée sous-marine, dans l'obscurité complète, ce même phénomène m'est déjà arrivé ; la panique est juste derrière la porte entrouverte, mais on peut encore la maintenir dans ses brides. Jusqu'à quand ? Cela, je ne le sais pas, car je n'y ai pas cédé, pas encore, ou presque, mais ce serait une autre histoire... Saint Ernest Shackleton, protège-moi !

Ce n'est pas le moment de regretter un radar et de se traiter de *fada* pour avoir accepté ce *trip* ; il faut plutôt réfléchir et compter les milles courus, montre en main. Surtout ne pas tourner en rond, sans compas... Si Vitus Bering y est arrivé, pourquoi pas nous ? Hein ?

Enfin, nous passons un dernier cap à peine entr'aperçu en rasant la côte et nous reconnaissons le terre-plein du minuscule aéroport de Chignik. Nous nous amarrons au pilier de bois de la première « cannerie » (ancienne conserverie) du village, par nuit noire ; la neige descend jusqu'à la plage, un chien errant nous injurie, pas d'autre âme qui vive, les lumières des bâtiments clos sont lugubres dans la brume épaisse. Le décor est parfait pour un film de fiction du genre *Les Extraterrestres débarquent* !

C'est triste à en gémir, on se sent fragile et seul face aux débris abandonnés par des congénères, bien plus esseulé qu'en mer ou en forêt dans la solitude du *wilderness*. Je suis fragile et désemparée, le bateau chute dans le fond du port le long des piliers couverts de goudron ; six mètres de marnage, j'ai envie de pleurer, c'est pleine marée basse.

Nous repartons vers la seconde cannerie avec l'espoir de rencontrer quelqu'un, un douanier lui-même aurait l'air sympa dans cette désolation hivernale. Rien, tout est fermé puisque la saison des saumons est finie, c'est un village fantôme. Pas de fuel.

Nous larguons les amarres à l'aurore, après un plat de nouilles tièdes et une nuit que je passe tout habillée dans deux épais duvets ; il gèle légèrement à l'intérieur du bateau, mais c'est supportable. Cette fois-ci, nous devons atteindre l'île Kodiak en coupant au plus court, car nos réserves de fuel sont bien entamées : il nous reste huit fûts de cinquante gallons sur le pont arrière, mais la pompe à main est poussive et transvaser du fuel en pleine mer est une épreuve peu appétissante.

Igor barre, je le relaie le temps d'un café. La mer se forme, le vent se lève et, au sud du chenal Shelikof Strait, nous nous retrouvons par houle et vent arrière, contrariés par des sortes de vagues idiotes, dues à un courant contraire en plein nez. C'est chaotique, ça ne ressemble à rien. J'espère que cela se calmera avec l'étale, mais la marée change sans la moindre accalmie. Zut.

« *Bull shit* », dit Igor, en russe. Je sais qu'il a parlé de bouses de taureau, car je lui ai demandé la traduction.

Le bateau tape si fort qu'il est impossible de rester debout et même assis sans se cramponner ; il roule et tangue et plante des pieux, mais tient ses dix bons nœuds, du moins nous l'estimons, car nous n'avons aucun amer pour nous recaler. J'ai déjà des bleus sur les avant-bras à force de m'accouder derrière les hublots à l'avant de la timonerie. Notre respiration se transforme en givre sur les hublots, et je dois les racler toutes les demi-heures puis sans interruption, à l'intérieur de la timonerie, car à l'extérieur, les vagues frappent de plein fouet le pont et les hublots, mais les embruns ne gèlent pas ; l'eau salée ne gèle pas, pas encore. *Sheklov* surfe avec la houle portante dans une énorme gerbe d'eau blanche. Nous ignorons ce qui pourrait arriver s'il se mettait en travers ou si le gouvernail décrochait à cette vitesse ; il semble aller plus vite que la houle, mais nous n'y voyons pas grand-chose derrière les hublots de plus en plus couverts de glace ; nous sentons le bateau, mais ne voyons ni la côte ni la mer à plus de cinquante mètres. Igor ralentit et stoppe presque *Sheklov* chaque fois que celui-ci part au surf ; je n'ai pas peur, je sens la barre répondre vite, le petit bateau de pêche ne semble pas menacer de se mettre sur le travers. Igor barre depuis dix heures, il est bon dans l'urgence, je suis calme et prépare des sandwichs. Je sais que mon calme le rassure, car il n'a pas souvent connu la haute mer. Cela faisait sept ans qu'il n'avait pas pêché (il exerçait le métier de menuisier quand son père l'a envoyé chercher ce bateau). Le calme et la bonne humeur de l'équipier sont très importants ; je tiens mon rôle et lui dis qu'il me fait faire un rodéo sur son rafiot !

Je me sentirais plus à l'aise sur notre voilier avec l'assurance d'un bon lest sous mes pieds ; où sont les limites de ces bateaux à fond quasiment plat et léger quand leurs soutes ne sont pas pleines de glace et de poissons ? Chaque année, deux ou trois bateaux de pêche se retournent et font la une des journaux locaux. Un corps humain résiste à peine cinq minutes dans cette eau froide, paraît-il... En fait, l'idée que la mort serait rapide me rassure.

Pour aller « pomper les fonds », c'est-à-dire pisser, nous devons ralentir à trois ou quatre nœuds et nous relayer à la barre, sinon le bateau se mettrait en travers. La visibilité est trop faible pour apercevoir l'île Kodiak et je pense que le courant nous « dépale » vers le sud, mais je ne peux plus estimer notre vitesse avec tous ces coups de frein et ces accélérations brutales ; de plus, notre montre a des oublis. Je compte les heures et surveille les fûts qui menacent de se détacher à l'arrière ; tout a déjà valsé sur le pont et le bout qui attache les fûts est trop fragile à mon goût. Je pense aux canons qui se libéraient parfois sur les anciens grands voiliers, je pense au lest de pierres qui se déplaçait sur certains anciens voiliers et à ce qui pourrait arriver si ces fûts de deux cents litres se mettaient à rouler sur le pont arrière de notre bateau... Est-ce que ma carcasse tremble de froid ou de peur ? J'ai la conscience de me poser la question.

« Igor, nous n'aurons pas assez de fuel pour atteindre une baie. Il y a à peine une heure de réserve dans les réservoirs, si tes chiffres sont justes.

— Ouais... »

Il faudra pomper dans les fûts, juste assez pour ne pas désamorcer le moteur. La mer est trop dure. Igor me parle en « angloruskoff » ; je ne peux pas le transcrire ici, mais on se comprend. Le fond des cuves est dégueulasse, il y a de l'eau, des merdes, il ne faut pas compter dessus. Nous secouons tellement les cuves que toute la crasse du fond a dû remonter...

« Je sais. *I guess*.

— Il faudra ralentir et pomper en mer. Une fois, sur mon ancien bateau *Ostinato*, nous avons pompé de l'eau en fond de cuve et calé, en plein cap Beddouza, sur la côte marocaine et...

— Je vais longer la côte.

— Non, tiens-toi à cinq bons milles ; si on tombe en panne de moteur, la mer nous jettera à terre avant qu'on ait pu pomper et réamorcer le moteur, et puis il y a des récifs, la côte n'est peut-être pas franche par ici, on ne sait pas, sans carte. Il ne faut pas longer la côte mais nous en éloigner !

— Oh ! Tais-toi !

— C'est moi le pilote, ton partenaire, je dis juste. La nuit va tomber.

— Je sais, je sais... *Bull shit* ! »

Ces conversations courtes – en espagnol-portugais-anglais – se déroulent en hurlant, tellement le moteur et la coque sont bruyants ; les gros mots sont en russe. Nous ne nous disputons pas, non, nous serrons les fesses et faisons une bonne équipe.

En fait il peut longer la côte, je m'en fous, ce n'est pas mon bateau et ma vie m'importe peu, réellement. C'est ainsi à ce moment-ci. Fatalisme ou lucidité ? Tant de choses auxquelles les humains se cramponnent sont tellement dérisoires, ce sont des anatifes, des chitons ; je lâche prise et je pense que mon ventre tremble d'excitation, mais pas de peur.

La côte sud de Kodiak, sous la neige et la grisaille, est lugubre ; elle me rappelle la côte noire et escarpée tout au sud-ouest de l'île de Tahuata, aux Marquises ; pourquoi ? Elles sont inhospitalières et d'une tristesse quasi hugolienne. Elles font peur. Je n'ai pas peur, je suis excitée mais je n'ai pas peur, oui, c'est cela. Si j'ai bien compté, nous n'avons plus de fuel depuis une heure. Je réfléchis :

« Évaluons la situation : Igor ne connaît pas exactement la consommation du bateau, sûr. *Sheklov* n'a qu'un seul moteur, mais tient ses douze nœuds. Je n'y connais rien en moteurs, mais *Sheklov* ne consomme quand même pas vingt-cinq gallons à l'heure ? Surtout aujourd'hui par houle arrière et en ralentissant souvent... Le premier fjord au sud, dans Shelikof Strait, est à vingt-cinq milles ; la nuit tombe... Trop loin ; il y a un cap plus proche, peut-être celui-ci coupe-t-il un peu la houle du sud ? Il faut contourner ce cap et trans-vaser le fuel des fûts à l'abri, en toute urgence... Le moteur n'a-t-il pas eu un raté ? Stoppera-t-il net ou après quelques ratés ? Combien de temps faudra-t-il aux vagues pour nous jeter sur la côte ? Il a neigé sur Kodiak, il fait froid ; combien de temps survivrions-nous, mouillés et sans abri, si nous étions échoués ? Bah... Pourvu que la mort fasse vite, je n'ai pas peur, je ne regrette rien, ils sauront tous se débrouiller sans moi, le monde continuera à tourner sans moi, pour sûr, et puis... j'ai le revolver que j'ai gagné au poker, il est dans mon sac, je n'y pensais plus à celui-là... Je déraille ; bon Dieu, que ce cap est loin ! Pourtant on doit tenir huit bons nœuds ; avec le voilier, comment avons-nous fait en juin ? Ah oui ! Nous avions longé l'autre côté du chenal et fait plusieurs escales dans des criques bordées d'ours bruns ; nous avions traversé Shelikof Strait bien plus au nord de Kodiak... Il n'y a pas d'arbres, les spruces ne commencent leur implantation qu'au nord de l'île et peu à peu gagnent du terrain vers le sud, mais à quelle vitesse ? Le moteur a changé de régime ! Non ? Si. Il doit pomper des merdes en fond de cuve et les filtres s'encrassent... »

Le cerveau ne stoppe jamais ses pensées. Jamais, me dis-je. Il faudrait demander ses impressions à un sous-marinier, l'attente sans action ni échappatoire est la pire des choses. J'attends... qu'il n'y ait plus de fuel dans ce réservoir.

Chaque matin après avoir démarré le moteur, Igor fait une courte prière interrompue de signes de croix extrêmement rapides. L'a-t-il faite ce matin ? Voilà quatorze heures qu'il barre sans se plaindre. Nous passons le cap Ikolik et scrutons l'autre côté dans la pénombre, avec l'espoir désespéré de voir la mer s'aplanir, et plus nous contournons les rochers, plus l'eau s'aplatit ! C'est merveilleux de ne plus bondir sur place, de rester les fesses sur la banquette, de redresser le corps crispé depuis des heures ! Je sors préparer l'ancre, la chaîne est toute rouillée mais, bon, Igor a prié ce matin, je m'en souviens maintenant.

Il fait nuit noire avec un peu de neige, le moteur tourne et nous pouvons allumer les feux de pont. Sans nous reposer une minute, nous préparons la petite pompe à fuel et des tuyaux, et commençons à transvaser cinquante gallons d'un fût dans le réservoir bâbord. Le roulis est infernal, bien sûr, c'est toujours ainsi dans les abris précaires ; la mer semble aplanie et sécurisante, mais le bateau roule bord sur bord, hiloires dans l'eau. Les fûts glissent sur le pont, nous pataugeons dans le fuel, ce n'est pas écologique... Un fût nous briserait une jambe en une demi-seconde ; l'action anéantit les pensées ce qui repose le cerveau, même si cela fatigue les muscles. C'est bon d'agir enfin.

« "Tais-toi et pompe, pompons, pompez !" C'est le pompon ! Voilà Igor qui m'engueule, cet ingrat ! Bud me donnait du *"good job !"* à chaque manœuvre et nous en avons fait et refait des manœuvres à nous deux, mais Igor ne comprend rien à la mer ! Ce n'est qu'un terrien ! Non, il a le mal de mer, le pauvre ; c'est vrai que ça empeste le fuel, c'est un bon gars mais il est crevé, sûr. »

Nous pompons deux cents gallons de fuel en un temps indéterminé. Cela me rassure tout à fait, mais l'ancre avec ses dix mètres de chaîne rouillée et son bout effiloché n'est pas sûre. Igor décide de ne pas stopper le moteur et de veiller, mais il n'en peut plus, il va se coucher et me fait confiance, il a barré au moins quinze heures. Il doit dormir.

Roulée dans mon duvet, je m'assois à la timonerie, le roulis manque de peu m'éjecter du fauteuil de pilotage. Igor dort, il a un bras qui pend hors de la couchette, il me semble enfantin, beau et fragile, heureux celui qui dort comme un enfant ! C'est durant ces longues lentes heures d'attente que l'on revoit les amis et que l'on écrit dans sa tête des lettres magnifiques que l'on n'enverra jamais ; on aime les gens, on les aime toutes et tous et il faudrait le leur dire d'urgence ; on doit oser dire cet amour, tout pardonner. Dans une indulgente lassitude, on revit un geste au ralenti, on se repasse le film encore et encore, une caresse, un effleurement, un sourire, un regard qui reste planté en mémoire... Combien de citadins ont connu de telles heures de veille dans la nuit ? Dans le silence et l'obscurité ? Il y a quelque chose d'apaisant et de magique dans ces quarts nocturnes ; tandis que les autres dorment, on se sent gardien de leur vie confiante, tel le gardien de toute la vie sur Terre, on est... Oserai-je le dire en mots maladroits ? On s'imagine responsable de l'idée de Dieu ; ce n'est pas « Dieu le Père protecteur » tout-puissant dans sa manifestation terrestre, non, pas du tout ; c'est le frêle veilleur qui est le père de l'idée d'un Dieu fragile, qui se manifeste à travers lui. Et puis, partout, plus haut, plus loin, il y a l'inimaginable ineffable, les étoiles

basculent, les intuitions deviennent aussi légères que des fantômes... « *I never see a night so long, I'm so alone, I could cry* »,
chante Johnny Cash.

Il faudrait vérifier les alignements.

D'autres, là-bas, loin dans les agitations des civilisés, seraient
sous perfusion de mots grâce à leur téléphone portable. Ici
c'est le silence sans tentation. Pas de VHF, pas d'ordinateur
ni de téléphone, la paix, immense, comme Wilfred Thesiger
dans le désert des déserts.

Il faudrait vérifier les alignements.

En fait, je ne suis pas pressée que cette nuit de quart
s'achève. Contradictions. *Sheklov* s'enfile dans le fjord de
Uyak Bay, sans carte bien sûr ; nous en faisons le tour afin
de nous amarrer dans un petit port tout neuf, mais désert.
Nous arpentons les pontons de bois de l'usine de traitement
de saumons, nos pas résonnent ; entre les bâtiments, le
vent glacial nous fait courber le dos. On se croirait dans un
film d'angoisse, il ne manque que la musique pour faire monter le crescendo de la peur ; une guerre aurait-elle aboli le
genre humain ? Musique de E. Morricone... Il n'y a vraiment qu'aux États-Unis, et particulièrement en Alaska,
qu'on peut jouer à se faire peur dans des villages miniers
abandonnés, avec la pizza encore sur la table, les clefs de
contact sur la voiture et les ours sur le perron ! Je n'exagère
pas. La raison vacille encore dans ces villages fantômes
désertés par des gens pressés qui ont abandonné voitures et
albums de photos... Et s'il n'y avait plus de civilisation ? Si,
pendant notre échappée en dehors de la bulle des villes, tout
avait disparu ? Nous n'aurons pas de fuel dans cet endroit.
Igor décide que nous allons nous reposer, puis met en route
le moteur et largue les amarres à toute vitesse, comme affolé,

ce qui me surprend net. Nous dormons tout habillés dans deux duvets chacun. Nous sommes couchés, j'appelle Igor :
« Igor !

— Ouais ?

— Tu dis la prière le matin pour demander à Dieu de t'aider. Tu dois aussi la dire le soir, pour le remercier.

— Sûr. »

Très sérieusement, le géant russe sort de la chaleur de ses duvets, se met debout dans le carré, avec la tête inclinée comme tous les marins, question de hauteur sous barrot, puis il fait le signe de croix et psalmodie sa prière rapide.

« Prie pour moi, Igor, Dieu t'écoute.

— *Of course.* »

Je n'ai pas envie de rire. Cela frôle le sacré.

Le lendemain, il nous reste le pire des morceaux : le passage entre Afognak Island et Kachemak Bay. Nous n'avons pas écouté la météo, faute de radio ; il a gelé cette nuit et une fine neige très sèche saupoudre le pont qui est glacé là où le fuel l'a épargné.

Le vent a tourné au nord-nord-ouest, il se renforce et notre respiration se givre de plus en plus vite à l'intérieur des hublots et, plus grave, les embruns commencent à geler sur l'étrave et le guindeau, mais pas sur les hublots côté extérieur.

Les îles Barren ne sont que neige et rocs, sans abri apparent ; un vrai cauchemar pour naufragé. *Sheklov* taille vaillamment la route et le vent qui descend de Cook Inlet se renforce, tandis que nous comptons les heures et les milles avant de nous abriter dans Coal Bay. C'est long, je suis persuadée que le temps est élastique ; dans les instants de bonheur, il n'épargne pas les heureux et se fait très rapide ; durant les quarts en mer en revanche, surtout si c'est moi qui veille, il s'étire et s'allonge et n'en finit plus, tel le désespoir d'une chanson de blues ou un saxo qui pleure en solitaire. Le vol du temps de Lamartine me revient en tête, comme quoi cela sert toujours d'aller à l'école. Un aigle pygargue passe.

Je racle la glace sur les hublots et mon corps meurtri heurte tout ce qui est dur ; je vois les cristaux se reformer au fur et à mesure que je les enlève, je pense aux voiliers fantomatiques couverts de glace qui dérivent du côté du Horn de nos cauchemars.

« *I hang my head*... », chante Johnny Cash de sa voix éraillée de vieillard lucide. Je me suis pendue moi-même, à mon propre mât... Mais je ne regrette rien. Magellan et Colomb n'auraient pas découvert l'estuaire d'une rivière s'ils avaient écouté les gens raisonnables de leur époque.

L'entrée au port de Homer est assez agréable, l'estomac reprend sa place entre le bas-ventre et la glotte, les fesses retombent définitivement sur le siège et sur les bleus douloureux qu'elles ont conçus durant ces jours agités, le cerveau arrête enfin de heurter la boîte crânienne. Igor pense à sa femme qui l'attend, il l'a déjà jointe par son téléphone portable qui a repris du service à dix nautiques du port. Il pense à l'orgie qu'il va s'offrir, il doit faire des réserves avant le carême, les Orthodoxes ne trichent pas avec le jeûne de Pâques !

Je pense à quoi ? À dormir, à... je n'ai pas faim, je ne connais personne à Homer, je ne pourrai pas téléphoner à Bud resté là-bas, dans les îles Shumagin, seul sur son bateau *Sea Wolf* ; impossible de joindre ma famille sur *Nagual*, qui n'a ni téléphone ni radio, mais c'est tout de même agréable d'arriver sans casse dans un port inconnu. Au saloon du port, les bières seront fraîches... Mais un chocolat chaud ne serait-il pas préférable ? Non, un irish-coffee, voilà, c'est cela, un irish-coffee sera ma récompense.

Je saute à quai avec les amarres, en faisant attention de ne pas glisser sur la croûte de glace, car nous sommes observés ; nous avons pris la première place libre aperçue, à côté du bateau de pêche *Columbia*... Une jeune personne en jupe longue avec un châle à franges et un foulard de tête noir, un bébé serré sur sa poitrine, arrive d'un pas énergique ; c'est la femme d'Igor ! Je reste seule à bord du bateau étrangement silencieux, il fait très froid, je devrai dormir toute vêtue dans deux sacs de couchage superposés, ma tête n'aura aucune épaule solide à la fois tendre et dure en guise de coussin, il fait déjà sombre et triste, il neige sur le « Spit » de Homer. C'est cela aussi l'Alaska.

Quelques jours plus tard, Mme Igor apporte le début de l'accastillage : une bible. Igor me demande de continuer à naviguer avec lui, son épouse et le bébé ; il faut traverser le golfe pour entrer dans l'Inside Passage à Icy Strait ; je me dégonfle, je n'ai pas le cran, je regarde le bébé, je pense que le nouveau GPS n'est pas encore à bord, ni les jumelles dignes de ce nom. De plus, les prévisions météorologiques sont exécrables.

Sur *Nagual* nous avons navigué en Alaska avec deux bébés, mais nous étions mieux équipés et dans l'Inside Passage, ce n'est pas comparable ; et puis les autres ne doivent pas faire ce que nous avons fait ! Ce n'est plus de l'aventure, cela devient de l'inconscience. Je refuse. Je veux bien me pendre moi-même à mon mât, mais je ne tiens pas à pousser les autres à une telle acrobatie, je ne regrette rien tant que je suis seule en jeu. Alors Igor décide de partir sans moi.

Un matin, je pose mon sac sur le bateau de pêche *Columbia* et regarde *Sheklov* sortir du port sans moi ; ai-je trahi ? Je me sens un peu responsable de ce jeune couple. Mais Igor fait deux mètres, et du haut de ses trente-deux ans, il regarde la mer en riant, il a la *baraka*... et deux bibles à bord. John Hillbilly, de *Columbia*, me dit qu'ils sont « coucous », mais que je n'y peux rien. Si, j'y peux ! J'ai toujours eu peur de franchir la ligne de l'ingérence malpolie pour m'occuper du sort des autres, et dans ce cas, c'est l'indifférence qui prend le dessus. Où est la limite entre ingérence et indifférence ?...

... C'était aux îles Marquises, sur un voilier : quatre jeunes gens. Tous beaux avec des rêves tropicaux plein les yeux et des peaux bien bronzées. Notre bateau *Nagual* était mouillé dans la même baie et nous avons sympathisé avec eux ; la naïveté de ces jeunes gens nous semblait pure et sans malice, tout en joie. Repas et balades ensemble, nous prêtions la voiture, ils se procuraient les bouteilles de rhum antillais et le saucisson panaméen... Un jeune homme écrivait son journal de bord avec fébrilité et ce journal ouvert traînait dans tous les coins du voilier. Nous ne voulions pas le lire par politesse, mais nous le retrouvions aux W.-C., sur la table du carré, sur la table à cartes, dans la soute à voiles et le hamac de pont... Tous nous avons vu ce journal, et aucun d'entre nous n'a eu l'impertinence d'en lire quelques lignes. Dans la promiscuité d'une vie, sur une coque de noix en plein océan, il y a des règles à respecter. Et puis...
Une nuit, l'annexe du voilier a disparu et le jeune écrivain avec. Après de vaines recherches dans le port, la baie et toutes les rives voisines, l'inquiétude est montée d'un cran et une jeune fille a osé lire les dernières pages du journal intime du disparu. Le gars s'était suicidé. Du moins déclarait-il en avoir l'intention dans sa dernière page. On a découvert le dinghy, échoué sur une grève où les courants l'avaient

poussé, avec des boîtes de somnifères à bord, sans rame et sans corps. Le corps du jeune désespéré n'a jamais été retrouvé. Les requins...

Dans son journal, le jeune homme écrivait son désespoir et il nous a paru évident que ces écrits traînaient bien en vue afin que quelqu'un les lise, que quelqu'un comprenne, que quelqu'un tende la main. Par politesse, personne n'avait lu une seule page et le gars est mort dans sa solitude. Il s'était embarqué en tant qu'équipier pour fuir une dépression, non pas celle des Açores, mais celle des neurones, pour fuir le *K** de Buzzati, en quelque sorte, mais en mer le K rattrape toujours ceux qui sont partis en fuite. Ce jour-là, la question d'une limite entre ingérence dans les affaires d'autrui et indifférence égoïste m'a paru encore plus pertinente.

Sheklov est parti sans moi. Et si cette famille disparaissait en mer, cette jeune dame avec son bébé de huit mois ? Je culpabilise déjà. (Le lendemain *Sheklov* est revenu au port de Homer. Igor et sa famille sont partis en avion, laissant le bateau à quai, en attendant des jours meilleurs.) J'aime l'hiver en Alaska, c'est la saison où les nœuds des amitiés se souquent ferme.

Finalement, ça valait le coup, *Sheklov*. Pourquoi donc ? Parce que je m'en souviens, il est des semaines qui ne laissent pas trois secondes de souvenir et des minutes qui s'ancrent en longues images à caresser des heures, sans cauchemar... Et puis *Sheklov*, Shelikof, ce sont des beaux noms dans l'Upanishad des gens de mer : Maracaibo, Rio de Janeiro, Valparaiso, Tacoma, San Francisco...

« Buvons la vie et le vin à grands flots.

Aujourd'hui fête et demain peut-être

Ma tête ira s'engloutir dans les flots. »

C. C.

«   »

Les Calmars géants mesurent-ils vraiment trente-cinq mètres de long ?
Galatea Maman

Journaliste, traductrice, Galatea Maman a beaucoup navigué, surfé ; elle a vécu en Californie et à Hawaii, avant de s'installer dans les Landes. Elle raconte ici un moment étrange et angoissant en plein Pacifique, qui montre la force de l'intuition.

Il était environ trois heures du matin et je tenais la barre depuis minuit. Le chuintement de l'étrave dans les eaux chaudes des Tuamotu, le sillage bouillonnant du voilier et la douce brise étaient les seuls bruits susceptibles de me garder éveillée. Mon esprit vagabondait, je barrais par un vieil automatisme et le bateau tenait bien son cap. Nous nous trouvions en pleine mer, entre les Marquises et Tahiti.

J'ai soudain senti un drôle de chatouillement pas très naturel dans mon dos. Mes cheveux se sont dressés sur ma nuque, tandis qu'une peur géante s'emparait de moi. Les pensées les plus étranges m'ont traversé l'esprit, me faisant rire aux éclats, bien que mon corps restât pétrifié de peur. Une image me vint pourtant à l'esprit, celle d'un calmar géant lançant son immense tentacule gluant au-dessus du tableau arrière, juste derrière moi... Mon rire s'évanouit ; je savais que je ne pouvais pas, ne devais pas regarder, et pourtant je le fis !

Mais il n'y avait rien là. Rien d'autre que l'écume lumineuse sous les brillances de la lune, la silhouette d'un atoll au loin sur bâbord, avec ses cocotiers qui se balançaient, et l'océan massif qui respirait et soupirait tout autour de moi. Des odeurs flottaient dans l'air, de diesel, de fond de cale, du vieux tabac que fumait mon skipper. Il avait refermé le panneau et je ne pouvais donc pas le voir, mais je l'entendais ronfler et ce bruit était familier, rassurant. Mais alors, d'où venait cette horreur étrange ?

Cela devenait de pire en pire. Mes épaules se voûtaient, mon cœur battait à tout rompre. Je ressentais des picotements dans ma nuque, des frémissements sur la peau de mes jambes et de mon dos nus. Je ne pouvais m'empêcher de regarder partout autour de moi à chaque seconde ; je sentais bien qu'il y avait *quelque chose* dans les parages. À moins que mon esprit me joue des tours ? Oui, ce devait être ça. Une telle chose ne m'était jamais arrivée auparavant et pourtant j'avais navigué plus de cent mille milles sur les mers. Je me sentais chez moi parmi la houle et les vents, et dans l'écume que je respirais. Quelle était donc cette terreur indicible ? Je ne pouvais plus me concentrer sur la navigation et les voiles se mirent à faseyer ; nous commencions à lofer et risquions d'empanner. Je devais me concentrer sur la barre, mais comment faire quand chaque atome de mon cerveau me hurlait un avertissement primitif : « Danger ! Danger ! » C'était sans doute la peur ancestrale de l'énorme prédateur sombre qui rampe dans la nuit, au-delà des lumières rassurantes du feu. Mes seules lueurs à moi étaient la pâleur de l'habitacle et nos feux de route, rouge, vert, mais ils étaient masqués et ne me protégeraient pas. Mon souffle se faisait plus court et je devais m'enfoncer le poing dans la bouche pour ne pas appeler le capitaine au secours ; vite, il s'agit d'une urgence !

Soudain, une explosion à la surface, aussi loin que portaient mes yeux ! Mes tremblotantes lumières furent noyées dans la lueur scintillante qui m'entoura au niveau de la mer, tandis que des faisceaux brillants flashaient dans l'air.

Des dizaines de milliers de poissons s'élançaient dans l'air et chacun venait ajouter son scintillement dans la nuit, son moment de phosphorescence et de gloire. Tous ensemble, ils illuminaient la mer dans un spectacle rarement contemplé par des yeux humains, de son et lumière. Chaque éclaboussure était comme une goutte de pluie irisée, qui, ajoutée aux dizaines de milliers d'autres gouttes, créait une douce musique de pluie.

Mais après ces quelques instants de ravissement qui m'avaient tout fait oublier pour me perdre dans la contemplation de beautés immatérielles, la peur revint, s'agrippant à moi avec plus de ténacité encore ; ce spectacle merveilleux, les sons mélodieux ne m'apportaient plus aucun réconfort, bien au contraire. Cette soudaine irruption des poissons ne fit qu'amplifier mon état de choc ; dans un sursaut de logique, une idée prit naissance en moi. L'eau bouillonnante pleine de poissons rappelait une scène classique de la lutte éternelle pour la survie. Si les poissons s'élançaient aussi haut dans l'air, c'est qu'un prédateur était en chasse et que mon voilier se trouvait au beau milieu de la bagarre ! D'un seul coup, j'ai entendu une gigantesque éclaboussure sous le vent et la barre s'est mise à tournoyer entre mes mains, tandis que je perdais le contrôle du voilier. Puis mon adrénaline est revenue, préparant mon esprit à l'action. Je bordai la grand-voile, tournai la barre et les voiles se gonflèrent à nouveau. Nous ne pouvions pas prendre le risque d'empanner et de casser quelque chose d'essentiel à la flottaison du bateau.

Je décidai de barrer en tournant le dos à la roue, car je voulais garder un œil sur la poupe, là où rien ne me séparerait plus de mon ennemi fantomatique. J'avais dû pousser un cri, car j'entendis du bruit dans la couchette... À moins que cette présence terrifiante, quelle qu'elle fût, n'ait réussi à pénétrer les rêves de mon skipper qui, comme tout bon skipper, possédait un sixième sens dès que quelque chose menaçait son cher bateau. C'est alors que je le vis, silhouette immense se dressant hors de l'eau, aussi gracieux qu'un danseur de ballet, sa délicate mâchoire inférieure grande ouverte pour laisser pénétrer un flux d'eau dans sa gueule ouverte, son énorme front luisant dans le scintillement de la lune. Un cachalot ! Quelle joie tapageuse il aurait provoqué au temps des pots de graisse et de l'ivoire. Mais pas pour moi. J'aime mon bateau fait de bois et de résine, frêle comme une feuille, c'est mon plancher et mon plafond, mon chez-moi. J'aimais ma vie aussi, ou plutôt je l'adorais et ne voulais pas couler dans les profondeurs de l'océan et mourir ; une mort glorieuse sans doute, mais sans témoins. Le cachalot engloutit de grandes bouchées de maquereaux, chacun assez gros pour procurer un dîner à quatre personnes, et continua d'en engouffrer des douzaines et des vingtaines. Il semblait pressé et les bancs sautaient en tous sens, à droite, à gauche, avec leurs éclairs de néon vert, tandis que la lune illuminait amoureusement ce carnage, le festin d'une des plus grandes créatures de la nature.

Le cachalot géant bondissait au milieu de grandes éclaboussures, aussi joyeux qu'un bébé dans son bain. Puis il s'immobilisa et tourna lentement la tête vers moi ; en bougeant sa caudale, il s'approcha doucement du bateau. Sa peau toucha le côté tribord et je frémis, tout comme la coque du voilier. Se laissant glisser avec le flot, il vint à ma hauteur. La tête tournée vers moi, il me regarda profondément, de son gros œil attendrissant. « Ah, un autre être vivant, semblait-il dire, avec une forme étrangement rigide. » On aurait dit qu'il voulait s'excuser de sa voracité, comme s'il reconnaissait qu'il n'était pas très convenable de montrer autant de plaisir à tuer et manger. Son intelligence, lumineuse, chercha la mienne à travers ce long regard. Puis il cligna de l'œil et disparut. Je soupirai et fermai les yeux.

Et pourtant, la peur demeura. Ce n'était pas le cachalot qui faisait trembler mes sens, je le savais dans ma fibre, ma chair, mes cheveux et mes mâchoires, douloureuses à force de claquer des dents... Certes, le cétacé était curieux, mais aussi indifférent à moi et à mon bateau cure-dent qu'à un moucheron. Non, il y avait autre chose qui rôdait toujours. Mais au fil des minutes, je me sentis moins anxieuse et d'un coup, ce fut fini, comme une bulle qui éclate, ou comme la dernière scène d'un dessin animé. Et j'avais l'impression de me trouver à l'intérieur de la pellicule, en compagnie de Bugs Bunny, Titi et Jules Verne. Le skipper remonta de la cabine et sortit sa tête hirsute.

« C'était quoi ? » demanda-t-il à moitié groggy.

« Rien. Retourne te coucher. »

Un peu plus tard, alors que je m'apprêtais à descendre pour aller me glisser entre les bras de Morphée, le capitaine, épuisé, apathique, me demanda, tout en pissant par-dessus bord :

« Eh, au fait, t'as été malade ou quoi ? L'arrière du bateau est tout gluant ! »

Mes cheveux se dressèrent à nouveau sur ma nuque. Je me tournai pour regarder l'arrière du voilier à l'endroit où la belle poupe en teck rencontrait les eaux bleues et tropicales. Quelque chose avait fouetté le bois, s'y était agrippé pour y grimper, laissant derrière une longue traînée de matière visqueuse et larvaire, caractéristique des céphalopodes, une piste grumeleuse qui perlait dans l'aube, le long de la poupe, remontait sur le pont et jusqu'au capot du moteur situé... juste derrière la barre à roue !

Ainsi, cette nuit, proies et prédateurs s'étaient succédé. Les poissons fuyaient le calmar, qui lui-même fuyait sans doute le cachalot... et quant à moi, j'ai bien failli devenir une proie à mon tour !

G. M.

«   »

Naufrage jubilatoire
JEAN ET CÉLINE CASALIS

JEAN Casalis vu par Céline :
Né à Paris d'un père médecin et d'une mère joviale, il fait ses premières dents avenue de Breteuil, puis ses études primaires à Montluçon : tout le prédispose donc à devenir un grand marin et s'il n'est pas encore amiral, il a pourtant fait Navale et navigué sur le *Jeanne d'Arc*. Le Horn, pas en solitaire, la Patagonie, en solitaire et en hiver austral ;

l'île déserte et les démâtages sont pour lui des péripéties anciennes. Il navigue depuis trente-cinq ans trente jours et six heures, à ce jour, dans la cage des méridiens et des parallèles qui nous enserre. Après un voilier en bois bordé classique, il navigue sur un Cobalt en acier, celui-là même avec lequel il s'est échoué sur une île déserte, puis sur un rapide et élégant trimaran de bois moulé ; il sillonne maintenant le Pacifique sur *Nagual*, solide dériveur en acier.

Voici quelques extraits du récit de Jean Casalis (rédigé par Céline), pour conter les circonstances de son naufrage en plein Pacifique, qui l'ont mené à cette robinsonnade jubilatoire, plus tard suivie d'une rencontre quasi initiatique avec les pêcheurs polynésiens qui l'ont secouru. Ou comment un bateau, vexé par le désamour de son maître, se saborde lui-même :

C'est une histoire « vraie », qui semble échappée d'un livre de Daniel Defoe et ce n'est pourtant pas une robinsonnade. Si la télé tombe à l'eau et si les portables sont en panne, elle pourra être racontée à la veillée qui ne sera pas si funèbre... *Macumba* quitte la Patagonie après un hiver austral que le capitaine a passé à tirer des bords en solitaire dans le détroit de Magellan, puis dans les canaux de Patagonie, un bel hiver qui remplit la mémoire de visions grandioses et fabrique des rêves pour des décennies. Plus tard, en lisant les livres de Francisco Coloane, Jean retrouvera ces paysages de désolation et de force, mais c'est une autre histoire, pour une autre veillée. *Macumba* retourne sur la grande houle du Pacifique Sud le 25 décembre et quitte le port de Callao au Pérou : il est fier de lui, le petit voilier de neuf mètres ! Il a traversé plusieurs fois l'Atlantique, remonté le Rio de la Plata, hiverné dans le détroit de Magellan et dansé sur les vagues, toutes plumes au vent.

Trente-six jours plus tard, le voilà en vue de l'île de Pitcairn, où les révoltés du *Bounty* ont fondé une colonie, une île de mutins fort célèbre aujourd'hui. Trente-six jours de mer en solitaire, ça fait à peine deux lignes et deux souvenirs, pas de quoi écrire un roman, surtout après avoir rencontré des hommes qui, eux, ont vécu plusieurs années seuls sur l'eau ou sur des îles et qui n'en font pas toute une histoire, tellement cela leur paraît naturel, banal presque.

Des visages, des prénoms, des yeux de femmes qui s'effacent dans le sillage. Quelques centaines de milles plus loin, voici Rapa puis Tubuai, Rurutu, Rimatara, Tahiti, l'atoll de Tikehau, aux Tuamotu, enfin, les Marquises. Encore des visages, des mouillages, des plages et des récifs, des débarquements plus ou moins réussis et des images entremêlées comme dans un film accéléré. *Macumba* étire un sillage sans fin et sans mémoire qui s'efface à la première risée. Jean écrit dans son journal de bord qu'avant le trentième jour de mer le marin n'a pas encore donné son âme à la vague, ni jeté par-dessus bord ses agitations spirituelles de terrien.

L'escale aux Marquises dure trois ans, le temps de commencer à apprendre le marquisien, de nouer de solides amitiés et de renflouer la caisse du bord. Puis *Macumba* reprend le large avec son capitaine toujours solitaire ; aucune vahiné n'a pu le harponner. Là, il commet une faute, non pas en quittant la chaude sécurité d'une vie simple et heureuse aux Marquises à une époque où les quatre-quatre et les télévisions n'encadraient pas tous les rêves des habitants, mais en doutant de son bateau. Oui, Jean doute de *Macumba* ; à voix haute il parle de son âge, de ses limites, et même de le vendre en Nouvelle-Zélande ! À haute pensée, tout à fait intelligible pour son bateau, Jean songe que la coque est fatiguée, que le gréement serait à changer, que le voilier est un peu étroit... Un voilier – mot féminin en anglais – est une dame jalouse et susceptible ; la moindre négligence peut altérer son humeur vagabonde, les critiques la désolent au point qu'elle en perd le cap, elle perd le nord à la première remontrance injustifiée. Il ne faut surtout pas parler de la vendre, de s'en débarrasser, de la quitter ! Je puis vous assurer que la plupart des voiliers qui ont coulé se sont, en réalité, sabordés par désespoir, leur propriétaire ayant laissé entendre qu'il voulait changer de bateau. Il existe même d'étranges histoires de vengeances de voiliers délaissés ; un bateau, c'est une histoire d'amour.

Seuls ceux qui mènent leurs amours comme une carrière, si l'on peut appeler ces relations-là « amours », mènent leur bateau à la façon d'un investissement, un placement à gérer. Les autres, les marins, sont des passionnés ; ils ne disent pas : « J'ai un bateau de trois cent cinquante mille dollars », ils disent : « Il remonte au près dans un arc-en-ciel et danse le *jabadao* comme une Brésilienne », ou bien : « Il n'est pas luxueux, mais il est marin » et c'est le plus beau des compliments : « être *marin* ». Et surtout, ils ne comptent pas, car tous les marins savent qu'un bateau est un trou dans l'eau dans lequel on jette des billets de banque, de la sueur et des soucis. Un voilier, ce n'est pas une épouse servile, c'est une maîtresse, une nana, une courtisane ! Ne pas disjoncter pour une courtisane n'est pas une décision raisonnable, c'est une faute ! (Propos sous la seule responsabilité de l'auteur de ce récit, qui n'a rien d'une courtisane mais se vante — et vente — de disjoncter pour *un Master and Commander* !)

Macumba était donc vexé(e) en quittant les îles Marquises. Quant au capitaine, il avait confiance en lui, en son estime, en son sextant, en son *mana*, après plus de dix ans sur le même bateau fidèle. Alors, ce qui devait arriver, arriva.

[...]

Au moins vingt-cinq milles d'erreur, dus à une estime de plus en plus incertaine, après cinq jours de route sinueuse travers au vent, débouchant sur un tapis roulant : entre les abysses et le plateau des Tonga, le fond remontait brusquement, le courant avait dû s'accélérer fortement en abordant le plateau sous-marin. J'étais trop sûr de moi, je l'avais sous-estimé, comme la vitesse de *Macumba* d'ailleurs (il donnait le meilleur de lui-même, le pauvre), je n'avais pas même mis le loch remorqué, je croyais bien sentir la vitesse, j'avais l'expérience, je n'écoutais plus mon bateau... Le courant surtout, oui...

J'ai bondi dans le cockpit de *Macumba,* il y avait du blanc un peu partout dans la nuit noire, j'étais perdu : je ne comprenais rien et ne discernais plus la sortie. J'étais presque sur un platier sans le savoir. Suivant sa courbure, les vagues semblaient déferler de toutes les directions en convergeant vers l'arrière de *Macumba.* Je voyais des vagues, de l'écume, des rouleaux et du noir dans les creux et encore des rouleaux et encore du noir, mais aucune île, que la mer ! Il faisait tout à fait noir, il n'y avait presque plus de vent, seulement la blancheur des vagues qui éclataient dans le silence de ma solitude ; je savais le danger là, sans pouvoir le situer ; il était palpable, comme un sous-marin à l'affût caché sous la mer : un danger indéfini me tendait les bras en m'enveloppant de toutes parts...

Mais c'étaient les vagues qui me poussaient et non le vent, le tapis roulant m'entraînait au centre de la bataille, *Macumba* restait inerte, indifférent à mes manœuvres, déjà hypnotisé par l'écume blanche qui montait le long de sa coque, tel un linceul qui s'essayait à le draper. C'est ça, tout à fait, le bateau va vers l'écume comme le papillon à la flamme. Et puis le moteur n'a pas démarré. Pour la première fois depuis tant d'années, il n'a pas voulu démarrer. Il a refusé, si tu préfères ! Les déferlantes étaient partout maintenant, devant, derrière. *Macumba* dansait comme un fou, la Cocotte-Minute qui était au fond du cockpit est passée par-dessus bord.

Bien sûr, mais ce n'est pas si simple : mon corps avait peur, très peur et j'avais l'impression de le regarder comme un spectateur attentif qui aurait compté les points dans une empoignade. J'observais et réfléchissais très vite : je me demandais si le bateau allait couler, si ça ferait mal, si j'allais le quitter et s'il allait s'échapper dans une glissade fantastique pour finir échoué sur une plage de sable. Je ne savais pas où j'étais, je me sentais au centre d'un bouleversement sans issue et je voyais mon corps qui avait peur, terriblement peur... Mes genoux se sont mis à s'entrechoquer, je trouvais cela un peu ridicule, j'avais une conscience aiguë de cet état et je ne parvenais pas à les bloquer. Je m'observais en train d'avoir peur, mais comme à l'extérieur de moi-même... Quand aucune fuite, aucune action, aucune défense n'est possible, l'animal en nous n'en peut plus, traqué il sent l'hallali et ne peut pas se retourner pour éventrer un chien. C'est terrible. J'étais acculé, cramponné à la barre ou à la baume avec mes genoux battant la chamade.

Le plus terrible, ce fut le bruit lorsque le bateau a commencé à talonner ; il tapait si fort que je me demandais comment la quille ne me remontait pas sous les pieds ; tout vibrait, se tendait, pliait ; le mât tenait, même si le profil avait flambé ;

seule une cadène de bas hauban avait cassé. *Macumba* sautait et rebondissait sur ce qui s'avéra être un platier. L'enclume de la quille taillait lentement une passe dans la plate-forme de corail (un an après, je suis retourné voir le sillon, très net). Cela dura longtemps, longtemps, les chocs, les vibrations et puis les ébranlements de la carcasse commencèrent à faiblir avec l'aube qui se levait... Il n'y avait que cinq millimètres de tôle entre moi et la mer, et je n'avais pas paniqué, je n'avais pas gesticulé, j'étais resté prisonnier d'un délire et m'éveillais là, hébété au milieu des vagues qui mouraient maintenant près de moi.

L'aurore s'est levée avec une infinie lenteur. La marée descendait et *Macumba* bougeait de moins en moins, comme mort, couché, immobile. Par la suite, même à marée haute, il n'a plus bougé ; il était monté si haut sur le platier qu'il ne pouvait aller plus loin. Une baleine morte.

[...]

Il faisait beau et à marée basse le récif ne grondait plus, comme si sa colère s'était apaisée. La faculté d'oubli de la mer me fascine. *Macumba* était couché et j'ai sauté à l'eau pour marcher autour de lui, mais le corail est ce qu'il est : plein de trous ; je me suis aussitôt tailladé les pieds en pataugeant alentour. Je voulais vérifier que mon bateau et moi étions bien vivants, mais aussi incapables de continuer. Je voulais toucher mon naufrage, en quelque sorte. Je n'ai pas vu de déchirure dans la coque et la quille était encore sous le bateau. Je mettais ma main sur le bordé, mes pieds dans le chenal : je pouvais apercevoir le sillon et le corail brisé dans l'alignement de la coque vers la mer. Le trajet de la quille était bien visible.

J'étais calme, incroyablement calme. Je suis allé vers la terre, persuadé que j'allais découvrir une route, une trace d'activité humaine. Je pensais être près du port ! J'ai tiré l'annexe à terre et j'ai voulu m'enfoncer vers le centre de l'île, mais la végétation basse étant dense et broussailleuse. Je suis revenu sur mes pas et j'ai décidé de longer la plage, m'attendant à rencontrer des humains, un port ; Nuku'alofa est une ville assez peuplée... J'ai marché une heure, peut-être un peu plus, en silence, et j'ai lentement réalisé que j'allais retomber sur les traces de mes propres pas. La boucle était bouclée, je me trouvais sur une île ronde et déserte... Une petite île sans lagon, entourée d'un platier de corail continu, une île non habitée. Sur la plage je n'avais pas vu d'autres traces que les miennes et aucune embarcation.

Non je n'ai pas eu peur, pas du tout. Je ne sais si c'est le fait d'avoir échappé à un danger mortel et à une longue angoisse oppressante, mais à partir de ce moment-là, je me suis mis à jubiler ! J'étais heureux ! Heureux ! Tout ce que tu possèdes te possède et j'étais libéré, léger, sain et sauf, j'étais infiniment gai. Il faisait beau et calme, le silence, la beauté de l'île, tout était comme dans une histoire pour enfants : l'île déserte ! J'étais content, en forme, plein de projets pour survivre sur cette île. C'est exactement cela : je jubilais !

Ensuite je me suis organisé assez méthodiquement. Avec ses un mètre soixante-dix de tirant d'eau, le bateau abattu était inhabitable : j'ai installé mon hamac à terre entre deux arbres, j'ai débroussaillé autour, transporté des affaires dans des sacs en plastique avec le dinghy à rames, j'ai fait mon petit campement. J'ai peu à peu déshabillé *Macumba* et tout porté à terre. J'ai inspecté le tour du voilier, le platier, les chenaux plus profonds et il m'a paru évident qu'il était hors de question de tirer *Macumba* en eau libre, face aux brisants qui restaient impressionnants et que nous avions sautés par une marée exceptionnellement haute, pour atterrir à l'intérieur, sur les récifs. Il était manifeste que je devais m'installer à terre et qu'un jour ou l'autre, un bateau viendrait à passer près de l'île : je ferais alors du bateau-stop.

Le lendemain peut-être, très vite, j'ai fait le point au sextant, j'ai repris mes cartes, refait mon estime. Je me trouvais dans un groupe de trois îles inhabitées, à peine visible sur ma carte, au nord-est de Nuku'alofa. Je me situais à une dizaine de milles d'une île éventuellement habitée par des pêcheurs, mais ne voyais pas cette terre à l'horizon, seulement les îlots déserts. « Mon » île étant basse, la vue était limitée. Toutes ces terres sont basses, entourées de récifs coralliens et surmontées du plumeau des cocotiers, on ne les voit pas à plus de cinq ou six milles au large par beau temps. J'étais exactement à 20° 23' 66'' sud et 174° 31' 32'' ouest, sur l'île de Telekitonga ; voilà. J'étais bien vivant et assez content de moi. C'était un peu fou, mais, après tout, une folie provisoire est plaisante.

J'avais les réservoirs d'eau douce de *Macumba*, ils ne s'étaient pas tous vidés et j'avais toutes les noix de coco de mon île, je savais encore grimper aux cocotiers ! Je pouvais pêcher, j'avais mes outils, mes affaires de plongée, mes conserves, non, je n'étais pas inquiet. J'étais très occupé : je suis monté sur un cocotier pour observer les îlots, j'ai exploré l'intérieur de l'île, découvert quelques maigres plantations de taro, j'ai dormi aussi ; j'avais mon hamac avec moustiquaire, surplus de la guerre de Corée ! Je me suis fait du thé, arrière-grand-mère anglaise oblige.

[...]

J'imagine que c'est comme si nous étions dans un autre monde sans relation possible avec le passé ; il suffit de l'admettre, d'accepter, de ne pas compter les heures et les jours et le temps semble aboli, comme si personne ne nous attendait nulle part ; on s'éloigne, on glisse, la terre civilisée n'existe peut-être plus, on n'est plus pressé de la rejoindre et puis, pour leur dire quoi ? Après plusieurs mois en mer, plusieurs années ailleurs, je me trouve face à cette question : leur dire quoi ? À ceux-là qui sont restés...

Et si nous ne partions plus ? Si nous restions là, sur cette île ? Si le temps, les autres, la civilisation, ne nous rattrapaient plus et si nous oubliions tout, en restant dans ce monde comme de l'autre côté du Styx ? Pourquoi partir encore ?

« Jean, franchement, n'as-tu pas pensé rester sur cette île ? »

J. C. et C. C.

« »

Capitaines monstrueux
et départs fous
KARIN HUET

NÉE en 1953, Karin Huet écrit et voyage autour de la mer. Elle a entre autres embarqué sur des chalands ostréicoles (bassin d'Arcachon), un chalutier-usine (au large de l'Islande), une pirogue à balancier (lagon de Bora Bora), un *tankwa* en papyrus (Éthiopie). Elle a écrit à la main avec Yvon Le Corre un journal de bord devenu album mythique (*Heureux qui comme Iris**), traduit *Le Grand Livre des nœuds**, illustré de ses écrits les croquis de Titouan Lamazou (*Un hiver berbère**), plaidé pour le maintien des gardiens dans les phares en mer (*Bienvenue à Men Ruz City**), romancé des tempêtes amoureuses (*Mes jambes à son cou**), inventé, accompli et conté un périple à la pagaie au sein du Pacifique (*À même la mer**). À suivre...

Coups de folie en mer ? Moi ?

Bien sûr, je me rappelle ma prime jeunesse à bord d'un noir voilier, si ancien et primitif que les ignorants le qualifiaient de « cercueil flottant ». Je naviguais souvent seule avec cet amoureux qui se métamorphosait en capitaine Bligh dès que nous quittions le port et les potes, dès que la mer se creusait sous notre vieille coque, dès que la peur, sans doute, secrètement lui taraudait les viscères. Pour fuir les insultes cinglantes de mon skipper, il m'est arrivé, à cette époque, de sauter à l'eau au large, estimant que je pourrais rejoindre à la nage les montagnes corses qui se profilaient par bâbord. Pour échapper au risque de rixe à l'arme blanche avec mon maître du bord, ivre mais pas mort, il m'est advenu, ces années-là, de jeter dans les flots de la baie de Fort-de-France le seul bon couteau que nous possédions, précieuse relique ayant appartenu à un descendant de mutin du *Bounty*.

Ces gestes m'apparaissent aujourd'hui comme folie de comédie. Quand je m'y jetais, la Méditerranée était maniable, j'avais noté du coin de l'œil la proximité rassurante d'un canot de pêche, et mon capitaine monstrueux redevenait dare-dare un gentil p'tit gars qui profitait de l'occasion afin de s'entraîner à la manœuvre de l'homme à la mer. Je me laissais repêcher sans maugréer. Quant à l'immersion du poignard, c'était peut-être moins une nécessaire précaution qu'un sacrifice, par lequel je témoignais que je tenais moins à l'esprit de mutinerie qu'au corps bien chaud de mon compagnon cyclothymique. Lui concluait la scène en cuvant paisiblement son rhum dans la pose spectaculaire d'un cadavre du *Radeau de la Méduse* peint par Géricault. Expressionnisme maritime.

À rédiger ces souvenirs, il me revient que je fus plus proche de la folie sur l'eau en mon âge mûr. Un épisode que ma mémoire gomme. En le retraçant, honte et horreur se mêlent à une curiosité clinicienne à mon propre égard...
Sur ce voilier-là, les filières tenaient avec du Scotch, les haubans avec du fil de fer, le gouvernail avec la rouille. J'embarquai pourtant pour cinq mois, seule compagnie du clochard océanique qui en était maître et propriétaire. Je le savais excellent marin, expert du système D et doté d'une vitalité à toute épreuve. De plus, je pensais en devenir amoureuse. À l'intérieur de sa nef, m'attendaient des statues de femmes nues étranglées ou entravées par des tentacules de poulpe. Il avait sculpté ces totems en bois massif et les avait à peine arrimés avec deux, trois méchants bouts de ficelle. C'est sous la menace de ces catapultes en puissance que nous avons tangué depuis les îles de la Société jusqu'aux atolls des Tuamotu. Je ne tardai pas à faire d'autres découvertes alarmantes.
J'avais entendu B.G.B. (appelons-le ainsi) évoquer sa façon de séduire les jeunes filles, à l'époque où il possédait un vieux gréement aux mâts altiers, l'un pourvu d'un nid de pie. Il y faisait monter la donzelle en la serrant de près et en lui soutenant le popotin pour l'encourager. Une fois là-haut,

ils admiraient la vue, elle avait le vertige, n'osait pas redescendre et B.G.B. la troussait vite fait. J'avais cru à une plaisanterie. Si c'en était une, elle ressemblait à ce qui m'advenait.

Mon compagnon déclara que notre navigation était LA circonstance rêvée pour recréer le Couple primordial, nous replonger dans la Vie préhistorique, où la Femme est entièrement vouée à l'accommodation des aliments et au plaisir physique et intellectuel de l'Homme, celui-ci s'attachant à la protection et l'édification de la Femme. Moyennant quoi, tout instant non partagé devenait un crime de lèse-majesté virile. Si je me tenais à la proue et remplissais mes poumons de l'air du large, il m'était intimé de revenir immédiatement me faire caresser dans le cockpit. Toute opinion personnelle (nous ne fûmes pas du même avis sur la beauté des couleurs d'un paréo) se heurtait à cette affirmation suffocante : « Je sais ce qui est beau et ce qui est laid, ce qui est bon et ce qui est mauvais, je suis Créateur, je suis Dieu ! » Tout désir ne coïncidant pas avec le Sien (après avoir préparé le repas, j'avais souhaité jeûner – l'ambiance me coupait l'appétit) suscitait une crise de rage : « Mange ta soupe ! On n'est pas à terre, on est à bord d'un Bateau ! Il y a une Discipline à respecter ! Tu fais ce que te dit le Capitaine ! Il y en a qui ont perdu des dents, à ne pas m'écouter ! » Il avait des poings impressionnants. La gorge nouée, j'obtempérai. Évidemment, mon sentiment amoureux s'était éteint en quelques heures. La vision de cet homme magnifique, le son de sa voix, enjouée ou sévère, le cliquetis des bracelets d'argent dont il ornait ses poignets, tout me glaçait, pis que l'apparition du *Hollandais volant*.

Première escale : un îlot désert des Tuamotu, à l'abri duquel B.G.B. mouilla le voilier, ligoté par trois câblots, pendant plusieurs semaines. Le seul village se situait à des milles de là, à l'autre bout du lagon. Le capitaine refusait de me laisser démarrer le hors-bord de l'annexe principale. Selon lui, c'était beaucoup trop dur pour une femme ; même sa précédente compagne, une rude, n'y parvenait pas. J'avais toute liberté de souquer sur les avirons de l'annexe 2, un minuscule youyou instable au possible. La nuit, si j'esquissais un mouvement pour me lever, la voix du capitaine me rappelait à l'ordre : « Qu'est-ce que tu fais, chérie ? » Le bougre avait le sommeil ultraléger !

Deux ou trois fois, nous allâmes au village avec l'annexe à moteur, un trajet de deux heures. Capitaine surveillait que le sac à dos que j'emportais était vide. À la poste restante, à l'épicerie, Capitaine me suivait comme mon ombre. Lorsque je téléphonai à ma fille, laissée en Europe, Capitaine se posta près de la cabine aux parois de verre, essayant de lire sur mes lèvres. Comme je ne trouvai pas ma petite au premier numéro, j'en composai un second. Capitaine, fulminant, était déjà dans la cabine : « Tu téléphones à ta fille ou à ton amant ? »

Aurais-je pu courir me cacher dans la brousse ? Problèmes : pas d'aérodrome dans cette île, j'ignorais la date de passage de la goélette, et j'avais entendu parler du *motoro*, coutume polynésienne qui consiste pour les hommes à disposer de toute femme non accompagnée, sans lui demander son avis. Violée pour violée, me dis-je, avec B.G.B. au moins, je sais à quoi m'attendre ; si je domine mon horreur, je conserve de bonnes chances de ne pas finir le crâne écrabouillé.

En apparence, l'îlot désert était paradisiaque. Tiédeur de l'air et du lagon, pêche abondante, feu de bois, sieste sous les palmes. Nous retrouvions l'harmonie du premier matin du monde. C'est ce qu'écrivait B.G.B. dans son bouquin. Il rédigeait sa maîtresse œuvre. J'étais chargée de la relecture du manuscrit. Un affligeant ramassis de clichés. J'inscrivais des « Bien » dans la marge et quelques corrections d'orthographe ou de grammaire. Mais B.G.B. aurait voulu que, moi aussi, je clame ma joie de vivre. Me tenant serrée contre lui dans le hamac, le bras posé comme un joug sur mes épaules : « Écoute, même les oiseaux chantent le bonheur ! Pourquoi tu restes silencieuse, rechignée, introvertie ? Répète après moi, allez, ça te fera du bien : "Je suis heureuse." Allez, répète... »

À notre dernière visite au village, je profitai d'une seconde d'inattention de mon maître à penser. Le seul Français de l'île était un de ces pauvres Blancs tombés en rade sous les tropiques, neurasthénique, se disant persécuté par les indigènes, sans même de quoi se payer un youyou, attendant le miracle qui le délivrerait de cet environnement néfaste. À ce frère en abdication, je glissai : « On part aux Marquises... Je ne suis pas de mon plein gré avec ce type... Si jamais tu entends dire que j'ai disparu en mer, souviens-t'en... témoigne, s'il te plaît... »

Mais j'étais devenue convenablement dissimulatrice. Je dédiai mes humiliations à la Vierge. Abrégeons. J'arrivai indemne à Nuku Hiva. Il fallait refaire le plein de fuel, attendre le cargo qui livrait les fûts. B.G.B. mouilla en rade de Taiohae, à portée de voix de quelques autres voiliers, bien obligé.

C'est là que commence la partie rétrospectivement la plus étrange de l'histoire.

Exposé au regard de ses semblables, B.G.B. redevint comme par enchantement un homme normal, au comportement courtois. Moi, puisqu'il me laissait la bride sur le cou et m'assurait un gîte, je temporisais. J'essayais vainement de renouer avec des camarades marquisiens susceptibles de m'accueillir à terre. Subrepticement, je téléphonai à une famille amie vivant aux Tuamotu. Sans le dire, j'attendais aussi un cargo, celui qui pourrait me déposer sur l'atoll de ces amis paumotu... Le cargo du fuel était annoncé, celui que j'attendais n'arrivait que quinze jours plus tard. B.G.B. projetait, le réservoir rempli, de partir mouiller devant Eiao, une île déserte, où la vie préhistorique se corsait de chasse à la chèvre sauvage... Un frisson me parcourut l'échine. J'imaginai un appareillage nocturne, le capitaine me bâillonnant et me ligotant pour m'empêcher de plonger... Je courus chez le médecin. J'étais inquiète pour ma fille laissée en Europe, lui expliquai-je, ce qui m'empêchait de dormir. Je voulais une ordonnance pour des somnifères... Interloqué, le jeune VAT (médecin qui fait son service militaire en outre-mer) me dévisageait en fronçant les sourcils. J'éclatai de rire. Non, ce n'était pas vrai. Mais mon capitaine était violent, il m'avait menacée plusieurs fois ; maintenant il voulait repartir dans ces îles désertes où j'étais à sa merci, j'avais peur, je voulais pouvoir le neutraliser et m'enfuir de nuit et il avait le sommeil si léger...

« Pourquoi tu ne débarques pas ?

— Parce que... parce que... je ne sais pas où aller... »

Le toubib venait de m'ouvrir les yeux : entre B.G.B. et moi, le plus cinglé n'était pas celui que je croyais. J'ai mis sac à terre immédiatement.

« Pourquoi es-tu restée trois mois avec Barbe-du-Grand-Bleu, pourquoi ne pas l'avoir quitté tout de suite ? me demandèrent plus tard mes amis.

— Parce que... je voulais naviguer à la voile sur le Pacifique. »

Dans mon histoire avec la mer, le coup de folie n'a pas lieu au large mais à terre, à *l'idée de la mer*. C'est la décision inébranlable de partir en bateau pour un certain temps prémédité et l'obstination à mener l'expérience jusqu'au bout, coûte que coûte et quelles qu'en soient les conditions.

Trois ans après m'être arrachée des griffes de Barbe-du-Grand-Bleu, je prenais ma revanche : je retournais explorer l'archipel des Tuamotu avec mon propre bateau. Un kayak monoplace de type groenlandais. (J'entraînais un compagnon dans cette aventure, mais il siégeait dans sa périssoire personnelle et, prévoyant une éventuelle séparation, nous possédions tout le matériel en double exemplaire.)

J'avais fait mon possible pour acquérir un bon niveau de pagayeuse. Pourtant je ne savais toujours pas esquimauter, j'étais incapable d'accélérations et me sentais mal à l'aise dès que la mer se formait et que le vent dépassait force quatre. N'empêche que je tenais mordicus à effectuer sept ou huit traversées de douze à quarante milles nautiques (quatorze heures de pagaie si tout se passait bien) dans l'intimité toute nouvelle d'un Pacifique aux courants erratiques et méconnus, aux bulletins météo annonçant le temps qu'il faisait la veille, sans avoir prévenu personne de notre départ, sans un bateau alentour, sans une île à l'horizon (puisque les atolls culminent à cinq mètres au-dessus du niveau marin) et donc sous l'entière dépendance d'un GPS dont je haïssais le maniement. Et quand j'écris *mordicus*, c'est probablement influencée par cette autre composante du périple : le requin-tigre errant, qui a pour habitude de monter donner un coup de dents à tout objet flottant plus petit que lui. Bref, je nous lançais dans une version « marinisée » de roulette russe.

Lorsque, il y a un siècle, un indigène, écœuré par le carcan chrétien, prenait le large en catimini avec sa pirogue et ne donnait plus jamais signe de vie, les missionnaires de Vanuatu inscrivaient l'événement sur leur registre. Deux mots, c'est tout : « départ fou ».

Départs fous mais navigation si posée ! Voilà qui m'émerveille quand je me remémore dans le détail les heures ou les semaines de ma vie passées en mer, parfois en mauvaise mer, parfois en mauvaise entente, parfois en mauvaise passe. Comme nous gardions la tête froide, donnant un coup de pompe après l'autre, opiniâtres, pour maintenir le vieux voilier noir à flot à travers l'Atlantique et parvenir à l'échouer au Brésil ! Prenant un quart après l'autre, en vue de rallier les Marquises, ponctuels, consciencieux, respectant le repos de l'équipier, malgré la violence bouillonnant dans le huis clos « préhistorique » ! Mettant un coup de pagaie devant l'autre, calmement, afin de couvrir les grands vides entre les atolls, comme si nous n'entendions pas le « gloup ! » menaçant de la vague qui nous poursuivait ! Chétifs bipèdes ballottés au-dessus des abysses, accomplissant ce qu'ils pensent convenable d'accomplir pour rejoindre le plancher des vaches.

Le désir passionné, insensé, de dépasser un temps la condition terrienne, de retrouver une mythique condition sirénienne, voilà ma seule expérience de folie maritime. Et la réalisation de ce désir met en œuvre son contraire : réflexion, sang-froid et la volonté de retourner à terre.

K. H.

II

Dans l'eau

APRÈS le grand retour à la terre, voici venue l'heure du retour à la mer. Jamais les activités marines ou aquatiques n'ont connu un tel engouement. Délaissée, crainte, ignorée, l'eau effectue un retour en force. Qu'il soit catastrophique ou magnifique, le règne de l'eau recommence.

Mais l'eau n'est pas un élément comme les autres : lorsqu'on s'immerge, de remarquables transformations s'opèrent dans le corps et *l'esprit*. Il suffit pour s'en convaincre, d'observer les effets bénéfiques du bain de mer sur un enfant : au contact de l'eau le voilà qui devient vif, éveillé, joyeux, plein de bonne énergie ludique, tel un dauphin, cette énergie que Michelet tente de décrire dans *La Mer** :

« Cette mer ne fait pas de médiocres passions. Je ne sais quelle ivresse électrique est en elle, qu'on voudrait tout absorber. »

Oui, la mer nous pacifie. Nous bénéficions tous des bains en général et des bains de mer en particulier, comme on le voit sur les traumatisés, les handicapés, les autistes, etc. Les barrières tombent, les vieux rient comme des enfants, l'eau réunit les humains sur un même plan. Une fois dans l'eau, qu'importent races et religions ?

Depuis que des humains, seuls, ont osé braver la mer, chaque année apporte sa moisson de nouveaux exploits accomplis par des hommes et des femmes courageux, prêts à regarder l'océan dans le blanc des yeux. À la voile, en cerf-volant, en planche, en canot à rames, en kayak, en apnée, avec tout ce qui glisse et qui flotte, les nouveaux aventuriers se lancent à l'assaut de traversées impossibles ou de vagues géantes. En même temps des milliers, des millions de jeunes s'adonnent avec passion aux nombreux sports de glisse dérivés de la voile et du surf, qui prennent des formes aussi variées que fantaisistes. Mais au bout de ces exploits, émerge l'émotion unique, l'orgasme avec les éléments, ici la mer, qui peut se traduire de mille et une façons. Paul Valéry* lui-même y succomba voluptueusement, dans la douceur des vagues de Gênes ou de Sète :

« Je m'accuse d'avoir connu une véritable folie de la lumière, combinée avec la folie de l'eau. Mon jeu, mon seul jeu, était le jeu le plus pur : la nage... Il me semble que je me retrouve et me reconnais quand je reviens à cette eau universelle. Je ne connais rien aux moissons, aux vendanges... Mais se jeter dans la masse et le mouvement, agir jusqu'aux extrêmes, et de la nuque aux orteils ; se retourner dans cette pure et profonde substance, c'est pour mon être le jeu comparable à l'amour... »

Plonger dans la mer, c'est entrouvrir les portes de l'amour universel, effleurer l'au-delà, celui dont parle le poète bourlingueur Blaise Cendrars évoquant sa propre mort :

« Je serai un homme comblé si je puis aller mourir, le jour dit, au point choisi et disparaître anonymement, sans aucun regret du monde, à la source même du monde, en pleine mer des Sargasses, là où pour la première fois la vie s'est manifes-tée et a jailli des profondeurs de l'océan et du soleil. »

Mais surtout, ce qui frappe, c'est à quel point la mer est un déclencheur d'idées, d'imagination, si l'on en croit toujours Michelet :

« Nulle part qu'aux bains de mer on n'est imaginatif. »

« »

L'imagination matérialisante

Dans *L'Eau et les rêves**, Gaston Bachelard n'hésite pas à dire que « l'eau suscite des rêveries sans fin » et le philosophe poète va beaucoup plus loin en affirmant :

« L'eau n'est plus seulement un groupe d'images connues dans la contemplation vagabonde, dans une suite de rêveries brisées, instantanées ; elle est un support d'images, et bientôt un apport d'images, un principe qui fonde les images. L'eau devient ainsi peu à peu, dans une contemplation qui s'approfondit, un élément de l'imagination matérialisante. »

Ici, l'imagination devient créatrice au sens matériel du terme. L'eau incarne nos rêves. Cette eau qui jamais ne lasse ceux qui l'aiment ou l'adulent, et toujours les surprend... pour le meilleur et pour le pire.

Car plus les hommes accomplissent d'exploits, plus l'infaisable devient possible. La part de folie, de rêve et d'imaginaire dans les aventures aquatiques est énorme. La raison vole en éclats face au désir marin, à croire que la récompense doit être à la hauteur du risque.

Peur et fascination vont de pair. Dans *Les Chants de Maldoror**, le jeune Lautréamont invective le « vieil Océan » à sa façon :

« ... Je ne puis pas t'aimer, je te déteste. Pourquoi reviens-je à toi pour la millième fois, vers tes bras amis qui s'entrou-vrent pour caresser mon front brûlant, qui voit disparaître la fièvre à leur contact. Je ne connais pas ta destinée cachée... »

Oui, la mer peut rendre fou si l'esprit humain est assez dérai-sonnable pour s'y immerger sans retenue. Dans *Ecuador**, Henri Michaux, qui a souvent voyagé par mer (après avoir été matelot sur un quatre-mâts, il a effectué de nombreuses traversées vers l'Amérique latine et l'Extrême-Orient), tra-duit bien ce grain de folie qui nous saisit lorsque les vagues nous secouent trop fort :

« Malheur à celui qui casse une de ses roulettes dans la tem-pête, sur la mer Caraïbe. Il rate sa course au haut d'une vague, est jeté sur le côté, retombe les bras ballants dans un fond, mais l'énergie de l'espoir-quand-même sauve ses membres. Ah ! Un répit d'une minute ! Si seulement il avait le temps d'ajuster sa roulette de rechange ! Mais les vagues sourdes comme des pots, mais les vagues sourdes comme des empereurs, mais les vagues sourdes comme des montagnes le prennent comme elles le trouvent, le prennent avec trois roulettes, et les morceaux de l'autre, le prennent de haut et avec rire, et l'enlèvent et se le passent entre elles, et s'amu-sent beaucoup. »

Oui mais voilà, les amoureux de la mer sont incorrigibles, ils ont beau se prendre des « branlées » carabinées, ils y reviennent toujours, taquinant les dieux des abysses pour connaître cet instant absolu, divin, cosmique.

Il y a cinquante ans à peine, les scientifiques affirmaient qu'aucun apnéiste ne pourrait plonger à plus de cinquante mètres sans avoir la cage thoracique écrasée par la pression. Jacques Mayol et ses dignes successeurs ont prouvé qu'ils pouvaient descendre à plus de cent mètres... Il y a cinquante ans à peine, les plus grosses vagues surfées en Occident ne dépassaient pas cinq ou six mètres. Aujourd'hui les surfers de grosses vagues, à l'image d'un Laird Hamilton, s'attaquent à des monstres de plus de vingt mètres. Il y a cinquante ans à peine, traverser l'Atlantique sur un voilier était encore considéré comme un exploit ; à présent on ne compte plus les traversées sur de minuscules engins flottants.

«   »

Le principe de plaisir

Le moteur même de l'exploit se situe précisément dans le plaisir le plus extrême, celui qui naît de cette communion ludique avec les éléments. Le poète hawaiien du XIXᵉ siècle Kepelino Keauokalani chante déjà le plaisir extraordinaire que procure le surf, « roi des sports et sport des rois », un état extatique que les surfers hawaiiens appelaient *hopupu*. Lorsque arrivent les grosses vagues d'hiver, les hommes abandonnent tout pour leur maîtresse, la mer :

« Toute pensée de travail s'éteint, seule celle du sport demeure. La femme peut avoir faim, les enfants et toute la maisonnée aussi, le chef de famille ne fait pas attention. Il est entièrement absorbé par le sport, c'est sa seule nourriture. Toute la journée il n'y a que le surf. Beaucoup partent surfer dès quatre heures du matin – hommes, femmes, enfants. C'est un sport qui, d'un plaisir innocent, se transforme en plaisir diabolique, et ainsi va la vie ! »

Contagieuse folie qui, à la même époque, touche même Chateaubriand évoquant, enthousiaste, son enfance bretonne à Combourg :

« C'est sur la grève de la pleine mer, entre le château et le Fort Royal, que j'ai été élevé, compagnon des flots et des vents. Un des premiers plaisirs que j'ai goûté était de lutter contre les orages, de me jouer des vagues qui se retiraient devant moi, ou couraient après moi sur la rive. »

Et ce plaisir va si loin que le grand écrivain se livre à des actes inconsidérés, glissant dans la houle bretonne (« comme un dauphin dans le creux des lames »), voire même se jetant à l'eau en plein océan Atlantique, ainsi que le raconte un autre Breton, Théophile Briant :

« ... Tout cela, Chateaubriand le sentit profondément, soit qu'il restât sur la grève à s'ébattre comme un dauphin dans le creux des lames, soit qu'il montât sur les remparts pour se rassasier mieux encore de cette pleine mer à laquelle il accordait son cœur épris d'immensité. Il était tellement hanté par la caresse moléculaire de l'Océan que, durant sa traversée vers l'Amérique, il plongea du beaupré dans l'Atlantique infesté de requins, donnant l'exemple à d'autres passagers qui mouraient de chaleur sur le pont du navire. »

Cette « caresse moléculaire de l'Océan » est sans doute ce que recherchent aventuriers ou surfers du XXIe siècle, qui se lancent corps et âme dans l'océan pour d'extraordinaires apnées où pour glisser sur le flanc des plus belles vagues du monde. Au-delà du plaisir lui-même en tant que moteur, nous prenons aussi conscience que plus un geste est gracieux, plus il est efficace. C'est précisément cet état de grâce dont parle Jacques Mayol à Umberto Pelizzari lors de leur première apnée ensemble :

« Si tu veux plonger avec moi, enlève tout ce qui te rattache à ta réalité d'homme, ton profondimètre, ta montre. Tu ne dois avoir qu'un seul objectif : chaque fois que tu descends au fond de la mer, tu dois essayer d'éprouver des sensations de plaisir un peu plus fortes et un peu plus belles que celles ressenties la fois précédente. »

Plus tard, Pelizzari, devenu lui-même champion d'apnée de renommée internationale (un record à moins cent cinquante mètres), appliquera à merveille cette méthode, comme il le raconte dans *L'Homme et la mer** :

« Si l'on parvient à se détacher de son enveloppe terrestre, on éprouve alors des sensations d'une beauté, d'une intensité que l'on ne peut connaître qu'en retenant son souffle et en s'enfonçant dans les profondeurs. C'est pour cette raison que je descends sous l'eau. Quand on me demande : "Pourquoi retiens-tu ta respiration ? Tu ne serais pas un peu fou ?..." Je réponds : "Parce que c'est beau." »

«   »

Rêves amphibiens

À côté de ces merveilleuses expériences où l'eau joue un rôle d'éveilleur initiatique, l'immersion corps et âme est souvent synonyme de naufrage ou de noyade, et les récits ne manquent pas où le naufragé voit venir la mort entre les bras de la mer. On n'ose à peine imaginer ce qui a pu se passer, par exemple, entre ces adolescents français qui avaient loué un voilier en Méditerranée dans les années 1990. Des garçons et des filles en pleine forme qui ont navigué jusqu'à ce que le vent tombe complètement. Voyant le voilier immobilisé sur une mer d'huile, *tous* ont plongé dans les eaux bleues pour se rafraîchir. Passés les premiers instants de bonheur, certains ont voulu remonter à bord et là... ils se sont aperçus qu'il n'y avait aucune échelle, corde ou plate-forme leur permettant de remonter, car le franc-bord du voilier (partie au-dessus de la ligne de flottaison) était élevé. Impossible, en tendant les bras hors de l'eau, ou même en bondissant, d'agripper un quelconque rebord... Ils ont dû tout essayer, bondir, monter les uns sur les autres, jusqu'à l'épuisement, la rage, la panique, l'horreur... Tout ce qu'on a retrouvé d'eux, ce sont de profondes griffures sur la coque, du sang coagulé et des ongles cassés, incrustés dans le vernis de la coque du voilier...

Mais en tombant à l'eau, certains découvrent dans la mer elle-même la force nécessaire à leur survie. C'est le cas de France Pinczon du Sel, qui bascule d'un voilier en pleine nuit (alors qu'elle vomissait par-dessus bord, un classique), au large des Sables-d'Olonne, par une eau à quatorze degrés. Dans *À la grâce d'un coup de mer**, elle explique à quel point cette expérience l'a profondément changée et ce qu'elle a ressenti, seule la nuit en pleine mer, avec trente nœuds de vent et des déferlantes de cinq mètres de haut :

« Tout comme mon corps, mon esprit bascule dans le néant... Quand la vie chavire dans le vide, sans attaches, au réveil se dresse, aussi abrupt qu'un mur, le choix : la vie ou la

mort... Les étoiles me sont témoins... Dans une euphorie
légère, je trouve encore le moyen de m'émerveiller devant
tant de beauté, devant la force des éléments ; et ce plancton
fluorescent quand je remue les bras, on dirait des poussières
d'étoiles. Sensation de Dieu. Je suis seule au milieu de l'univers... Cette phrase de Moitessier me revient à l'esprit : "On
se sent à la fois comme un atome et comme un Dieu." C'est
si vrai ! »

Plus tard, alors qu'elle est perdue dans la nuit, France entre
en contact avec l'âme d'un bébé, sa filleule Agathe, qui vient
de mourir de la mort subite du nourrisson. Selon la naufra-
gée, c'est cette petite voix venue de l'intérieur qui va la gui-
der vers le voilier, puis attirer à elle l'hélicoptère de
recherche. Ce « coup de mer » sera pour elle le point de départ
d'une grande aventure ; comme quoi un accident en apparence malheureux peut influer sur toute une vie. En exergue
de son livre, France Pinczon du Sel cite le poète Pablo
Neruda :

« Alors, un coup de mer étendit ma vie dans l'espace.
J'étais plus jeune que le monde entier.
Et dans la côte à ma rencontre s'avançait dans son immensité
le goût de la mer. »

Les voiliers sont, certes, les instruments de la liberté, mais
ils peuvent aussi se transformer en pièges qui se retournent
sur leurs occupants et les emprisonnent dans un cauchemar.
C'est ce que raconte, ému aujourd'hui encore, le navigateur
Gérard Janichon, se remémorant le naufrage de *Damien**
en 1971 avec Jérôme Poncet, alors qu'ils font route vers
l'Antarctique par cinquante-six degrés de latitude sud, dans
une mer polaire, énorme, avec du blizzard et des vents de
soixante-dix nœuds. Le voilier se retourne quille en l'air et

les eaux glaciales montent à l'intérieur. À cet instant, les deux navigateurs ressentent une impression « à la fois mortuaire et extatique », approchant d'une « vérité essentielle qui se dévoile dans un accès de lucidité qu'on ne retrouve jamais ». Aujourd'hui, Gérard Janichon se souvient encore de ce moment :

« J'ai vécu la mer activement pendant environ vingt-cinq ans et elle n'a jamais constitué pour moi un champ de jeux ou de compétitions telle qu'elle est souvent présentée aujourd'hui. Je l'ai vécue comme un accomplissement total. C'était un art de vivre et de voyager dans lequel je me suis fondu. Je ne vivais pas sur un bateau, je vivais *en mer*. Les notions techniques et géographiques ont très vite été dépassées pour laisser place à une autre dimension, notamment en solitaire. Les épisodes paroxystiques ont donc été nombreux et certaines traversées, même longues, l'ont été du début à la fin !

« Avec *Damien*, je pense par exemple au moment du chavirage lorsque nous sommes restés quille en l'air, prisonniers à l'intérieur, dans le noir et le silence qui succédait brusquement au tumulte démentiel des déferlantes énormes, avec l'eau glacée qui montait, l'hypothermie qui nous conduisait vers un ultime cheminement plutôt doux, chacun dans notre coin après nous être dit *au revoir* à travers deux ou trois mots très simples... D'une certaine façon, c'était un sacré moment de paroxysme. Euphorie, en tout cas. Ce qui me paraît intéressant dans cette histoire, c'est le contraste entre la furie grandiose du coup de vent surpuissant, avec ses vagues énormes, le bruit assourdissant, la mer marbrée, toute blanche, la neige qui tombait à l'horizontale, bref un décor d'apocalypse que nous n'avions jamais connu, et d'une certaine façon tellement dingue qu'il en était quasi jubilatoire malgré la peur, et le brusque silence total dans le couloir de la mort, incompréhension, acceptation du verdict en une vraie sérénité. Nous avions l'impression qu'après avoir vécu sur la mer, nous allions non pas y disparaître, engloutis, mais vivre dedans, comme un prolongement, devenir *amphibiens*. »

Ce rêve amphibien nous ramène aux temps originels. Nous avons peu de certitudes sur cette Terre, mais il semble universellement admis que nous sommes venus de la mer. Sans doute est-ce ce que nous croyons reconnaître dans l'œil des dauphins : des origines communes, un sentiment de fraternité qui serait autrement inexplicable. En scrutant les dauphins, ces éternels enfants épris d'amour, de jeu, de vie sexuelle et familiale, c'est nous-mêmes que nous contemplons. Personne ne peut rester indifférent aux dauphins ou aux baleines. Eux aussi font l'unanimité. Aucun autre animal n'est à ce point universellement aimé.

En matière de communication avec les cétacés, nous sommes entrés dans l'ère « post-Lilly » (du Dr John Lilly, chercheur américain qui, dans les années 1960-1970, fut un pionnier en matière de communication avec les dauphins et également psychonaute à ses heures, n'hésitant pas à utiliser du LSD afin de mieux les approcher). Aujourd'hui, les exemples de « communication » entre humains et cétacés abondent. Baleines à bosse, cachalots, orques, dauphins, les contacts interespèces sont devenus fréquents et font même partie de nombreux circuits d'écotourisme aux quatre coins du monde.

Il faut bien reconnaître que dauphins et baleines adoptent à notre égard un comportement respectueux, curieux, parfois cajoleur, si ce n'est enjôleur. Eux-mêmes sont capables de communiquer à distance et probablement d'une façon qui nous dépasse ; proportionnellement, le cerveau du dauphin est plus développé que le nôtre, il contient de nombreuses circonvolutions (surtout chez l'orque) et (*last but not least !*) il est muni d'un *troisième hémisphère*, dit *zone paralimbique*, dont on ignore encore l'utilité. Pour d'aucuns, ce lobe supplémentaire est la preuve que les dauphins ont développé une forme de sagesse, qu'ils communiquent par télépathie et sont capables d'amour, autant, voire plus que leurs frères humains.

Aujourd'hui certains traversent la planète à la rencontre des chamans d'Amazonie ou de l'Himalaya, et d'autres parcourent les océans en quête d'un maître dauphin. Ces rencontres ne sont jamais anodines, même si certains les approchent tout naturellement, tel Dominique Guyaux, un homme qui a vécu une expérience hors du commun, racontée dans *Quand je serai seul avec la mer**... Irrémédiablement condamné par la médecine à la suite d'une sclérose en plaques, il vend tout et achète un voilier, premier pas d'une lente et extraordinaire rémission. Au bout de son voyage, plus vivant que jamais, Dominique plonge parmi les dauphins comme s'ils appartenaient, eux et lui, à la même espèce :

« Les rayons du soleil, diffractés par l'eau de mer, se faisaient faisceaux luminescents et convergeaient vers les fonds abyssaux. Les dauphins, ils étaient sept, n'arrêtaient pas de discuter. J'avais l'impression d'être dans un salon de thé bondé de vieilles dames papotant de tout et de rien. Mais très vite j'ai compris que je me trompais et qu'ils parlaient surtout de moi. Ils restaient à quelques mètres et je ressentais de la curiosité, des questions, des recommandations, des blagues et des éclats de rire. Je le vivais dans tout mon corps, car le sens de ce qu'ils se disaient passait dans la structure de l'eau et entrait directement dans mon cerveau. C'était inouï.

J'étais si heureux que je me suis mis à descendre vers les bleus plus intimes et plus sombres d'en bas. »

« 	»

L'eau qui monte

Il ne s'écoule plus un jour sans que l'eau et la mer ne fassent parler d'elles. L'évidence est là, qui déborde des téléviseurs : crues, inondations, vagues géantes, érosion, montée des eaux, ouragans, raz-de-marée... Une étude d'opinion réalisée en France montre que le tsunami du 26 décembre 2004 a autant marqué les esprits que les attentats du 11 septembre. Cela prouve bien que nous sommes devenus conscients de l'apparition d'un nouveau phénomène ; très vite nous allons devoir réapprendre à vivre avec l'eau. C'est ce qu'a découvert violemment Stephen Escola, un surfer de Lacanau en voyage au Sri Lanka avec sa famille, comme il le raconte à Julien Roulland, journaliste de *Surf Session*. Par cette belle journée de décembre, non loin de Merissa, Stephen va surfer comme d'habitude dans un endroit tranquille. Il attend les vagues avec plusieurs mètres d'eau sous ses pieds, lorsque se produit la première phase du raz-de-marée : d'abord un afflux d'eau qui monte sur les terres avant de se retirer, formant une vague de ressac qui déferle vers le large. Puis vient le moment où la mer se retire sur une grande distance avant l'arrivée du vrai tsunami. Stephen Escola subit alors une épreuve ahurissante : il est à pied sur le récif asséché telle une montagne déchiquetée, avec impossibilité de voir l'horizon !

« J'ai d'abord senti l'eau monter soudainement et je me suis retrouvé à faire le bouchon, à prendre de la hauteur, lorsque j'ai vu l'eau pénétrer étrangement sur le rivage. Tout a basculé et trois secondes après, j'ai entendu le bruit sourd de l'eau qui arrachait les arbres et les maisons, un son effrayant ; tout tombait sous mes yeux. Mais le pire allait venir, un énorme *backwash* (« ressac, contre-vague ») revenant de la berge tel un mascaret en sens inverse, qui arrivait sur moi en charriant tout ce que l'eau venait de détruire : arbres, maisons... Je n'étais plus capable de réfléchir, j'ai basculé en mode survie sans même le comprendre. Tu ne penses plus, ça vient de l'intérieur... Je me suis mis à ramer vers le large le plus vite possible pour échapper au retour du mascaret de l'horreur, chargé de décombres. C'est alors que la mer a commencé à se retirer fortement. Je me faisais embarquer au large. J'ai hurlé de désespoir et d'incompréhension : le récif s'est découvert sur presque un kilomètre et d'un seul coup, les reliefs qui formaient les fonds sont passés au-dessus de l'horizon ! Des pics du récif, découpés et tranchants, pointaient à quinze mètres de haut tout autour de moi, mes dérives grattaient sur les dalles et je ne voyais plus l'horizon. J'ai cru que j'allais finir au milieu de l'océan Indien. À huit cents mètres de distance, je me voyais difficilement rentrer pieds nus à travers ce labyrinthe, sinon les pieds en sang ; c'était un récif déchiqueté. Ma plus grosse angoisse : imaginer le retour de l'eau, la remontée, et voir tout à coup surgir une vague énorme. Par miracle, l'eau s'est stabilisée et le courant s'est inversé. C'était l'occasion de retourner vers la terre. »

Dans un monde de plus en plus complexe, la simplicité du contact avec les éléments apporte d'immenses satisfactions, à la limite de l'indicible. Navigateurs, plongeurs ou surfers ne sont pas toujours de grands bavards prêts à débattre de leurs exploits. Une lueur brille néanmoins dans leurs yeux, même lorsqu'ils prononcent une phrase en apparence banale. Ce nouveau siècle a vu apparaître une nouvelle génération d'hommes et de femmes, qu'on appelle *watermen* à Hawaii, des « hommes de l'eau », capables de nager dans les vagues et les courants, de surfer des grosses vagues, d'accomplir des sauvetages, de naviguer, plonger, pêcher... Peut-être – grâce à ces éclaireurs de l'océan – sommes-nous en train d'inventer de nouveaux rites, de nouveaux héros, de nouvelles mythologies, qui n'en sont encore qu'à leurs débuts.

10 histoires dans l'eau

Kayaks en folie
Johanna Nobili

Après des études d'ingénieur et trois années dans les nouvelles technologies, Johanna, adepte de sports nature, se passionne pour le voyage d'aventure. Elle part à pied, en kayak, à vélo, en France, en Méditerranée, en Amérique du Sud ou en Afrique du Nord-Ouest. L'été 2003, elle réalise la première traversée de la Méditerranée en kayak de mer, d'Europe en Afrique. L'hiver suivant, Johanna cofonde le magazine *Carnets d'expé* devenu *Carnets d'aventures*. Elle continue de profiter de la nature et d'arpenter le monde : les îles croates en kayak, la traversée de la Mongolie à cheval...

Cap sur l'Afrique : juillet 2003, Olivier Nobili, Stéphane Egly et moi-même, partons pour une traversée de la Méditerranée en kayak. À bord de deux kayaks de mer (un biplace et un monoplace), nous nous élançons d'Italie et rejoignons le nord de la Corse en passant par les îles d'Elbe et de Capraia, incluant des traversées hauturières de quarante kilomètres (huit heures à cinq kilomètres à l'heure de moyenne) sans accompagnement ni assistance. Puis vient l'étape hauturière la plus difficile : cent soixante-cinq kilomètres séparant la Sardaigne de l'île tunisienne de la Galite (à quarante kilomètres au large du continent africain). Le 14 août au soir nous quittons la Sardaigne, direction l'Afrique, plein sud. Le 16 août en début d'après-midi, après quarante-deux heures de pagayage non-stop, nous atteignons l'île de la Galite, puis le 20 août nous parcourons les quarante kilomètres séparant cette île des côtes tunisiennes, rejoignant ainsi le continent africain en kayak.

Jeudi 14 août, îlot Santo Macario, sud de la Sardaigne. Ce matin, nous prenons un bulletin météo complet en vue de notre grande étape vers l'Afrique : nous disposons d'une fenêtre de quarante-huit heures pendant laquelle la traversée sera possible (avec quand même un peu de vent de face annoncé) ; au-delà, les conditions seront mauvaises et ce pour plusieurs jours. Idéalement, nous aurions voulu partir de l'extrémité la plus au sud de la Sardaigne, afin de n'avoir « que » cent cinquante kilomètres de traversée, bien reposés après une bonne nuit de sommeil... mais vu la courte fenêtre météo, nous décidons de prendre la mer ce soir-là malgré la longue étape d'hier, et d'ici même, ce qui porte à cent soixante-cinq kilomètres la distance à parcourir. La journée passe vite : réorganisation des affaires et des caissons étanches des kayaks, préparation du matériel nécessaire à la traversée et de la nourriture : biscuits, barres énergétiques, pâtes cuites placées dans des sachets congélation, et enfin, petite attente afin de laisser tomber la forte brise de mer de l'après-midi.

Jeudi 14 août, dix-neuf heures trente, nous quittons les terres européennes. Devant nous : la mer, rien que la mer et l'étrave du kayak. Lors de nos traversées précédentes, nous parvenions toujours à visualiser notre objectif, ou au moins à le distinguer dans la brume ou les nuages. Mais là, rien. Allons-nous bien vers une terre ? La brise est tombée, la mer est d'huile, elle nous appelle. Le crépuscule s'installe, puis la nuit calme et étoilée. Notre moyenne est bonne, je me sens bien. Soudain des bruits d'explosion retentissent derrière nous, un coup d'œil : rien. À nouveau les bruits, cette fois-ci je me retourne plus longuement : des feux d'artifice sont tirés de plusieurs endroits de la côte ; vus d'ici ils paraissent si petits. Nous sommes à plus de quinze kilomètres au large et nous percevons encore les « basses » des musiques de fête. Mais peu à peu les signes de la civilisation s'éteignent, nous nous engouffrons dans le néant. L'immensité nocturne de la mer est paisible et rassurante. Le remous de nos pagaies dans l'eau fait apparaître le plancton phosphorescent ; sous la voûte céleste étoilée, la mer, elle aussi, se pare de myriades de diamants. Ambiance magique. Je ressens une grande paix et un plaisir intense à pagayer.

Pour nous trois, le moral est bon et les kilomètres défilent. Comme d'habitude, je me force à boire beaucoup et souvent (afin d'éviter à ma tendinite latente des poignets d'empirer), ce qui donne l'occasion de faire des petites pauses baignade, qui ont également l'avantage de détendre les jambes. J'effectue de petites apnées dans le noir profond de la mer endormie qui, étonnamment, n'est pas inquiétant mais apaisant. Plus besoin du chapeau ni des lunettes teintées – indispensables sous le soleil aveuglant et caniculaire de la journée –, la température est idéale, je ne ressens aucune fatigue, je suis à l'aise. De manière à suivre notre cap plein sud – et afin d'éviter d'allumer en permanence une lampe frontale pour consulter le compas –, nous nous aidons des astres, la constellation du Scorpion, la Voie lactée, puis Mars, plus tard dans la nuit. Cela ne fait qu'accroître le sentiment d'harmonie avec les éléments qui nous habite déjà.

Un léger vent latéral souffle épisodiquement, nous obligeant à nous concentrer sur notre trajectoire, mais il ne parvient pas à troubler la quiétude de la nuit. La faune, restée pour le moins discrète jusqu'à maintenant, se manifeste : de gros pélagiques et quelques dauphins passent près de nous. Avant l'aube, nous avons tous les trois un « coup de barre » qui passe très vite lorsque le soleil nous baigne de sa lumière. Il semble que notre cerveau soit conditionné à considérer que, lorsque le jour se lève après la nuit – même si celle-ci n'a pas été passée à dormir –, on est forcément plus reposé. Ma première pause baignade sous le soleil de ce matin du 15 août est accompagnée de dauphins qui m'approchent à quelques mètres ; instant unique.

En douze heures, nous avons parcouru soixante kilomètres (point GPS), nous sommes satisfaits ; si l'on pouvait continuer à cinq kilomètres à l'heure de moyenne, ce serait idéal. Nous plongeons nos doigts dans les sachets de congélation contenant les pâtes cuites hier ; la sauce champignons n'en fait pas un festin succulent, mais qu'importe : nous sommes heureux d'être là et savourons ces moments de plénitude. Dans la clarté du jour, nous pouvons maintenant contempler l'immensité tout autour de nous : à trois cent soixante degrés, la mer, rien que la mer. Dans ces conditions calmes et sous le soleil encore doux du matin, la grande bleue me paraît si amicale. Comment peut-elle parfois se transformer si vite en enfer ? En cet instant, cela me semble impossible. Nous continuons sur notre lancée, ramer m'est toujours aussi agréable. L'atmosphère légèrement laiteuse nous donne l'impression de pagayer dans les dépendances du paradis. À quatre-vingts kilomètres de notre point de départ, et donc à peu près autant de notre objectif, nous nous offrons une pause baignade de plusieurs minutes. J'en apprécie chaque instant. Je suis au beau milieu de la Méditerranée avec deux mille mètres d'eau sous moi, le bleu de la mer est profond. Je fais de petites descentes en apnée, tentant de suivre les rais de lumière qui plongent vers les abysses. L'appréhension initiale naturelle disparaît peu à peu au profit d'une douce sensation de bien-être. Je pense à ce fameux appel des profondeurs dont parlent certains apnéistes ; je ne le ressens pas et m'en réjouis, car je l'appréhendais. L'eau caresse mon corps libéré de la pesanteur, me rafraîchit agréablement et détend mes muscles. Je suis tout simplement bien.

Étrangement, alors que cette nuit mon esprit visualisait bien la ligne droite que nous suivons vers le sud, il me semble maintenant que nous décrivons un immense cercle. Notre trajectoire est pourtant toujours rectiligne, je le sais et le vois sur le compas, mais je ne parviens pas à me défaire de cette impression de rotation sur ce cercle imaginaire. Nous apercevons un grand ferry ; ses occupants nous voient-ils depuis le pont ? Ils doivent croire à une hallucination !

Selon les prévisions météo, nous devrions avoir du vent de face, force deux à trois depuis le milieu de la nuit. Ainsi, dès que nous percevons le moindre filet d'air sur nos joues, nous nous disons, résignés : « Le voilà donc, ce fameux vent du sud. » Mais le calme revient et pendant cette journée du 15 août, nous n'avons que de faibles brises. Par moments le silence règne, chacun est absorbé dans ses pensées et dans la contemplation de l'univers bleu qui nous entoure ; à d'autres, nous discutons de nombreux sujets comme nous pourrions le faire autour d'un café. Nous évoquons notre plaisir à pagayer dans cette ambiance unique, ainsi que les conditions météo favorables dont nous bénéficions actuellement.

En fin d'après-midi apparaissent les premiers effets de la fatigue accumulée (nous sommes vendredi soir, nous n'avons pas dormi depuis jeudi matin, et ramons depuis vingt-quatre heures) : l'esprit divague, la concentration diminue, le geste devient moins précis, le rythme baisse. Nous décidons d'une pause importante : trente minutes pendant lesquelles nous mangeons des pâtes, remplissons nos gourdes de pont (à partir des vaches à eau que nous gardons derrière nos pieds au fond des cockpits), faisons le point : nous commençons à être fatigués, mais nous avons bien avancé et espérons avoir autant de chance pour la météo de cette deuxième nuit ; nous nous baignons et détendons longuement nos membres. J'agite bruyamment mes bras et mes jambes, puis remonte dans mon kayak ; sitôt dans le cockpit, un aileron suspect passe à une trentaine de mètres. J'éprouve un étrange sentiment de stress rétrospectif mêlé à une excitation enfantine. Lorsque Olivier, qui n'apprécie pas spécialement les squales, nous lance : « Vous voyez bien qu'il y a des requins ! » je nous sens tout d'un coup si petits dans cette immensité. Petits, mais pas menacés. Dans ces conditions toujours calmes, les kayaks me semblent de bons refuges et je ne perçois pas de danger.

Requinqués par les pâtes, nous repartons sur un bon rythme. Au coucher du soleil, le vent du sud se lève, force deux ; ce n'est pas de bon augure mais le moral reste bon et le physique suit. J'aperçois une grosse masse à quelques centaines de mètres... ça bouge ! Une queue... ça plonge : une baleine ! Je jubile. Je préviens les deux autres, mais le grand mammifère, préférant sans doute les profondeurs à notre compagnie, ne refait pas surface. Tout en balayant l'horizon du regard, j'apprécie l'opportunité d'avoir déjà pu surprendre quelques instants cette baleine. Les plaisanciers ont l'habitude de voir dauphins et cétacés, parfois même de très près, mais pour moi qui ai ramé si longtemps afin d'arriver jusqu'ici, loin de toute terre, ces rencontres – même furtives – ont une grande valeur. Encore une fois je constate combien le plaisir d'un événement est accru par sa rareté et l'effort fourni afin d'y parvenir.

Le vent forcit, le ciel se voile, la fatigue accumulée paraît vouloir combattre la sérénité qui m'habitait jusqu'à présent. Il fait nuit noire maintenant ; le ciel est brumeux et les étoiles quasiment invisibles, ce qui ne nous aide pas à tenir notre cap. Le vent lève des vagues, petites au début, mais qui finissent par déferler par-dessus les ponts des kayaks. Nos lampes frontales n'éclairent guère ; les vagues nous prennent par surprise et nous déstabilisent. Dans cet environnement de plus en plus hostile, nous nous sentons si petits et fragiles. Nous portons maintenant jupes et gilets de sauvetage et sommes attachés aux kayaks par une cordelette – si nous chavirions, poussés par les vagues et le vent, les kayaks fileraient bien plus vite que nous à la nage. Tout devient compliqué : tenir le cap, enfiler un coupe-vent, sans parler des acrobaties à réaliser pour vider sa vessie.

Nous apercevons la lueur d'un phare – de plusieurs phares ? Lorsqu'à intervalles réguliers la lumière se rallume, nous sommes quasi persuadés qu'elle provient d'une source différente. Nous en discutons ensemble et concluons soit qu'il y a deux ou trois phares, soit que nous commençons à avoir des hallucinations. Finalement, ces phares nous perturbent autant qu'ils nous orientent. Nous aurons la confirmation plus tard (une fois arrivés en Tunisie) qu'ils n'étaient qu'un, mais dans le doute nous décidons, à l'aide du compas, de suivre celui de gauche...

Le vent forcit encore : force quatre de travers, un souffle d'air pour les voiliers, un gros vent pour des kayakistes en haute mer. Dans nos coques de noix, nous sommes ballottés comme de vulgaires fagots par les déferlantes. Olivier – le plus prudent de nous trois et souvent le premier à s'inquiéter – n'est peut-être plus assez lucide pour se soucier de ces vagues. Et d'ailleurs, elles ne sont pas encore trop inquiétantes, puisque nous continuons à avancer sans dessaler, certes pas très vite, mais nous avançons tout de même. Nous nous efforçons de naviguer très proches ; les petits feux de route que nous avons placés à l'arrière des deux kayaks sont à peine visibles de près, alors à quelques mètres dans cette houle, on aurait tôt fait de ne plus se voir. Nous ne parvenons plus à nous concentrer sur le cap. Olivier nous dit qu'il effectue des microsommes de quelques secondes pendant lesquels il continue de pagayer (il est dans le kayak monoplace), tout en faisant – par ailleurs – des rêves.

Je commence à me sentir vraiment épuisée. Je pense être encore complètement lucide au niveau de ce que je dis, mais suis dans un étrange état où les paroles – les miennes et celles de mes deux compagnons – repassent dans mon cerveau comme si elles venaient de loin. Stéphane, qui paraît encore assez éveillé, me confirme la lucidité de mon discours et il est même étonné que, dans mon état d'épuisement, je tienne encore des propos sensés. Percevant toujours cette sorte de voix lointaine qui répète nos conversations dans ma tête, je discute avec Stéphane. Je me souviens clairement du sujet : nous réfléchissons sur les mécanismes du sommeil, je lui dis qu'à notre retour à la maison, je me documenterai sur les études scientifiques à ce sujet ; que cela doit être complexe mais passionnant. Je perçois la dualité entre la clairvoyance dont j'ai le sentiment de faire preuve et le gouffre de sommeil contre lequel j'ai de plus en plus de mal à lutter.

J'ai froid. Je bataille plusieurs minutes afin d'extraire un tee-shirt sec du sac étanche coincé au fond de mon cockpit, le mettre, puis enfiler un anorak aux manchons en Néoprène spécialement conçu pour le kayak – mais aussi spécialement galère à enfiler dans cette houle – et remettre mon gilet par-dessus tout ce barda. Je me sens un Bibendum. Ces acroba-ties, ajoutées à celle consacrée à une nouvelle vidange de ma vessie, prennent un temps fou. Stéphane rame pour nous deux depuis une demi-heure ; je culpabilise.

Je crois que c'est à partir de minuit que je ne parviens plus à empêcher mes yeux de se fermer. Je m'éveille en sursaut, toujours assise, la pagaie à la main, sans savoir si j'ai dormi et le cas échéant depuis combien de temps. Une seconde ? Dix ? Une minute ? Dix ? Je me remets alors à pagayer... et à culpabiliser. Steph me dit que c'est bien quand je rame à nouveau, que c'est motivant de voir que je me bats (même si mes coups de pagaie ne changent pas grand-chose à notre allure, assez lente soit dit en passant), mais qu'il faut que j'essaye de dormir un peu. Dormir ? Non ! Je ne veux pas, mais je me sens tellement fatiguée que je ne peux lutter.

Quel étrange état ! Je n'en ai jamais vécu de semblable. En temps « normal » même lorsqu'on est épuisé, il y a toujours moyen de dénicher un soupçon d'énergie – physique et men-tale – pour s'activer. Mais là, rien à faire. Mes yeux se fer-ment ; je tombe dans le gouffre du sommeil sans pouvoir lutter. Par moments je me rends compte que mes bras ralen-tissent le mouvement de pagayage jusqu'à s'immobiliser ; à d'autres, je m'éveille de façon soudaine sans savoir combien de temps s'est écoulé. Je dois dire des choses peu rassu-rantes, car mes compagnons – pas très frais eux non plus –

me demandent plusieurs fois si ça va, si je sens encore mes jambes. La culpabilité me ronge, je suis en larmes. J'ai l'impression d'être un boulet. J'ai mal au cœur et tout tourne autour de moi. Je continue cette alternance difficilement quantifiable de sommes et d'états de semi-veille où je pagaye. Nous commençons à avoir des hallucinations : nous voyons en ombre chinoise la terre à l'horizon, des falaises hautes de plusieurs milliers de mètres qui plongent dans la mer, sans doute la Galite, nous disons-nous. Ce qui est notable et étrange, c'est que nous croyons tous les trois voir ces côtes, si bien que nous ne capéons plus sur le phare, mais sur celles-ci. Mais comme elles sont le fruit de notre esprit, nous dévions de notre route ! Régulièrement, nous nous apercevons que nous avons quarante-cinq degrés d'erreur par rapport au bon cap, et il nous faut nous persuader qu'il s'agit d'un mirage. Nous replaçons nos étraves plein sud et continuons à ramer comme des somnambules.

Parfois, je vois de nombreux rochers sortant de l'eau, pareils à des icebergs, et qui m'apparaissent tels des hologrammes lorsque « nous passons à côté ». Pendant de longues minutes, Olivier ne parvient plus à se souvenir de ce qu'est la Galite (notre objectif !) et, comme lorsqu'on cherche à se rappeler quelque chose qu'on a sur le bout de la langue, il se creuse la tête.

« La Galite, c'est quoi déjà ? Je connais ce nom... » Après de longues minutes de réflexion, il se dit qu'il doit s'agir d'un village des Alpes : « Oui ça doit être ça, un petit village des Alpes ! » Ce n'est qu'un peu plus tard (plusieurs minutes, peut-être plus – difficile d'évaluer l'écoulement du temps) qu'il retrouve la lucidité et nous raconte en riant l'anecdote et cette longue réflexion délirante. Olivier effectue plusieurs microsommes dont il se réveille en sursaut, croyant que sa tête va percuter le ciel ou bien que le ciel est une immense voile. Lorsqu'il rame en rêvassant, sa propre pagaie arrivant dans son champ de vision le fait sursauter.

Vers trois heures, il y a toujours de la houle et je suis toujours aussi épuisée. Olivier rêvasse, Stéphane ne dit plus rien, on n'avance pas. Olivier commence à parler d'abandonner (nous pourrions appeler au secours le voilier sarde par VHF). Non ! il ne faut pas s'arrêter ! Steph dit que ça lui est égal ; ce n'est pas du tout son style ! Voilà un moment qu'il ne parle plus ; je le croyais encore à peu près lucide, mais ce n'est plus le cas. Vu mon état – je n'arrive plus à ramer en continu –, je ne me sens pas le droit de décider.

Entre trois heures et quatre heures du matin, Olivier propose de monter dans le biplace afin de remplacer Steph qui rame souvent pour deux depuis tout à l'heure. (Combien de temps exactement ? Je n'en ai aucune idée.) Je ne pense pas que cela change grand-chose ; à mon avis, les points à étudier sont :

1) Sont-ils prêts à continuer si ça dure encore dix heures (il reste environ vingt-huit kilomètres et nous faisons du trois kilomètres à l'heure maximum) ?

2) Comment vont évoluer le vent et la houle ?

3) Nous sentirons-nous mieux avec le lever du jour ?

4) Vais-je arriver de nouveau à ramer en continu ?

Nous parvenons à discuter relativement lucidement. J'ai l'impression que nous sommes plus nombreux à pagayer, plus nombreux à parlementer et à nous demander si nous devons continuer ou abandonner. Je ne visualise pas de personne particulière, mais j'ai le sentiment que nous ne sommes pas que trois. Stéphane a aussi la sensation qu'une quatrième personne pagaye avec nous dans un autre kayak, un ami, mais il ne parvient plus à se souvenir de qui il s'agit !

Est-ce une certaine angoisse de l'immensité qui fait que nous voyons des terres tous les trois et que deux d'entre nous ressentent la présence de personnes supplémentaires ? Après ce bilan sur notre situation, nous nous mettons rapidement d'accord pour continuer. Plusieurs « Bon merde, on arrête tout ! » sont tout de même lancés, notamment lors du changement de kayak des deux garçons, se terminant par un chavirage du monoplace qui se remplit d'eau et qu'il faut écoper longuement et par la perte de quelques objets emportés par les vagues dans la noirceur de la mer... Mais ces paroles, lancées par provocation, s'envolent au loin et personne ne les prend au sérieux. Cette agitation me tient éveillée pendant un moment et je peux ramer en permanence. Mais plus tard, l'endormissement incontrôlable reprend et c'est au tour d'Olivier de ramer pour deux, pendant une période que, bien entendu, je suis incapable d'évaluer – et lui non plus d'ailleurs. Finalement, Olivier et Stéphane rament-ils en continu ? Ils n'en sont pas convaincus eux-mêmes.

En fin de nuit, nous sommes tenus éveillés par la faune abondante : des tas de dauphins ! À un moment, nous naviguons sur un « champ » de dauphins : ça remue et ça saute partout à quelques centimètres des kayaks ; irréel ! Peut-être un groupe que nous avons réveillé d'un coup. Nous craignons même de les heurter avec nos pagaies. Peu après, à quelques mètres devant nous, apparaissent deux gros ailerons que nous pensons appartenir à des orques. Nous avons beau être épuisés, nous ne délirons pas en permanence et sommes à même d'apprécier à sa juste valeur une telle rencontre nocturne dans ces circonstances si particulières.

Le vent et la houle tendent à diminuer. L'obscurité cède progressivement la place à la clarté du jour naissant. La mer est maintenant assez calme. Olivier et Stéphane reprennent leurs places respectives, chacun réintégrant avec plaisir le kayak auquel il est habitué. Il reste vingt-cinq kilomètres, nous en avons fait trente pendant la nuit (contre soixante en conditions calmes la nuit précédente). Le jour réveille les esprits – le mien en tout cas ; je ne m'endors plus du tout – encore une fois, il faut croire que notre cerveau est conditionné pour que tout aille mieux de jour que de nuit. Il est vrai que je me suis assoupie à plusieurs reprises (combien ?) et ai donc passé un peu de temps (combien ?) à dormir, *a priori* plus que mes deux compagnons, qui sont extrêmement épuisés.

Maintenant que le jour commence à poindre, nous nous retournons afin de chercher du regard les terres et les hautes falaises que, tous les trois, nous avons vues cette nuit – et ce à plusieurs reprises ! –, nos subconscients ne comprenant probablement pas pourquoi il n'y a que la mer à perte de vue.

Nous avons tous eu des hallucinations – visuelles pour la plupart – dans la nuit et surtout dans la clarté diffuse du petit matin. Lorsque nous sommes assez lucides ou que nous en avons l'envie ou l'énergie (même s'exprimer est fatigant parfois !), nous parlons de nos visions. Nous constatons que nos cerveaux ne tournent plus très rond et rions beaucoup de nous-mêmes et de nos hallucinations. Une fois sur la terre ferme et après nous être reposés, je prendrai soin de coucher sur papier nos délires avant d'oublier, avant que ces étranges instants ne soient enfouis dans les tréfonds de notre mémoire.

Pour l'heure, nous laissons libre cours à notre imagination divagante. Nous y prenons même plaisir et, dans un étrange état mêlant une sorte de « mollesse » cérébrale à une acuité

sensorielle qui nous paraît accrue, nous nous amusons beaucoup. Dans l'atmosphère brumeuse et laiteuse du petit
matin, je vois d'immenses pontons faits de brume dans le
ciel autour de nous. Stéphane, lui, y perçoit des tas de
formes étranges, dont des champs de pagaies jaunes, ainsi
qu'un bateau (nous apercevons parfois un pétrolier au loin)
qui, me dit-il, « joue aux mikados avec des réverbères ». Il
voit aussi une grande voile sur notre kayak et me dit qu'il
s'amuse à laisser divaguer son esprit. Olivier pousse des cris
sans signification et d'un volume sonore important ; des
« Bah ! Bah ! » qui nous font rire, Stéphane et moi. Nous
lui demandons l'air moqueur ce qu'il tente de dire ; bien
entendu il ne sait pas, même s'il a conscience de pousser ces
cris, un peu comme quelqu'un ayant abusé d'alcool.
Nous continuons d'avancer ; nous avons enfin la Galite en
visibilité ! Après les immenses falaises « vues » cette nuit (et
vers lesquelles nous avons tenté de nous diriger !) nous
sommes surpris de sa toute petite taille (un « caillou » de
cinq kilomètres de long sur à peine plus de deux de large,
culminant à environ quatre cents mètres d'altitude). Mais
quel bonheur d'avoir notre objectif en vue !
De nombreux dauphins de toutes tailles viennent nager et
jouer très près de nous, sans doute poussés par la curiosité.
Nous ne nous lassons pas de les regarder, tout en ramant.
Nous accélérons même un peu l'allure, étant tout de même
pressés d'accoster sur la terre ferme ! Nos muscles sont
encore efficaces. Cela fait plus de trente-sept heures que
nous sommes assis dans nos kayaks et, étonnamment, nous
n'avons pas de douleur ni de grosse gêne. Un vent d'est de
travers se lève assez rapidement, qui monte à quatre et crée
une bonne houle. Nous voyons la Galite, mais avons la sensation de ne pas nous en approcher, ce qui est assez frus-
trant. Le GPS nous rassure : plus que seize kilomètres, puis

plus que huit ; nous allons finir par y arriver, maintenant nous en sommes convaincus. Stéphane est toujours plus ou moins en recherche d'hallucinations, mais nous parvenons tout de même à discuter de sujets sensés : notre vitesse réduite, mais aussi notre confiance dans le succès de la traversée, notre joie et nos douleurs aux poignets. Les miens me font souffrir, mais ce n'est malheureusement ni une surprise ni une nouveauté, et je me dope aux anti-inflammatoires, qui perturbent mon estomac. Stéphane a une violente douleur tendineuse au poignet droit : un accès de motivation au lever du jour l'a fait pagayer un peu trop fort ce matin. Nous finirons en ramant, lui à gauche et moi à droite.

Nous essayons de ne pas trop traîner ; le vent forcit. Vers quatorze heures, après quarante-deux heures de pagayage non-stop et plus de cinquante-trois heures sans dormir, nous touchons terre ! Olivier, qui avait pris un peu d'avance pendant la dernière heure, s'est posté sur un gros rocher à quelques mètres du rivage, l'appareil photo à la main. Il nous dit de sortir de nos kayaks pour voir si « le sol tunisien est aussi stable qu'en Sardaigne ». Je mets les pieds dans l'eau et me lève, je glisse et plouf. Je me relève, re-plouf. Stéphane s'extrait à son tour du kayak et, comme moi, tombe comme un pantin. Nous n'avons plus d'équilibre, pas moyen de marcher ni même de tenir debout ! Probablement un effet combiné de la perturbation de notre oreille interne qui a perdu ses repères terrestres et d'un engourdissement de nos jambes inactives depuis de longues heures, pendant lesquelles le haut de notre corps a mobilisé une bonne partie des ressources. Olivier nous photographie, en riant de nos acrobaties maladroites. Il nous avoue avoir rampé comme une otarie jusqu'à son poste d'observation ! Il nous faut une bonne dizaine de minutes pour retrouver non pas une aisance complète, mais au moins une certaine autonomie et une stature de bipède. Nous ne sommes pas aidés non plus par notre fatigue et notre faim. Avant de nous écrouler de sommeil, nous mangeons un peu, arborant – malgré notre fatigue – un grand sourire de joie et de soulagement. Nous passerons les vingt-quatre heures qui suivent à dormir et à nous alimenter.

Ce n'est que les jours suivants que nous réalisons que nous avons fait le plus difficile. Tout ce que nous avons vécu pendant cette longue étape hauturière, nous ne pouvions pas l'imaginer avant. Il s'agit pour nous d'une expérience très riche, surprenante, hallucinante ! Et surtout pas monotone ! (Comme certains ont pu le penser, réduisant en un certain sens la traversée à une succession de coups de pagaie, des heures durant.)

J. N.

«   »

Parmi les monstres d'Hawaii
LAURENT MASUREL

AYANT grandi entre les plages du Cameroun et celles du Pays basque, Laurent Masurel nageait déjà dans les vagues à un âge où d'autres fréquentaient la cour de récréation. Après des études de gestion, il décide d'allier ses deux talents : le bodysurf (vice-champion de

France, meilleur Français à Hawaii) et la photographie. En quelques années, il est devenu l'un des meilleurs photographes et cameramen aquatiques, travaillant aussi bien pour la presse que la télévision ou l'édition. Il est l'un des seuls à oser s'aventurer dans de très grosses vagues avec une caméra (pour les championnats du monde de surf par exemple) ou avec un appareil photo.

Il est étonnant de voir à quel point les détails d'une journée particulière peuvent parfois nous revenir avec précision. Ce qui semblait anodin et sans importance s'impose alors de façon précise à la mémoire. Ce jour-là, je me souviens du parcours qui m'a mené jusqu'à la fameuse vague d'Hawaii, Pipeline : la voiture, achetée pour moitié avec un ami body-surfer californien, semblait parcourir la route presque toute seule.

Depuis l'aube, la pression commençait à monter : un « avis de gros surf » avait été émis la veille. Au petit matin nous avons pu voir les vagues énormes et les longues lignes de houles depuis la route, au niveau du spot appelé Rockpiles, non loin de Pipeline. Sans aucun doute nous allions assister à une journée de vagues monstres *« out of control »*. En garant la voiture, j'essayai d'évacuer la pression qui commençait à m'habiter, cherchant à me déconnecter d'une réalité trop pesante. En regardant ces rouleaux venus de loin, je me disais : « C'est un jour trop gros pour toi, Laurent, trop difficile de faire des photos aquatiques... S'il n'y a personne à l'eau, je n'y vais pas... Si les vagues pètent sur le troisième récif (donc très loin), je n'y vais pas non plus... »

Je restai une dizaine de minutes dans la voiture, à l'abri de l'agressif Pacifique, à réfléchir, à inspirer et expirer comme pour emmagasiner de l'oxygène. Je finis par préparer mon caisson étanche avec l'appareil photo, puis me dirigeai discrètement vers la plage avec mes palmes. Là, dilemme : après cinq minutes d'observation, je dus constater que Pipeline n'était pas « *out of control* » mais seulement énorme... Une quinzaine de fameux surfers hawaiiens se trouvaient déjà à l'eau. Tout se bousculait dans ma tête. J'avais peur, mais j'avais envie. Ou bien j'avais envie, mais j'avais peur. C'était déjà la confusion dans mon esprit. Les conditions étaient ultra-limites pour un nageur comme moi : des vagues de quinze pieds « hawaiiens » (entre cinq et sept mètres selon les critères européens), au deuxième récif, avec des séries grossissantes au troisième récif et un croisement de houles de nord-ouest et nord ne laissant aucun répit dans la passe où pulsait un courant déchaîné. Bref, tous mes voyants étaient au rouge. Qu'est-ce donc qui m'obligeait malgré tout à me lancer dans ce magma liquide ? La perspective de rapporter des photos extrêmes ? La passion d'aller au bout de moi-même ? L'envie, mélangée à de l'orgueil et un peu de fierté, d'appartenir à cette élite de *riders* (« coureurs de vagues ») qui ont osé y aller ? (Et certains y sont restés, plaisantai-je en moi-même.) Je me sentais pourtant lucide, sachant que les conditions que j'observais du bord pouvaient s'avérer bien pires une fois dans le « jus » (montée de houle, courants, vagues qui grossissent, etc.). Au bout d'un moment, j'ai pris mon caisson étanche, les palmes, et me suis dirigé vers le bord. En fait je n'ai pas pris de décision, c'est la passion qui a parlé et Pipeline semble avoir choisi pour moi : la folie opérait-elle déjà ?

J'ai connu un instant d'euphorie lorsque, entraîné vers le large par le courant, j'ai réussi à passer la barre d'Ehukai sans me prendre de grosse vague sur la tête, mais je suis bien vite revenu à la réalité : le risque était de rester coincé entre des vagues monstres par le courant qui vous empêche de sortir de là. Heureusement, je me suis retrouvé assez facilement à la hauteur des vagues. Trop facilement, ai-je analysé par la suite ; mais pour l'heure j'étais tout à ma joie d'être là, tutoyant ce paradis sensoriel.

Le spectacle était angoissant mais féerique. Dans de telles conditions, on se sent partie de l'océan, mais l'on scrute aussi ses moindres sautes d'humeur pour ne pas se retrouver à sa merci. Avant tout, on est empli par la beauté qui se dégage de sa puissance, on devient son enfant et l'on s'en remet à lui. Cette ambivalence n'est pas facile à gérer. Il faut être avant tout acteur, anticiper les vagues, palmer de toutes ses forces, et pourtant on voudrait n'être qu'un simple spectateur de ce show grandiose. Vivre un coup de folie dans de telles circonstances signifierait alors ne plus être acteur mais seulement spectateur... de son propre naufrage !

Jusque-là, tout restait sous contrôle ; j'étais rarement bien placé pour les photos, mais au moins je parvenais à éviter les grosses séries venues du nord ; je me trouvais à l'eau depuis une bonne vingtaine de minutes et n'avais presque plus conscience de ma fatigue, bien réelle, mais je dus constater que le courant m'entraînait peu à peu vers la zone d'impact où explosaient d'énormes vagues blanches et informes.

Je décidai alors de rentrer au plus vite, mais il était déjà un peu tard : je ne dominais plus la situation. Maintenant que je voulais m'extirper de l'océan, il faisait tout pour m'en empêcher : le courant se renforçait et l'intervalle entre les vagues diminuait... Je ne faisais même pas du surplace en déployant de gros efforts, et je me souviens d'avoir pensé :

« Un vrai euphémisme en plein désarroi », comme si j'essayais de m'extraire de l'emprise de l'océan par l'humour. Mais s'agissait-il d'une litote ou d'un euphémisme ? J'en débattais avec moi-même pour mieux oublier que je me débattais avec les éléments. Je me recréais une oasis de sécurité au sein d'un océan d'insécurité. D'une certaine façon, je délirais pour mieux m'extirper de cette entrave. J'avais peur, mais ne voulais pas que cette peur me paralyse, alors je m'inventais des blagues, des scénarios que j'essayais d'intégrer à cette nouvelle réalité. Cela m'a-t-il évité de paniquer ? À y bien réfléchir, j'avais atteint mes limites physiques et les crampes me faisaient crier de douleur tandis que je continuais à palmer. Je ne pouvais pas avancer plus vite et me rapprochais des séries grotesques (car tellement énormes) du fameux spot d'Off the Wall, avec ses barres terrifiantes, plus larges que hautes. En réalité ce n'était plus un « spot » mais un chantier impraticable, frappé par de gigantesques explosions où il n'y avait pas âme qui vive.

Après dix minutes de lutte, je n'avais pas bougé d'un iota et me trouvais en zone rouge, là où les surfers les plus expérimentés ne vont pas. Chaque minute semblait durer une éternité, au cours de laquelle se bousculaient des idées incohérentes, voire contradictoires, mélangeant la réalité à des digressions pseudo-philosophiques. Peu à peu, des images monstrueuses s'imposaient à moi : chaque vague d'Off the Wall se transformait en un spectre livide et ma descente aux enfers commençait. J'étais seul au monde. Je décidai alors de mettre le paquet et de palmer comme si ma vie en dépendait. Au bout de quelques minutes, comme je ne progressais pas, sans l'avoir vraiment décidé, je me suis arrêté. J'étais soudain totalement démotivé et donc cuit (ou l'inverse ?) ; à bout de forces.

La peur que j'avais ressentie alors que je palmais frénétiquement m'avait quittée ; j'avais l'impression d'avoir glissé dans un monde parallèle, déconnecté du réel, oubliant presque que ma vie était en jeu. Mon esprit s'en remettait, tout naturellement et symbiotiquement, à l'océan. J'avais fait mon possible afin de m'en sortir et mes efforts avaient échoué. Ce n'était même plus ma préoccupation. Serais-je donc devenu assez fou pour abandonner et ne plus rien tenter ? Ou s'agissait-il d'une autre façon de s'en sortir ? Toujours est-il que je me sentais calme et serein, alors que l'instant d'avant j'étais dominé par l'angoisse et la peur : l'océan me rendait-il fou ou bien sage ? Je me dirigeais inexorablement vers les mâchoires écumantes des vagues d'Off the Wall, et pourtant j'étais détendu ! Si j'avais beaucoup de chance, je réussirais à sortir de ce Niagara bouillonnant et la mer me recracherait cent mètres plus loin, en espérant que les vagues ne me précipiteraient pas violemment vers les fonds volcaniques. Quel joli conte de fées, songeai-je.

Alors que j'avais accepté l'idée que mon destin n'était plus entre mes mains, je pris conscience que la taille des vagues avait provisoirement baissé et que le courant n'était plus aussi fort. Du coup je me remis à palmer comme un forcené, repartant en mode « action ». Je gagnai péniblement quelques mètres et au bout d'un moment basculai dans un monde quasi magique où tout semblait s'enchaîner pour me sauver la vie : non seulement j'étais encore en vie, mais en plus une belle vague m'arrivait droit dessus, bien formée, ce qui semblait impossible à cet endroit. Je me trouvais encore dans une zone intermédiaire entre la zone d'impact d'Off the Wall et les vagues de Pipeline ; aucune onde n'aurait dû déferler là, mais celle-ci venait expressément à mon secours, j'en étais convaincu. J'ai eu le temps de l'observer ; cette vague semblait changer de trajectoire pour venir droit sur moi, formant un pic parfait juste à mon niveau. Elle était la seule à déferler là, avec sa forme en A. Un instant je me dis qu'il s'agissait d'une illusion inventée par mon esprit égocentrique, comme si j'avais eu le pouvoir de la faire venir jusqu'à moi.

Elle est néanmoins venue me cueillir sans que j'aie à me déplacer, son énergie m'a soulevé très haut et j'ai retrouvé mes réflexes de bodysurf, glissant avec elle, suivant son déferlement, mon caisson placé dans le dos avec ma main droite, tandis que mon bras gauche et mes épaules accrochaient sa pente raide. J'étais libre et léger comme l'oiseau, j'avais l'impression d'être protégé. Un sentiment de bonheur et de soulagement m'envahit, alors que je savais sans aucun doute possible que j'allais « manger », comme disent les surfers, c'est-à-dire me faire sérieusement secouer. Mais c'était ça ou le chaos ignoble que je laissais derrière moi. La vague salvatrice me porta dans sa mousse et son fracas. J'étais sauvé. À une centaine de mètres de la plage, dans une mer écumante et remuante, je me sentais aux anges, profondément heureux d'être encore en vie. C'était un état mystique, une puissance surnaturelle était intervenue et avait guidé cette vague sur moi ; j'avais été choisi. Ou bien continuais-je à délirer, me prenant pour l'être élu ? Je ne pus retenir un profond cri de joie et de reconnaissance, tout seul dans l'écume. Ce jour-là, l'océan m'a rendu fou !

L. M.

« 　 »

Rencontre du troisième type
JACQUES SAINT-AUBIN

JACQUES Saint-Aubin, amoureux de la nature, passionné par les océans et le monde marin, fait partie de ces personnages qui ne laissent pas indifférent. Il dit de lui : « Ce sont les dauphins, baleines, orques et grands cétacés qui m'ont conquis et ont transformé mon existence au point de m'emmener aux quatre coins de la planète. » Son travail porte sur l'étude des sons en immersion dans le cadre d'une « synergie aquatique ».

C'est à l'âge de cinq ans que ma passion pour la mer et la plongée m'a été révélée. Depuis, elle ne m'a plus quitté et j'ai rencontré plusieurs personnalités charismatiques du monde maritime comme Éric Tabarly, Jacques-Yves Cousteau, Jacques Mayol et son frère Pierre. De ces contacts, j'ai retiré un enseignement privilégié. Sur les traces de mes aînés, navigateurs, plongeurs, cameramen, je développe et affine l'approche des dauphins, baleines et orques. D'une manière très personnelle, j'explore et retransmets la vie de l'océan. Suite à une expérience d'œil intérieur, j'ai établi une communication intime avec les dauphins, me plaçant dans le respect des forces issues des profondeurs. Engagé dans la communication, dans le domaine du son et le langage des dauphins, je développe l'amour par l'ouverture du cœur, l'harmonie avec la nature et le respect du temps. Témoin de la beauté des cétacés, je n'en suis pas moins un observateur attentif scrutant les moindres changements. Selon moi, une époque nouvelle s'ouvre à l'être humain dans ses rapports avec les animaux marins : j'ai noté, depuis quelque temps, un changement de comportement des dauphins et autres cétacés. Ils se font plus proches, s'intéressent aux plongeurs, accompagnent les bateaux pendant des heures...

La rencontre qui va changer ma vie

Assis au bord de l'océan sur une plage du littoral vendéen, je contemple ces vagues qui viennent transmettre leurs caresses à mes pieds. Leur parfum iodé emplit mon être. Je parle à l'océan avec respect et bientôt je sens en moi cette eau salée fusionnant et balayant mes pensées pour faire place nette, me préparant à quelque chose d'important. Je suis heureux d'être là, je m'exprime à haute voix en direction de l'horizon, comme si derrière cette ligne, une oreille attentive entendait ma voix ! J'aimerais tant découvrir le plus beau des dauphins d'Atlantique là, devant moi, maintenant. J'ouvre les yeux, regrettant de ne voir qu'une étendue d'eau à l'infini. Je rentre tristement rejoindre le quotidien...

Un peu plus tard, quelque chose me dérange ; je me force à aller dans la nature me détendre. Soudain, alors que je marche seul, un beau dauphin apparaît devant moi, debout en appui sur sa queue. J'hallucine ! Je rêve en marchant ; incroyable ! Mes pensées me jouent des tours avec une belle pointe d'humour. J'éclate de rire à en perdre l'équilibre. Reprenant la marche, je décide d'être là et non dans les nuages. Pourtant, à plusieurs reprises dans la journée, l'image se répète. Je l'apprivoise et l'accueille pour compenser ma tristesse lors de ma balade sur la plage.

Des mois plus tard, par une belle journée d'été, je prends mes affaires de plongée et pars en direction des Sables-d'Olonne rejoindre des amis. Je n'avais guère envie de me mettre à l'eau, mais néanmoins quelque chose m'y pousse. Tandis que je marche dans une rue de la ville, mon portable sonne. Ce sont des amis, tellement excités que je ne comprends que la moitié du message : « Il y a un dauphin sur le bord de la plage du Remblai, on dirait qu'il cherche quelque chose... » À ce moment-là, des frissons montent dans mon corps et je reste figé sur place. Des flashes se bousculent dans ma tête, j'ai besoin de reprendre mon souffle. Puis, serein, je me dirige vers la plage.

Il est là, je le vois, beau, puissant, dans la grâce de son élément. J'enfile ma combinaison, palmes, masque, tuba, et m'avance dans l'eau à l'écart d'une foule excitée. Randy (le nom que les gens d'ici lui ont donné) est au rendez-vous. C'est un grand dauphin souffleur (*Tursiops truncatus*). Durant les minutes passées à l'attendre, j'observe la folie humaine qui sévit autour de sa présence. Un tête-à-tête semble relever du miracle ! (Je crois aux miracles.) Je choisis donc de lâcher prise et de m'en remettre au destin.

L'eau est un peu trouble et la masse impressionnante de Randy semble être redevenue silhouette de sirène. J'attends, pas très longtemps, sa présence est proche. Il pointe son rostre, je sens des picotements dans ma tête ; est-il en train de me scanner ? Son souffle retentit derrière mon crâne. Combien de temps est-il resté ? Je l'ignore. Deux secondes plus tard, il surgit devant mes palmes. La ronde qu'il entreprend autour de moi pendant de longues minutes me projette dans une complicité hors du décor et du temps.

De nouveau, il se présente sur mon flanc tribord (pardon, mon côté droit). Commence alors une approche de l'un vers l'autre et il pose sa tête sur mes bras en forme de croix. Son regard plein de bonté me rassure. Il n'est plus qu'à quelques centimètres de moi. En cet instant, lui et moi formons un couple uni. Je me laisse porter par notre complicité et sens tout mon corps se fondre dans sa masse. Dès lors, il me permet de me métamorphoser en dauphin. Je deviens dauphin, mon corps lisse tressaille au moindre geste brusque, mes nageoires, à la place des mains, se stabilisent, mes pieds ne forment plus qu'une seule nageoire caudale. Je sens sa puissance musculaire en moi. Tout est harmonie, mouvement, tout est à sa place, fluide. D'un coup de queue, j'ai envie de rejoindre mes congénères : le large, prendre le large ! Un bonheur inaltérable m'emplit et je le remercie, un merci sacré, qui laisse son empreinte pour l'éternité. Sa confiance me donne de l'assurance. La sagesse et la sérénité émanant de lui me guident sur un nouveau chemin qui éveille en moi une nécessité jusqu'alors inconnue : aller à l'essentiel.

Ivre de vie, Randy s'élance à la conquête des airs. Saut après saut, dressé devant moi pour atteindre le ciel, il fait basculer ma vie en cet instant précis. Il me ramène vers le bord avec délicatesse. Nous nous regardons longuement. Je sors de l'eau et son regard me fixe ; il ne bouge pas. Ému, je trébuche, ne sachant plus marcher ! Je lui adresse des signes maladroits afin d'exprimer mon amour. À partir de là, ma vie a changé. Randy et les autres dauphins veulent nous livrer un message d'amour et nous inciter à prendre conscience du mal que nous causons à l'océan.

Lors de mon voyage aux Açores, j'ai nagé avec des dauphins de différentes espèces : dauphins communs, de Risso, globicéphales, grands dauphins de l'Atlantique ; des expériences fortes, percutantes et des surprises à « boire la tasse ». Ils sont là. Je reste hypnotisé devant ce ballet de grâce, de beauté fragile. Restant des heures dans l'eau en leur compagnie, je transmets des pensées d'amour, et ô surprise, des échanges de regards prennent forme. À ce moment, je suis en transe ; ils m'acceptent chez eux. Je suis un invité heureux. Réceptifs à l'amour que je leur porte, ils imitent mes gestes, nagent à la même vitesse que moi. C'est l'extase. Je perds la notion du temps. Dès que l'un d'eux commence à sauter autour de moi, les autres s'y mettent aussi : sauts acrobatiques, gerbes d'eau de tous côtés. Je me trouve au centre de cette fontaine de dauphins, jaillissant de bonheur pur !

Toujours aux Açores, une pensée me trotte dans la tête : je désire rencontrer des orques. Ayant questionné mon entourage, on me ricane au nez, me disant qu'il faut venir au moins toute une année pour avoir peut-être la chance de les observer, sans parler de nager avec elles ! On me dit même que les orques ont disparu de l'archipel depuis plus de quatre ans. Je prends note de ces infos, mais m'accroche à mon désir ; on verra bien !

Pourtant la fin du voyage arrive et il ne me reste plus que deux jours avant de prendre le chemin du retour. L'avant-dernier jour, je demande à dame Nature d'exaucer mon vœu : rencontrer les orques. La journée s'écoule tranquillement ; je me sens serein. Arrive le dernier jour, la mer est agitée, sur place les skippers des Zodiac discutent entre eux et nous attendons leur décision. Finalement, nous sortons.

En moi, la paix s'installe une fois que je suis en mer. Soudain, la mer agitée par un vent de force cinq passe à un état plus calme, puis au calme le plus complet (telle la surface d'un lac). Le vent qui soufflait en rafales disparaît et laisse place à un magnifique ciel bleu et un soleil rayonnant. Étonnant ! Tout à coup, la radio retentit : « ORCA ! ORCA ! » C'est la joie à bord des deux embarcations, je suis à la limite de passer par-dessus bord, je n'ose y croire. Et pourtant elles sont bel et bien là, devant moi. Les amis présents sur le bateau me regardent et me posent mille questions auxquelles je réponds simplement ; j'ai demandé avec le cœur d'être exaucé et le cadeau est là : les orques. J'explique alors que ces orques ont accompli un long voyage pour venir nous transmettre un message d'espoir.

La nouvelle fait grand bruit aux Açores. Marins et retraités m'observent sans oser m'aborder, une interrogation dans le regard. Comblé, heureux, je rentre en France tel un enfant devant son cadeau au pied du sapin de Noël et le Père Noël à ses côtés.

Lors d'un voyage en Norvège au-delà du cercle polaire (au nord des îles Lofoten). En cette période de l'année (l'hiver austral), la température de l'air avoisine les moins vingt-huit degrés et celle de l'eau oscille entre zéro et deux degrés. Changement de décor, paysages magnifiques, un soleil rasant toute la journée, se levant à neuf heures et se couchant vers quatorze heures trente. C'est court, mais ça vaut le déplacement. Le but de ma présence, cette fois-ci au cœur des fjords, est de nager avec les orques selon leur caprice et de communiquer avec elles en émettant des sons. Je n'attends rien, je me laisse porter et l'on verra bien...

Le premier jour, une orque vient me saluer et me souhaiter la bienvenue avec respect et grâce. Au début je suis un peu nerveux, à l'idée de cette eau glaciale. Toutes mes pensées imaginables se sont dissoutes comme par enchantement. Dans cette mer sombre et opaque, j'appréhende quelque peu de me retrouver face à une orque dont le poids est cent fois le mien. Puis elles arrivent de tous côtés, pourchassant des bancs de harengs. Un ballet incessant évolue sous mes palmes, je me sens devenir tout petit. Me voient-elles ? Savent-elles que je suis là ? Elles m'entourent, m'observent, s'approchent timidement, avec par moments une accélération brutale, mais s'arrêtant à quelques mètres de moi sans émettre le moindre signe de violence ou de méfiance. Pour de l'émotion, c'est de l'émotion grandeur nature !

Je garde mon calme. Ayant emporté ma flûte irlandaise, je commence à émettre des sons (ce qui n'est pas évident avec de gros gants de protection ; c'est comme de vouloir jouer du violon avec des gants de boxe), puis un petit air de musique résonne sur les parois rocheuses des fjords. Après quelques minutes de silence, les orques prennent le relais, émettent le même son, la même mélodie ! Incroyable ! Je n'en crois pas mes oreilles, je les entends sous l'eau, véritable concert aquatique sans la moindre fausse note. De la belle musique pure. Toutes les orques sont là : jeunes, moins jeunes, femelles et leurs petits, grands mâles. Elles se sont donné l'info : j'assiste maintenant, juste devant moi, à un ballet majestueux et bien ordonné. J'ai les yeux émerveillés, débordant de pur bonheur, j'en oublie le froid de l'eau.

Je pensais en rester là et rejoindre le bord à la nage, lorsque des frissons parcourent mon corps. Devant moi, un spectacle grandiose commence alors ; les orques sortent la tête hors de l'eau à quelques mètres de moi seulement. Puis d'autres et encore d'autres... Ému, je reste immobile, lorsqu'une orque surgit à la surface et s'élève de tout son poids vers le ciel avant de retomber dans une gerbe blanche. Elle passe le relais à une autre, puis une autre, avec des sauts spectaculaires. Une fois de plus, ma vie bascule ce jour-là dans le pur bonheur. Je ne peux retenir mes larmes et reste un long moment seul, flottant à la surface. Remontant à bord encore sous le choc, je trébuche, sans force, pour finir par ramper avant de m'asseoir. La tête dans mes mains gelées, je repasse le film des événements dans mon esprit.

Le dernier jour, de retour à la civilisation, bien au chaud dans le bateau, je ressens de nouveau des frissons. Que se passe-t-il ? Mon instinct me pousse à aller sur le pont et prendre mon appareil photo, et là, surprise, une orque seule rattrape le bateau (ai-je perdu quelque chose que l'orque me rapporte ? Est-ce la même que celle du premier jour ?). Elle se faufile puissamment dans les vagues, à la même allure que nous, puis me regarde. Je suis émerveillé, les personnes présentes à bord le sont aussi. L'orque semble vouloir me dire quelque chose par son comportement. Je crois qu'elle me dit au revoir. Des perles brillantes illuminent son souffle irisé par le soleil. L'orque prend de la vitesse et s'éloigne. Je baigne toujours dans le bonheur. Je lui exprime ma gratitude et lui fais un signe de la main en ajoutant : « Merci du fond du cœur de ce merveilleux cadeau. » Des larmes inondent mes yeux d'enfant ; les personnes que j'accompagne demeurent stupéfaites devant pareil spectacle. Étonnant et pourtant bel et bien réel...

J. S.-A.

« »

Sexy Roméo
Carola Hepp

AROLA Hepp, journaliste et réalisatrice de télévision en Allemagne, s'est fait connaître par son travail sur les dauphins ambassadeurs, notamment auprès de spécialistes tels que Wade Doak en Nouvelle-Zélande ou Horace Dobbs dans les eaux britanniques. Elle nous décrit ici son coup de foudre pour Roméo, « un gars plutôt sexy ».

L'histoire de ce dauphin se passe au nord de Naples. Je l'ai nommé Roméo, car il se comportait comme s'il était amoureux de moi. J'étais intriguée. De mon côté, je suis tombée en amour avec lui dès notre première rencontre. C'est ainsi que les gens sur la plage m'ont appelée la Juliette de Roméo. C'était l'été ; voilà plus de sept ans que je travaillais avec les dauphins solitaires en milieu sauvage. Des années auparavant, j'avais commencé à rêver des dauphins d'une façon qui ne ressemblait à aucun de mes rêves précédents. En m'éveillant, j'avais le sentiment d'avoir réellement touché un dauphin, d'avoir été en sa compagnie, appris de lui, parlé avec lui ou elle. Dans tous mes rêves, les dauphins étaient plus sages, plus émotionnels et beaucoup plus développés que les humains. J'éprouvais un sentiment d'accomplissement et de satisfaction à un niveau purement spirituel et physique. J'ai bénéficié de ces enrichissements toute ma vie jusqu'à aujourd'hui ; chaque fois que je me retrouvais dans l'eau en compagnie d'un dauphin, mon cœur s'ouvrait et je pouvais respirer profondément et joyeusement, tout en ignorant, par exemple, les eaux froides de la mer du Nord ou des Cornouailles, ou encore celles d'Irlande, où se déroulèrent mes premières rencontres.

Cette fois-ci, il faisait chaud et l'été italien avait réchauffé les eaux méditerranéennes jusqu'à vingt-sept degrés, près de Caserta, sur une plage appelée Baia Domizia, juste en face de l'île d'Ischia.

La plage mesurait plus de cinq kilomètres de long. Nous avions d'abord pris une chambre dans un bel hôtel du front de mer. Nous, c'est-à-dire Horace Dobbs et ses amis, Lars Löfgren, auteur et photographe suédois, sa femme italo-américaine, son fils âgé d'un an, et moi. Quelqu'un avait parlé à Horace d'un gros dauphin solitaire qui rendait quotidiennement visite à cette plage. L'hôtel avait proposé son aide, en partant du principe que ça lui ferait de la bonne publicité. Nos premières infos sur les habitudes du dauphin furent fournies par le personnel de l'hôtel et des pêcheurs. Nous nous sommes installés et avons attendu. Il nous a fallu une semaine à scruter la mer aux jumelles et à parcourir la plage (j'admets qu'il y a pire comme activité) avant de le trouver enfin. La première chose que nous vîmes, signalant sa présence, c'était – comme toujours – une foule de gens dans l'eau, s'agitant tous ensemble autour d'un même point.

À l'époque j'avais eu l'idée d'un jeu qui devrait fonctionner, car les dauphins sont d'excellents acousticiens sous l'eau. J'avais pris avec moi une boule en argent contenant des cristaux qui émettaient des bruits de clochettes et qui fonctionnait bien sous l'eau. Je l'avais emballée dans une fine chaussette que j'avais enroulée sur le bord de mon bikini, puis je m'étais mise à l'eau.

D'emblée, le dauphin quitta le groupe de baigneurs et nagea directement vers moi, alors que je me tenais encore debout dans le sable, avec de l'eau jusqu'aux hanches. Après avoir effectué un cercle, il vint tout près, fourrant son rostre contre mes jambes, du côté de la boule d'argent que je remuais dans l'eau contre moi et qui carillonnait comme des grelots de Noël. Je le touchai doucement et caressai son dos, tandis qu'il demeurait là, immobile. J'entendais son souffle, je le voyais ouvrir son évent et le soleil se reflétait sur son dos gris foncé. Il mesurait environ trois mètres cinquante de long : un gros dauphin mâle. Voilà ce que je découvris sur le moment.

Aussitôt il se mit sur le dos et me montra son ventre avec son pénis en totale érection, puis il se retourna et je le suivis en eau plus profonde, plongeant et nageant parallèlement à lui. Je posai ma main sur son flanc et nous nous regardâmes sous l'eau. Après avoir émergé à nouveau, il demeura flottant à la surface, me regardant comme quelqu'un qu'on examine sous toutes les coutures avant d'arriver à une conclusion. Je fis de même et j'eus alors l'impression de me trouver dans une bulle invisible à l'intérieur de laquelle je n'avais plus conscience du monde extérieur. Je n'entendis pas les gens crier, ni les sons du monde normal. J'étais totalement en transe durant ces instants et je ne peux même plus me rappeler du temps passé dans l'eau avec Roméo.

Quelques jours plus tard j'ai vécu une expérience plus étrange encore avec lui. À voir son comportement si extraordinaire dès le premier jour, tous furent convaincus qu'il ne s'agissait pas d'un dauphin comme les autres. Il s'éloigna d'un coup. Ah, Roméo ! Pas de doute, c'était un gars plutôt sexy. Il se montrait doux et prévenant avec les femmes et les enfants mais jouait plus brutalement avec les hommes ; il se montrait très clair sur ce qu'il aimait ou pas. Nous pûmes voir un jeune Italien essayer de l'enserrer entre ses bras et se prendre un bon coup de caudale dans les reins. Le jeune homme n'essaya plus jamais de l'approcher.

Le jour suivant, il était de nouveau là et nous étions préparés. Lars prit son appareil sous-marin et nous nous mîmes à l'eau. Cette fois encore, Roméo vint directement sur moi dès qu'il entendit la clochette. Une fois tout près, il roula sur le côté de façon à bien me montrer son pénis tout rose, puis commença à vouloir placer son corps par-dessus, puis par-dessous le mien ; je me retrouvai ainsi à califourchon sur lui, malgré moi. Le dauphin devint suffisamment obsédé pour réussir à s'approcher de très près du but, comme le montrent les photos de Lars, puis après un moment, nous avons roulé ensemble dans l'eau, l'un contre l'autre.

Roméo finit par placer son aileron dorsal dans ma main et lorsque je le serrai, il m'entraîna vers le large, loin de la plage, laissant tout le monde derrière. Au bout d'un moment, il plongea sous moi et je continuai à nager vers l'horizon. Que se passerait-il si... pensais-je, si je partais en mer avec lui ? Il me présenterait à sa famille. Peut-être pourrions-nous devenir père et mère d'une nouvelle espèce... De telles pensées impies me traversèrent l'esprit et je ressentis vraiment quelque chose comme de l'amour, mais il s'agissait plus d'amour spirituel que de désir physique. Me trouver en sa compagnie était à soi seul une joie pure. Mais il semblait en aller tout autrement pour lui, car le dauphin semblait manifester sa joie en incluant son corps. Ses sentiments s'exprimaient directement à travers sa libido. Lorsqu'il était excité émotionnellement, il l'était aussi physiquement. C'était une connexion que l'Église et d'autres institutions feignaient d'ignorer et tentaient même de proscrire : en public, la joie ne pouvait s'exprimer par le sexe. Les dauphins ne sont pas des êtres civilisés et ils font ce que bon leur semble ; pour eux, il est normal d'exprimer leur joie avec le sexe.

Nous avons nagé, nagé en cette fin d'après-midi ; il restait juste à côté de moi, ses yeux à demi fermés et je sentais ma respiration se ralentir. Lorsque je plongeais avec lui, je parvenais à rester sous l'eau bien plus longtemps que d'habitude ; j'étais complètement détendue. Je me rapprochai et caressai son flanc ; il frissonna et bondit hors de l'eau. D'un coup je me suis rendu compte que Roméo devait dormir depuis un moment tandis que nous cheminions ensemble. Lui aussi était détendu en ma compagnie. Il avait débranché une partie de son cerveau, comme le font les dauphins qui dorment, utilisant l'autre partie afin de contrôler l'environnement extérieur, ce qui est sage lorsqu'on vit dans un milieu aussi hostile et dangereux que l'océan. Une fois réveillé, il fit des cercles autour de moi et nous jouîmes du plaisir d'être ensemble. Au bout d'un moment, j'ai remarqué que le ciel devenait rose et que le soleil commençait à descendre. En regardant vers la plage, je constatai que nous nous en étions beaucoup éloignés. Je décidai de nager vers la terre et cela me prit un certain temps, tandis que Roméo restait près de moi. Tout le monde pensait que je ne reviendrais jamais ; Gina et Lars, eux, n'avaient pas perdu espoir et m'attendaient anxieusement sur le sable.

Une fois que j'eus pied, je voulus marcher vers le bord, mais Roméo n'était pas content de me voir prendre cette direction. Il poussait son rostre sous mes pieds, cherchant à m'interdire de marcher. Je dus me remettre à nager. Il voulut m'empêcher de rentrer. Certes il s'agissait d'un jeu, mais ses intentions étaient néanmoins très claires. Finalement j'ai pu arriver dans des eaux peu profondes et Roméo a failli s'échouer désespérément devant mes jambes. Il se tenait sur ses nageoires dans le sable et ne voulait pas que je sorte de l'eau ! Je me suis agenouillée tout près en lui promettant de revenir le lendemain. En sortant de l'eau j'ai regardé derrière moi ; Roméo s'écartait doucement de la plage. Le soleil se couchait, plongeant le paysage dans des teintes rose orangé. Immobiles, nous avons observé l'aileron dorsal de Roméo qui s'éloignait. Soudain les eaux s'écartèrent et le dauphin effectua un grand saut avant de retomber dans une gerbe d'éclaboussures ; il refit cela quatre fois de suite, juste devant le crépuscule. Nous étions émerveillés. Puis la mer redevint tranquille et nous rentrâmes. J'appris alors que j'étais restée environ cinq heures dans l'eau !

Nous avions quitté l'hôtel pour nous installer tout près de l'océan et de la nature, dans des tentes sous les pins. Le matin suivant, nous avons délaissé notre séance de gymnastique pour aller directement à la plage où j'avais rencontré Roméo la veille. Nous profitâmes du soleil et des gens tout en l'attendant. Nous l'attendîmes tout le jour, sautant même les repas afin d'être sûr de ne pas le rater. Toujours pas de Roméo. « Il m'avait promis ! Je lui avais dit que je reviendrais ! » pensais-je, affligée. Mon voyage touchait à sa fin et je devais repartir le lendemain ; ce serait ma dernière chance de le revoir avant longtemps.

Au coucher du soleil, nous retournâmes à notre lieu de camping, plus loin. Des gens – qui connaissaient notre travail avec le dauphin – vinrent alors vers nous, demandant où diable nous étions allés, car le dauphin, lui, avait passé sa journée juste devant notre campement, s'amusant avec les windsurfers de passage. Il ne venait pourtant que très rarement par ici. Nous nous regardâmes et j'éclatai presque en sanglots. « Ce n'est pas possible », pensais-je... Il devait avoir senti notre présence au campement pendant la nuit, il avait tenu sa promesse et nous l'avions tout simplement sous-estimé, comme le font les humains face à la plupart des créatures de cette planète. Humblement, nous nous installâmes sur la plage, essayant d'appeler Roméo une fois de plus, mais il ne vint pas.

Je dus partir le matin suivant sans pouvoir le revoir et je promis de revenir bientôt. Mais avant même que je puisse retourner en Italie, j'appris par des gens de la baie que Roméo avait été trouvé mort sur la plage quelques semaines plus tard. De toute évidence il était mort d'un plastique dans son estomac, l'un de ces plastiques que l'on jette avec les poubelles dans les eaux de la Méditerranée. L'insouciance a tué un être unique. Mais même une algue est unique, tout comme nous le sommes. Quant à nous les humains, ce qui nous rend uniques je crois, c'est surtout le fait de détruire cette planète. Aucune espèce n'avait réussi cela auparavant. Mon cœur me faisait mal !

C. H.

«   »

Dialogue avec Neptune
DAVID LE QUÉMENT

AVID Le Quément a le surf et la peinture chevillés au corps. Les deux se mêlent dans ses tableaux qui dépeignent aussi bien les vagues que la forêt. Il a beaucoup écumé les plages de l'Atlantique et vit sur la Côte basque, à deux pas des vagues, où il pratique le bodysurf.

Fin août, début des années 1990. Presqu'île de Crozon, pointe Finistère.

Ce matin, le vent s'est enfin levé. Les volets claquent, le ciel défile. Force cinq apparemment établie. Avec Yan, nous choisissons une anse ouverte à la houle pour une journée de windsurf. Le vent est légèrement *onshore* (soufflant de la mer vers la terre), la houle très propre. Parking de terre, falaises, arbres comme fossilisés par trop de vent, soleil. Je suis encore en train de gréer ma voile et Yan tire déjà un long bord vers le sud. Une fois parti, c'est le paradis : l'eau verte défile à une vitesse incroyable de chaque côté de la planche, le gréement siffle. Planer au-dessus de l'eau suffit à l'ivresse. Les rides des rafales qui griffent la surface, l'accélération encore !

Et puis d'un coup, au milieu de l'anse, le vent tombe. Ma planche n'a pas le volume suffisant pour me porter à l'arrêt et j'ai de l'eau aux genoux.

Il est vrai que j'ai vécu ces années dans une sorte de mytho-logie océanique, mais là, brusquement, quelque chose s'est passé : à l'endroit où je me trouve encalminé, l'eau a soudain viré du bleu-vert au rouge sombre. Sans doute sont-ce des algues microscopiques rassemblées dans le fond de la baie sous l'effet du vent ou des courants, mais le tout est fortement localisé sur environ cent mètres carrés... et moi je me retrouve en plein milieu de ces couleurs.

Peu à peu, malgré moi, je dérive vers la zone d'impact où les vagues réduiront certainement bientôt ma voile et mon mât en miettes, offrande à Neptune. Je lutte depuis un moment pour sortir de ces dos de houle aux teintes rouge sang. Plus la pente est abrupte, plus mes efforts sont vains. Les vagues grossissent... Il semble exister une zone tampon entre la logique « sociale » que l'on peut exprimer en public, et la logique « interne » qui se déclenche en cas de situation imprévue (parfois prévue, mais laissant une porte entrouverte à des événements incontrôlés : océan, mais aussi montagnes et forêts sauvages, forts brouillards, gros orages, tempêtes de neige...). Voilà comment j'en suis arrivé à marmonner à l'océan :

« S'il te plaît... Laisse-moi le temps. Attends un peu que je m'écarte de ce coin. »

J'ai dû parler trop doucement. Sans trop savoir pourquoi, j'ai continué, cette fois à voix haute :

« Écoute, si tu pouvais déferler derrière moi, ce serait super. »

Et voilà qu'une première vague déferle derrière moi ! Ou sur le côté, je ne sais plus.

« Merci merci, je ne vais plus perdre de temps maintenant. Encore deux minutes... »

Entre chaque vague, je ne peux m'empêcher d'ajouter un commentaire :

« Celle-ci, j'ai bien cru que c'était la bonne ! »

Ou bien une autre fois :

« Et merci aussi pour celle-là ! » quand je passe de justesse, arc-bouté au gréement de manière qu'il ne parte pas en arrière.

À chaque vague je remercie l'océan si compréhensif, sans oublier un mot pour la prochaine. Il ne s'agit pas d'une prière, dont je ne suis d'ailleurs pas adepte, mais d'une simple communication, un dialogue avec quelqu'un d'inhabituel ! La situation n'a pourtant rien de désespéré, la houle n'étant pas trop grosse et le fond sableux. Simplement, à ce moment précis, il m'a semblé qu'il s'agissait du moyen le plus simple pour me sortir de cette situation. Dans un dernier calme, entre deux séries de vagues, je me trouve en eaux plus profondes, plus vertes, bien à l'abri. Je ne m'éloigne pas tout de suite et suis presque tenté de recommencer le dialogue pour vérifier que je n'ai pas rêvé. Je regarde l'eau. J'ai dû ajouter quelque chose dont je ne me souviens plus, avant de repartir en nageant.

Mais je ne m'adressais pas à un vieux barbu au torse couvert d'algues, un trident à la main, je parlais à l'océan lui-même ; son langage ne sortait pas d'une bouche, il ne devait pas m'entendre avec des oreilles, il s'agissait de l'océan tel qu'il est... et je savais qu'il me comprenait. J'ai fini par sortir de l'eau et longer la plage sur un kilomètre en portant mon matériel. Je souriais en songeant que j'avais quelque peu galéré. Que s'était-il passé de plus ?

De cela, je n'avais jamais parlé auparavant. Je ne suis pas porté sur le fantastique, j'essaye de garder les pieds sur terre, au sens noble du terme. Et s'il est vrai que nous autres les humains avons eu des « pouvoirs » un jour, je pense que nous les avons tant maltraités qu'ils se sont recroquevillés. C'était il y a longtemps. Depuis, je me suis débarrassé de cet encombrant équipement de windsurf et si je leur parle encore, les vagues ne m'évitent plus – pour ma plus grande joie de bodysurfer – et je les en remercie.

D. L. Q.

« »

Orca, ma plénitude
ÉLODIE RAM

ÉTHOLOGUE-VOYAGEUSE, passionnée par le monde des cétacés, Élodie Ram s'est spécialisée dans l'étude des communications non verbales chez l'homme et l'animal. Webmaster du site Réseau-Cétacés, elle a rendu de nombreuses visites aux orques, notamment au Canada, dans les îles de Colombie-Britannique, chez le chercheur Paul Spong, spécialisé dans leur langage.

La nuit est enfin tombée. C'est le moment que je préfère. Le scintillement du plancton répond aux premières lueurs d'une aurore boréale. La respiration du monde semble apaisée. La brume nimbe les arbres et les sommets d'une lueur fantomatique. L'odeur familière de l'océan se mêle à celle de la forêt. Le calme n'est qu'apparent ; toute une faune s'agite dans la pénombre, vaquant à la vie selon des règles que les hommes ont depuis longtemps oubliées.

Elles sont là. Les orques... Je ne les vois pas, mais leurs souffles parfaitement synchrones s'élèvent dans la brume. Je perçois leur présence à quelques brasses du rivage. Pieds nus sur les rochers, je me glisse dans l'eau glaciale.

Le souffle me manque lorsque l'eau m'enveloppe. Nous sommes dans le brouillard complet. Les yeux ne sont plus ici d'aucune utilité. D'autres sens entrent dans la danse. Chaque terminaison nerveuse est exacerbée. Mes narines sont assaillies par des odeurs multiples, comme si l'océan revêtait une palette de molécules odorantes aussi vives qu'un tableau de maître. Immobile dans l'eau, gagnée par l'engourdissement, je les écoute respirer. Un détail me frappe. Il se dégage un rythme intime des éléments du tableau. Le hululement lointain d'un hibou, les premiers jappements maladroits des louveteaux, le bruissement de l'eau contre les laminaires géantes et le souffle puissant des orques. Tous se reconnaissent dans cette musique vivante.

D'étranges tentacules se glissent dans mon cerveau, comme si l'orque que je sens toute proche, se servait de cette intimité pour sonder mon âme. Mise à nue, dépouillée de mes défenses, de mes certitudes, je me laisse couler au fond de la mer, recroquevillée dans la matrice géante. La sensation est douloureuse. Mes oreilles bourdonnent du cliquetis de l'orque. Je ne la vois pas, mais l'intimité qui nous lie en cet instant rend la vue superflue. Des sensations étranges m'assaillent, indescriptibles. Attention, pas de vision mystique ! Simplement des souvenirs d'autres temps, d'une animalité primitive. Des souvenirs inscrits dans les molécules qui nous composent, composent les laminaires, les vagues, les orques et chaque parcelle du vivant. Vision provoquée par les effets du froid ? Je me sens noyée dans un déluge originel. Le temps semble s'être figé. Comme dans un de ces rêves étranges et complexes qui nous surprennent lorsque nous nous réveillons pour constater que seulement dix minutes ont passé depuis le moment où l'on s'est endormi. S'amuse-t-elle avec moi ?

Un frôlement me réveille. Elle vient de passer sous mes pieds. Sans avoir besoin de se toucher, nos peaux ont communiqué, comme si l'eau qui nous entoure était une peau à partager. Nous sommes de la même mer toutes les deux. Composées des mêmes molécules, tributaires de la même planète. Son œil est en moi et je la regarde sans la voir. L'océan nous berce toutes deux et nous fait vibrer à l'unisson ; un réconfort étrange après la quasi-violence de notre interaction. Nous jouons ensemble cette étrange musique. À cet instant, la peur du noir des eaux profondes m'a quittée pour toujours.

Je remonte vers la surface à la force des bras, je ne sens presque plus mes jambes. Une main vigoureuse m'aide à sortir de l'eau. Sur les rochers, je reprends mon souffle, tandis que la silhouette sombre assise à côté me tend ce qui semble être une bouteille d'alcool. Un peu de chaleur regagne mes membres. Tous deux silencieux, nous écoutons les orques s'éloigner dans la brume. L'homme qui m'a hissée hors de l'eau ne m'a jamais adressé la parole. Lorsque nous nous croisons dans la forêt ou le long du rivage, nous n'avons nul besoin de parler. Ce que nous « savons », ou croyons savoir, est au-delà des mots. Il « parle » aux arbres, aux champignons, aux oiseaux et aux baleines. Il en sait encore si peu, alors il se tait.

Sans se toucher, en jouant de la musique à l'aide de nos sens, nous communiquons tellement mieux avec les animaux ou nos semblables. Faut-il donc toujours compter sur nos mains, ces extensions de nos cerveaux malmenés par la vie ? L'océan nous aide à « ressentir ». C'est un médiateur formidable. Un véhicule de communication plus puissant qu'Internet ! Parce qu'il est aussi en nous. Au cœur de nos cellules. Pourquoi le chant des baleines nous émeut-il autant ? Probablement parce qu'il nous rappelle d'où nous venons.

E. J. R.

«   »

Les Vagues m'ont montré le chemin
ALEXANDRE HUREL

PASSIONNÉ de surf, Alexandre Hurel a participé aux débuts de la presse surf sur la Côte basque. Après avoir fondé le magazine *Surf Saga*, il se consacre à l'écriture de poèmes, aux vagues, et devient éditeur. Il a créé les éditions Pimientos, à deux pas de l'océan, et partage son temps entre pages et plages.

Ai-je déjà connu des coups de folie en mer ? Je crois bien que non, je crois bien que la mer m'a justement empêché de sombrer, sinon dans la folie, du moins dans la déprime ou dans la dépression, enfin dans cet état d'esprit, quel que soit le nom qu'on lui donne, où la vie vous semble inutile, désagréable, douloureuse et vacharde. Aux moments les plus noirs de mon existence – dont je sais bien par ailleurs qu'elle est immensément privilégiée, eu égard aux cataclysmes qui s'abattent sur une grande partie de l'humanité –, aux moments les plus difficiles donc, la mer m'a toujours sauvé, réconcilié avec moi-même, avec l'univers, et aujourd'hui encore, lors de périodes douloureuses, je sais qu'il me suffit de plonger dedans pour que mon esprit recouvre sa sérénité, ou au moins une mise en perspective du réel à la fois sensuelle, charnelle et cosmogonique. J'ai pourtant connu, à deux ou trois reprises, des épisodes de pure ivresse, mais presque anodins.

Cela commence comme une journée normale. J'ai entre vingt-cinq et trente ans. Nous devons être au mois d'août, des vagues d'un mètre cinquante à deux mètres déferlent sur le sable, le vent est à l'est, l'eau chaude, les vagues creuses. Une certaine vision du paradis. Bref, le genre de journée que l'on passerait bien entièrement dans l'eau. Et c'est ce qui m'arrive. Je dois surfer trois heures le matin, trois heures encore l'après-midi. Peut-être plus. Peut-être moins. Je ne sais plus. Ramer, prendre des vagues, surfer, tomber. De l'iode plein le nez, de la lumière plein les yeux, des sensations à foison, pour le corps et pour l'âme. Il faudrait sortir, je ne sens plus mes bras, mes épaules sont gourdes, je suis déshydraté, mais « sortir pour aller où ? » comme disait ce joueur de rugby cabossé à qui l'on conseillait de se reposer hors le pré. Alors je reste.

Et tout d'un coup, sans aucun signe annonciateur, une ivresse me saisit, ivresse totale jamais ressentie ailleurs, quels que pussent être les produits que, par goût ou provocation, j'ai pu consommer, ou simplement tester. Une ivresse absolue, presque métaphysique, que je puis décrire assez simplement. Je suis assis sur ma planche ; en un instant tout

bascule. Je ne sais plus où je me trouve. Enfin, je sais bien
que je suis dans l'eau, sur ma planche, mais je ne sais absolument plus où est la plage, ni le large ; je confonds le haut et
le bas (sans même parler de droite et de gauche), l'horizon
tangue, se balance curieusement, comme si lui-même était
saisi par la houle.

Bref, il s'agit d'une perte généralisée des points de repère.
Hagard, j'aperçois la terre de temps à autre, mais je ne parviens plus à la situer exactement ; car la terre ferme bouge,
elle aussi. Elle était là devant moi à l'instant, et voici qu'elle
a opéré un virage impromptu : je la retrouve sur ma gauche,
sur ma droite, puis au large. Pourtant je n'ai pas bougé.
Assis sur ma planche, mes pieds continuent mécaniquement
à assurer ma stabilité dans la respiration mouvante de
l'océan. Mais où est la terre ? Et pourquoi le ciel se glisse-
t-il dans la mer, et pourquoi la mer monte-t-elle ainsi au-
dessus de l'horizon ? Je rigole, mais je commence à m'inquiéter. Soudain les surfers autour de moi se mettent à
ramer. Oh oh ! une série arrive. Mais de quel côté ramer ?
Vers la terre à droite ou vers la terre devant ? Vers le large
du bord ? Ou vers le large du côté ? Je rame moi aussi.
Mais je ne sais pas du tout où je vais. Et la question s'insinue
dans mon esprit : « Si j'en prends une sur le coin de la
tronche, est-ce que je vais savoir, sous l'eau, discerner le
haut du bas ? » C'est là que je comprends que je ne suis pas
un poisson et qu'il me faut rejoindre la terre. Comme elle
bouge, vire, tangue, danse, comme elle disparaît ici pour
réapparaître là, le seul repère que je puisse obtenir m'est
donné par l'écume. C'est bizarre, mais c'est comme ça. Dans
cet univers où tout est mouvement, le seul jalon qui me reste,
celui dont je doute le moins, c'est celui qui est en mouvement. Je laisse aux psychologues le soin d'ergoter. Moi, il

faut que je prenne une vague. Et je ne puis la prendre qu'allongé. La vague me ramènera. C'est sûr, la vague, elle, sait où est la terre !

C'est ce que je fais. La série éclate devant moi, envoyant des nuages blancs qui explosent, coton d'écume abrasif. Je fixe le paquet de mousse. Je me concentre pour placer ma planche à la perpendiculaire de la masse foisonnante qui me fonce dessus. Ça doit être O.K. Je rame. Le tourbillon m'emporte. Voilà. Je suis à terre. Je m'écroule sur le sable brûlant. La falaise ocre et vert que je connais par cœur, elle, balance encore un peu, comme si elle me souriait.

Cette ivresse, je l'ai ressentie trois fois dans ma vie, sur deux ou trois étés différents. C'est un souvenir très fort, assez beau, passablement inquiétant et, comme je l'ai déjà dit, finalement anodin.

A. H.

«   »

Le Grand Froid intérieur
YVON LE CORRE

AVENTURIER farouche, Yvon Le Corre est un personnage hors du commun, aussi doué pour le dessin et la peinture que pour retaper de très anciens voiliers (1911, 1902, 1890) et naviguer dessus. Ses livres illustrés forcent le respect, que ce soit son voyage au Brésil

(*Heureux qui comme Iris*) ou ses *Carnets d'Irlande**, d'Antarctide ou du désert algérien, qui font de lui un artiste à
part entière. Avec sa pudeur de marin, Yvon nous raconte
ici son naufrage dans les eaux froides de Bretagne.

Paradoxalement, ce n'est pas lorsque je chevauchais les
monstres en fuite dans une tempête tropicale au nord des
Açores à bord de mon smack *Iris*, ni même quand j'ai vu la
fin de ce magnifique voilier dans les déferlantes d'une plage
du nord-est de l'Angleterre, que ma raison a vacillé. Non,
dans ces cas-là il n'y a pas de place pour la peur, il y a de
l'action.

Pour que la raison vacille, il faut dépasser la peur, l'effroi,
ne pas pouvoir garder ce calme olympien du marin devant
les éléments déchaînés, comme l'a écrit le poète. Et « la raison disparue », cet état fou, je l'ai connu à mon corps défen-
dant, lorsque notre carcasse n'est plus que le jouet de la
nature

C'était fin mars 2000, l'année de mes soixante ans, lorsque
les eaux de la Manche sont au plus froid (sept degrés), dans
un endroit plus que familier, à un jet de biscuit d'une petite
île. À bord de mon petit bateau viking *Yuna*, creux, vif
comme l'argent, léger, gréé de sa voile carrée.

Grains de grêle dans un ciel de traîne. Il s'agissait tout simplement de rejoindre un banc de galets plus au large, vers
d'autres îles, où se trouveraient ces pierres rondes idéales au
lestage de mon esquif (les bateaux vikings sont lestés de la
sorte afin que, en cas de chavirage, les pierres roulent par-
dessus bord ; ainsi libéré d'un côté, le mât permet à la coque
de remonter à la surface presque à l'envers, offrant pour
tout « abri » à l'équipage le confort précaire de sa quille).

Conditions idéales pour quelques mordus de windsurf (dont mon fils de seize ans) que je laissais près de la terre, et moins idéales pour les kayakistes aussi fous (en randonnée dominicale d'un club), que je voyais longer la côte. Au débordé de la première île, un grain plus violent me couche avant que je n'aie le temps de libérer l'écoute et le bras de vergue : les sept mètres de ma pirogue continuent le bord furieux en lofant... sous l'eau, sous cette eau verte qui noie tout d'un coup. Je riais presque de cette déconvenue, me disant en un éclair : « Allez, les travaux pratiques vont commencer... »

Le choc du froid et une pensée vivifiante envers ma tenue de marin : chaussettes de laine dans des bottes courtes, jean, pull irlandais de vraie laine et vareuse de cuir (cela m'a effectivement sauvé car je n'aurais pu résister aussi longtemps avec seulement des vêtements synthétiques). Ce n'est pas que je sois opposé aux vêtements modernes des plaisanciers, mais quelque part je n'ai pas encore adopté les us et coutumes (ou costumes ?) de cette grande famille. Et puis ma confiance dans mon bateau n'était-elle pas illimitée, lui que j'avais déjà mené avec joie dans une mer abrupte par force sept, allumant même ma pipe dans ces conditions, quand on sait qu'entre timon, écoutes, bouline et bras de vergue, il faudrait quatre bras ? Et une autre fois, n'avions-nous pas rejoint les îles, à la nuit tombante, avec Azou à bord donnant le sein à notre petite, donc changeant de bord aux virements sans lâcher son affamée ? (C'était une soirée calme, il est vrai.)

Bateau de beaucoup de joies, je ne pouvais l'imaginer me faire frôler la mort. Et de ce qui va suivre, j'hériterai quand même une sérieuse période dépressive, ainsi qu'une importante perte de confiance, choses absolument irraisonnables : ce qui prouve bien que la raison avait chaviré.

Yuna, pleine d'eau et couchée, se tournait lentement à l'envers pendant que je plongeais pour libérer les estrapes du mât d'un seul côté, ainsi que l'amarrage souple du banc. Le bateau s'immobilisa quille en l'air dans le clapot, mais le mât ne se dégagea pas. Les deux mouillages étaient tombés vers le fond (huit ou neuf mètres ?), les six avirons finement travaillés commencèrent à partir à la dérive sous mes yeux, tant le moindre geste m'aurait irrémédiablement jeté à l'eau. Je n'avais pourtant que les épaules et la tête hors de l'eau ! C'était jusant déjà et la dérive amorcée pouvait m'amener vers un gros rocher. Hélas les mouillages ayant croché le fond, tout s'est arrêté. Me jeter à l'eau et nager jusqu'au caillou ? Téméraire ! La force ? Le froid paralysant ? Le cœur ? Quelle guigne !

Néanmoins, mon couteau à la main, je plongeai sous la coque pour couper les amarres des mouillages. L'un après l'autre, mais sans air, je dus remonter avant d'avoir fini. Heureusement, cette coque construite à larges clins donnait de la prise, mais elle s'est aussi mise à rouler sur moi en m'étouffant et en m'empêchant de remonter (vers les étraves ce n'eût pas été mieux car elles seraient beaucoup trop enfoncées). C'est alors qu'il a fallu dégager l'énergie d'un vrai désespoir : c'était le moment ou jamais. Larguant mes bottes (j'avais les pieds emmêlés dans diverses manœuvres), je réussis ce tour de force, mais pas sans m'être plié une jambe à l'envers et fait éjecter la rotule.

À nouveau la tête hors de l'eau. Au loin je voyais les voiles des planchistes et les kayakistes revenir en longeant la côte, pas de mon côté. J'ai dû m'assoupir un moment, car je me souviens nettement revenir à moi : j'étais en train de chanter (toujours cette chanson en brésilien sur les révoltés des favelas – une sorte de chant de défi et de guerre). Plus tard on m'expliquera le principe de sécrétion des endorphines, ces molécules qui agissent si bien comme antidépresseurs puissants dans un danger extrême, voire l'accompagnement serein à la mort !

Les périodes de *black-out* revenaient de plus en plus et je lorgnais – perdu pour perdu – ce caillou pas trop loin... Je pensais aussi à la marée basse (dans quatre heures !). Mais j'avais perdu la notion du temps – toute notion d'ailleurs – et je plongeais de plus en plus dans une sorte d'inconscient. Mais pas triste ! Un souvenir très net me rappelle que chaque fois que je revenais à moi, j'étais étonné d'être calme, riant même de mon sort...

Est-ce la venue de ces deux kayakistes (qui avaient décidé de rentrer en passant par mon côté de l'île) qui m'a permis d'émerger de mon coma lorsqu'ils m'ont fait glisser sur leurs engins mis en couple ? L'un m'a tenu les pieds en me disant : « Parle ! » tandis que l'autre pagayait furieusement. Car je retombais sans arrêt dans mon sommeil tout en me cramponnant. Ils ont eu du mal et du mérite, contre courant et vent, à parvenir à la côte. Dans un abri ils m'ont complètement déshabillé et frictionné (il paraît que c'est une erreur ?) : réveil. Leurs voix angoissées quand je revins à moi ! Un quart de chocolat chaud. Une toile d'aluminium, plein de monde. Je glissais dans l'inconscient avec volupté jusqu'à me découvrir sur une civière, plein de patchs sur la poitrine, dans la camionnette des pompiers. Température corporelle : trente-deux degrés (deux heures et demie dans l'eau). Le médecin du bord évoqua de possibles séquelles par manque d'irrigation du cerveau et fit état de ma courbe de température au point critique... Réjouissant !

Ce n'est que la nuit, à l'hôpital, que je retrouvai une température décente et l'infirmier accueillant. À Azou venue me chercher, il dit :

« Eh bien ma petite dame, vous avez fait une bonne affaire avec votre homme. Si son cœur a résisté, c'est que c'est un bon ! » Un bon à quoi, je vous le demande ? N'empêche, il paraît qu'à un quart d'heure près, c'était trop tard.

S'il fallait ajouter au détail de la situation peu confortable – à cheval sur la quille de mon bateau retourné, j'ai vraiment souffert physiquement –, je dirais peu de chose, car en plus du souvenir confus, mon esprit était coaltaré par une sorte d'anesthésie... j'ai ainsi déjà évoqué les endorphines, qui nous aident malicieusement à déraper vers le néant et sont une manière de shoot bien agréable.

Ce qui me revient, la tête hors de l'eau, c'est que j'apercevais au loin les voiles des windsurfers (mon fils et deux copains), mais ils étaient proches de la terre et n'étaient pas en mesure de discerner le petit impact de ma tête émergeant. Cela ne pouvait qu'accentuer mon sentiment d'isolement : dans ces cas-là, lorsqu'on s'attend au pire, que cela devient une éventualité sérieuse, tout se relativise. Je crois m'être dit que je ne l'avais pas volée, cette dure leçon, à flirter depuis si longtemps avec la mer. Entre les grains, le soleil rendait la côte très belle, mirage encore assez proche et inaccessible, là où tout se passe, où tout peut encore arriver. Et Azou qui ne devait s'inquiéter de rien à la maison...

Mais à aucun moment je n'ai senti monter la panique : était-ce parce que je me trouvais dans ces lieux si connus que j'en décryptais tous les signes ? La progression du froid dans mon corps me faisait énormément trembler, mais je me souviens qu'à chaque réveil de ces mini-comas (de plus en plus rapprochés), je ne tremblais pas : est-ce la conscience de la situation qui fait adopter une telle attitude ? Mentalement je ne me formulais aucun regret : après tout cette situation (après bien d'autres épisodes scabreux dans ma vie – les prisons dans des pays fascistes, la fréquentation des matraques de la police, des expériences inéluctables et très grotesques en mer comme ce naufrage, drossé à la côte en Écosse, voire même la violence de l'injustice vécue comme une provocation insupportable) n'était qu'une épreuve de plus, peut-être la dernière ? Ce qui ajoutait sans doute à mon calme était le sentiment de n'avoir pas mégoté sur ma vie, de l'avoir vécue à pleins poumons et que cela n'était qu'une résultante.

Dans ces cas-là, évidemment, on se sent seul, tout s'arrête pour soi et l'on peut ressentir le déchirement du « tout qui continue pour les autres ». À peine ! C'est une notion évidente, mais sans pincement. Comme si l'on s'était toujours persuadé que la solitude est le fond de tout. Mes maîtres – Krishnamurti, Omar Khâyam – ne m'ont-ils pas appris ce détachement ? Grandiose !

Il est vrai que lorsque tout s'arrête, que tout est fini, vient un grand silence, voire un grand bonheur, celui d'avoir une page blanche à nouveau devant soi. La perte de mon smack en 1979 avait déclenché cette douce euphorie, une autre vie devait repartir. Et même si j'ai dû subir le contrecoup d'une longue déprime par la suite, comme ce fut le cas ici également (réaction normale), il nous est loisible après coup d'analyser et de prendre des mesures pour redémarrer.

Mais là, dans l'eau glacée, je ne pouvais qu'être à l'unisson de cette espèce de merveilleux engourdissement que le froid provoque. Je l'acceptais car ainsi il n'y avait pas de lutte. Et un cerveau sérieusement engourdi ne se permet guère de délires. Et puis bref (je devrais dire « merde » !), un marin ne s'encombre pas la tête du fatras propre aux intellectuels : il ne cherche pas à se faire peur. Ça suffit !

Cinq ans plus tard je navigue toujours, à bord d'un très vieux voilier qui possède un poêle en fonte, et quel bonheur de voir la fumée sortir par la cheminée !

Y. L. C.

« »

La Claque des vagues
JONATHAN KÖNIG

USICIEN, poète, écrivain, et étudiant l'éthologie afin de mieux comprendre la conscience animale, et donc humaine, Jonathan König (20 ans) a connu de fortes révélations au contact de la mer, et plus particulièrement des vagues de l'Atlantique.

Comme la plupart des humains, je suis un être rationnel. Comme la plupart des humains, je suis une entité culturelle. Comme les autres, je me moque de ce que je ne suis pas capable d'intérioriser.
Et puis la vie vous attrape et vous donne un jour la claque qu'il vous faut pour cesser de se leurrer. Ma claque à moi, celle qui m'a rendu masochiste au point de ne vivre et de ne vibrer qu'à son contact, mieux que n'importe quelle nana dans mon pieu ou même mieux que la musique, essence de bonheur essentielle à mon existence, oui, mieux que tout cela, c'est l'océan.

Cela semble fou, mais le bonheur ne repose pas seulement sur du rationnel.

Comme une rencontre avec l'absolu, comme un paradis qui naît d'un enfer ou aucun homme n'a apparemment sa place, c'est dans une mer bouillonnante de lames impressionnantes que la peur m'a quitté. Rien ne me prédestinait à l'océan : j'avais une vie plutôt citadine, un goût prononcé pour les choses compliquées et technologiques, un attrait envers le monde de la nuit, la débauche et les copains.

L'eau pour moi, était une chose insignifiante et morte. L'eau, d'ailleurs, a failli me prendre par trois fois : lorsque j'avais cinq ans dans une piscine où je m'étais assommé, à seize ans en Israël dans un courant trop fort, et à Nice à dix-sept ans, à cause d'une mauvaise crampe au mollet gauche. De ces épisodes, je me forgeai une méfiance instinctive envers un élément face auquel j'étais impuissant. Nager en haute mer me donnait le vertige... ce fond noir d'où tout pourrait surgir et m'absorber. Ma faiblesse a été mise à nu devant une chose si mystérieuse, qui par deux fois, dans ses bras, m'a présenté ma médiocrité en tenant la mort par la main.

Et puis j'ai découvert Capbreton, par un hasard rocambolesque, et devant moi : l'Atlantique, m'accueillant en agitant ses immenses bras tentaculaires et puissants. J'admirais la beauté du moment, mais sans vraiment savoir écouter ce que l'océan me disait.

« Bon Dieu, si un mètre cube d'eau pèse vraiment une tonne... »

Toujours ce putain d'esprit rationnel occidental ; pire que de la glu, avec en guise de cerveau, du chewing-gum. J'avais peur, mortifié par les souvenirs de vagues méditerranéennes si insignifiantes qui, en Israël, avaient manqué me prendre. Ces vagues-ci étaient différentes, pas des vagues de tempête, mais des vagues de puissance, des vagues de majesté, des vagues creuses, un mur infranchissable pour l'humain trop cérébral ; ça amplifie la peur, les « cérébrations » inutiles.

Un homme se trouvait avec moi ; lui, ça crevait les yeux, savait écouter. Et cette différence me faisait un tel effet que je le jugeai au premier abord prisonnier de ses rêves. Pauvre idiot, je n'avais rien compris. Il plongea sans prendre son temps, manifestement cette eau trop froide et ces visions apocalyptiques ne le contrariaient pas le moins du monde. Je faisais peine à voir, mais fierté oblige, le rattrapai au plus vite, tel un soldat collé à celui de devant, pour ne pas avoir à éviter des branches d'arbre. Mais les vagues, elles, ne m'évitaient pas. Mon apnée inexpérimentée créait une sorte de toussotement nerveux ; en réalité je sentais que l'océan me forçait à cracher tout ce qui m'encombrait. C'était basique, mais cela agissait sur mon esprit, la mer tapait sur mon dos en attendant que je fasse mon rot et moi je découvrais une nouvelle manière de garder mes forces dans une telle mer.

Petit à petit, fourmi entre les mains d'un sage bienveillant, j'ai ressenti tout autour de moi qu'une volonté agissait afin que je l'entende enfin. Comme une vieille amie, une femme dont je serais tombé éperdument amoureux, je ne frappais plus sa surface pour avancer ; désormais, je la caressais, je glissais, je m'abandonnais. L'abandon. C'est une chose fondamentale, faire corps avec l'élément pour y trouver sa place véritable. J'ai compris alors que l'océan m'offrait un terrain de jeu bienveillant, qui toujours réveillait en moi des sensations de pur plaisir. L'océan donnait un rythme nouveau à ma vie et je m'organisai en fonction des vagues et des marées. Mon esprit s'en trouva modifié, j'acquis une quiétude bien inhabituelle pour un garçon de mon âge. Moi

serein ; moi l'homme colérique, moi l'agitation et le bouillonnement, moi l'homme se prenant pour Dieu, je découvrais
le plaisir de n'être qu'un homme. J'allais « aux essentiels »,
mon esprit brumeux s'est éclairci et lorsqu'une question me
hantait, la mer me donnait les réponses que je devais entendre.
Car oui, désormais je savais entendre. J'étais ambivalent,
une partie de mon être en moi, l'autre dans l'eau.

Une fois, je nageai seul à deux cents mètres du bord pendant
presque deux heures, l'eau était plutôt calme et me balançait
de haut en bas tel un chat sur le ventre d'un grand-père. Je
fusionnais, plongeais, me baladais, profitant de ces merveilles si rares aujourd'hui. Puis une peur m'est venue,
enfantine, la peur des méduses. L'idée de me retrouver
entouré de méduses me terrorisait. Mais cette fois-ci je me
décidai à ne plus subir et plongeai à la recherche de ce qui
m'entourait. Autour de moi, rien que des particules en suspension qui brillaient au soleil. Les rayons frappaient la
surface, renvoyant des scintillements à mes yeux. Puis au
milieu de ces reflets ambrés, des formes blanches nageant
au-dessous de moi s'agitèrent. Je savais qu'il ne s'agissait
pas d'animaux, que ce n'était pas réel. Ces formes hostiles
et agitées au premier abord semblaient curieuses, tout autant
que moi. Je les regardais filer sous mes orteils, alternant entre
peur, excitation et curiosité. Puis se rapprochant, je distinguai des visages, amorphes mais humanisés. Ce n'était pas
humain, ce n'était pas réel, mais c'était là, et ça dialoguait
automatiquement dans ma tête. Je dansai un moment en
leur compagnie, puis les formes disparurent et mon état de
fatigue me rappela que j'avais pour impératif vital de retourner sur la plage. Lentement je revins, les vagues me ramenèrent en bodysurf. Je sortis de l'eau avec un respect immense,

une quiétude nouvelle et une petite glisse d'au revoir dans l'attente du lendemain.

Mais ce n'était pas fini, j'étais en éveil, l'eau avait stimulé en moi l'écoute, mieux, l'entendement le plus propice à mon fonctionnement mental. Cependant je doutais encore de ces manifestations trop absurdes, je me croyais trop seul et en manque d'affection. Mon cerveau réinventerait sûrement l'affection qui me faisait défaut sous une forme ou une autre. Devenais-je fou ? Pourtant mes interactions sociales du moment étaient au « top », j'avais même rencontré une femme et quelques amis. Personne ne me renvoyait l'image d'un déséquilibre quelconque dans ma conscience. J'allais bien, même mieux. Je transigeai en songeant que s'il s'agissait de folie ou de délire, ce serait une folie ou un délire bénéfiques.

J'appréhendais encore ces « choses », ces manifestations. Le problème c'est qu'en bon cartésien, j'en cherchais la cause, au lieu de profiter de leur présence. Chaque chose en son temps. Caressons la surface avant de percer la substance au jour.

Le soir, le sommeil vint facilement ; pour une fois, je rentrai me coucher tôt. J'eus d'autres visions et d'autres rêves : une femme défunte me parlait, me présentant son fils, m'indiquant ce qu'il fallait que je lui dise pour qu'il me croie... Par quatre fois j'eus ce genre de « visites » au chevet du lit ; on me toucha et une fois même, on me fit l'amour. Jamais quiconque ne pourrait comprendre cela, jamais. L'océan m'a appris qui j'étais et dans quelles directions je devais aller ; il m'a rendu heureux, plein, tranquille.

Par la suite je continuai à pratiquer le bodysurf, presque religieusement, dans un état d'addiction flagrant. Je faisais le lien entre ma recherche artistique, interne, et l'océan. Certains éléments comme l'air, l'eau ou le feu, demeurent mystérieux aujourd'hui encore ; je pense que ces éléments ont un entendement propre. Nous avons un lien avec ces choses et même la possibilité d'interagir avec elles, mais nous nous éloignons de notre environnement direct, nous le combattons. Bien sûr je suis un jeune, un excité, mais aussi jeune que je sois, l'océan, et par extrapolation le monde, a donné un sens à ma vie, un sens qui me convient et va à l'essentiel, pour qu'au seuil de la mort, un jour, je parte tranquille et le sourire aux lèvres.

J. K.

« »

Liquéfaction
JEAN-MARC PASQUET

NÉ en Suisse de mère franco-russe et de père haïtien, Jean-Marc Pasquet a été élevé en Asie, en Afrique et en Europe. Autodidacte métissé de quatre continents, passionné de nature, il nourrit son imaginaire de ses multiples enracinements. Écrivain, chanteur et scénariste, il est l'auteur de trois romans : *Nègre blanc**, *Le Don de Qâ** et *Libre toujours**. La critique qualifie ses livres de « haletants, emportés, initiatiques et accessibles : à dévorer d'une traite ! ».

Je n'avais pas su me retenir. La mer était trop belle. Et le vent...

J'étais seul ce matin-là, dans la petite maison de mon père, près de Las Rocas de Santo Domingo, sur la côte chilienne. Alentour, la plage s'étendait sur des kilomètres, et délaissée, elle m'appartenait. Elle se déployait en une vaste baie bordée d'une falaise de grès jaune, qui se désagrégeait en dunes de sable blond.

La veille, en explorant un trou de verdure avec mon ami Pacho, nous avions découvert ébahis un cactus de peyotl, accroché à la roche, portant cinq bulbes à parfaite maturité. Pacho les avait préparés pour nous et nous avions passé une nuit de délire agitée, transportés par la mescaline, redéfinissant les paramètres d'un monde aux teintes fluorescentes, transformant chaque bourrasque d'hallucinations en allégories philosophales. J'avais le souvenir d'un feu sur la plage, d'un ballet d'étoiles, d'une *jam-session* de bois et de coquillages, et de la lecture véhémente d'un passage de *Cap Horn** de Coloane. Je m'étais endormi assis contre un mur, les jambes en l'air, après avoir longuement essayé de m'y relever debout, à l'horizontale.

Au matin, j'étais seul, Pacho avait filé. J'avais encore en bouche le goût métallique du peyotl et, au creux de mon ventre affamé, la musique des vagues, le rythme de l'océan, résonnant comme un appel. Toujours un peu halluciné, je déjeunai brièvement en me contorsionnant pour enfiler ma combinaison de plongée et, raflant le sac de mon cerf-volant, me précipitai vers la plage.

L'océan avait une teinte de vif-argent avec des reflets de mercure, exprimant une humeur à la fois débonnaire et impitoyable ; les déferlantes de la barre n'avaient pas plus de deux mètres de haut. Et le vent était idéal. Chargé de la fraîcheur aride des hauts plateaux andins, il dévalait des montagnes pour se ruer, libéré des obstacles, à la rencontre de la mer.

Haletant, je m'arrêtai, sortis mon cerf-volant de mon sac à dos étanche, et le déployai à plat, au sec, sur la plage, le recouvrant de sable afin qu'il ne se gonfle pas inopinément. C'était un cerf-volant à quatre soupentes, de cinq mètres de long sur un mètre de large, maniable et porteur comme un petit parapente. Pas conçu pour la mer. Je l'avais surnommé « El Diablo ». Étant donné la force du vent, j'aurais été incapable de le maîtriser sur la plage, il m'aurait traîné comme un cheval fou.

Emporté, je voulais l'être, mais sur la peau de l'océan. Je déroulai les lignes, reculant dans la mer. La fraîcheur de l'eau me surprit à travers mes bottines, je m'y enfonçai jusqu'au ventre et, bousculé par les remous, y immergeai ma tête. Vidant tout mon air, je restai quelques secondes sous l'eau, me régalant des ondes sourdes des rouleaux et du bruissement de la danse de milliards de grains de sable entrechoqués. Je ressortis lentement, inspirant profondément par le nez, en goûtant le sel coulant de ma tête. Puis, tenant les poignées devant moi, je tendis les lignes, et donnant de petits à-coups, libérai El Diablo de sa gangue.

Le cerf-volant s'ébroua, les caissons se gonflèrent d'un coup avec un bruit de torchère et, pivotant sur lui-même, El Diablo partit comme un cheval fou, au ras de l'eau, droit vers le large. Le choc faillit m'arracher les poignées des mains. Je décollai dans une gerbe d'écume, entraîné derrière lui, fendant la mer de mes bras, luttant pour ramener mes jambes devant moi. El Diablo, furieux de ma retenue, fonçait droit sur la barre où une vague énorme s'amoncelait. À plat ventre, je me cambrai de manière à sortir la tête de l'eau et à ne pas le perdre de vue, et me mis à partir en vrille.

« Non, non ! Redresse ! » C'est alors que je réalisai un petit oubli.

J'étais fou, j'étais fait. Mon gilet de sauvetage, j'avais oublié mon gilet de sauvetage... L'adrénaline me fouetta le sang et fit remonter d'un coup les effets du peyotl.

Trop tard pour la vague. Déjà elle s'enroulait sur elle-même, dans un grondement tellurique. J'eus le réflexe d'inverser mes poignées, précipitant le cerf-volant dans un huit serré, accélérant encore. Je percutai le rouleau de mes bras tendus, les poignées en avant, les lignes fendant l'eau comme des lames. Je fus presque assommé. Sous le choc, je me mordis la langue, la mer prit un goût de sang, je transperçai la vague. La seconde d'immersion se diffracta, comprimant mes sens. Je me vis comme un poisson accroché à une ligne. J'eus le temps de ressasser mon désarroi. Je n'avais pas mon gilet de sauvetage, je n'avais pas non plus consulté la météo, ni les horaires des marées, et j'étais bien trop défait pour me rappeler ceux de la veille. J'étais fou. El Diablo m'arracha au dos de la vague comme un simple bouchon. Je voltigeai, cette fois dans les airs, gigotant pour tenter de reprendre mon cap et m'écrasai trois mètres plus bas sur le flanc de la vague suivante. Dure, la mer se fit dure, fâchée de mon impertinence.

J'avais l'habitude de traverser ainsi la baie, tiré par mon cerf-volant, sans surf et sans harnais, à la force des bras. Mais je mettais toujours mon gilet de sauvetage, il me permettait de me reposer, de faire du surplace afin de soulager mes bras. Cette fois, pas de pause dans la cavalcade, pas de répit dans le rodéo. Le peyotl et la peur allumèrent une fournaise dans mes entrailles, qui remonta dans mes vertèbres pour déferler dans mon cerveau. Le ciel et la mer, confondus dans mes tourbillons, se teintèrent d'arabesques étincelantes, mes poignées devinrent molles sous mon étreinte, comme des anguilles. Mais je tins bon, je tins bon.

Traîné dans des gerbes d'écume, par instants mon corps tout entier décollait et seuls mes orteils restaient fichés dans l'eau comme des foils. Je parvins à fixer El Diablo dans le ciel, à le gonfler comme un spi, pour le maintenir à une dizaine de mètres de hauteur. Il ne devait pas toucher l'eau, il ne devait pas... Mais le vent idéal s'était transformé en avalanche de bourrasques. Et l'océan, mon ami, filait sous moi beaucoup trop vite, me tapant le ventre, me heurtant les cuisses, me frappant la poitrine sans me laisser reprendre souffle. À la fois dur et visqueux, sans aucune prise pour me ralentir, insaisissable.

Avec la peur et la confusion de la mescaline, mes bras se tétanisaient. Je n'avais plus la force de rabattre mes poignées pour freiner le cerf-volant. Impossible de revenir vers le rivage. Ma seule chance était de traverser la baie en zigzaguant à la corde – afin d'aborder au sud-ouest, où le vent me poussait –, de tenir jusque-là... Mais avec le vent, l'océan aussi forcissait, la houle se faisait rugueuse, dentelée, chaotique. Je rebondissais comme un caillou faisant des ricochets, de plus en plus loin, de plus en plus vite. Trop loin, trop vite, et droit vers la seule barrière de récifs de la baie.

Le ciel et l'océan se mélangeaient dans la tourmente de mes sens. Affolé, je me raccrochai au seul jalon artificiel de mon univers déchiré, la tache jaune et noir d'El Diablo enchaînant des ohms de plus en plus serrés, comme un frelon frénétique. Trop haut, quand j'étais sur le ventre, trop bas quand j'étais sur le dos, ailleurs, quand j'étais sous l'eau. Craché dans le ciel par le tremplin d'une vague, je vis les écueils devant moi. Une gerbe immense jaillissait pour les recouvrir, côté rivage. Côté rivage ?... La marée était descendante, à l'apogée de sa vitesse. Si je la laissais me prendre, j'allais être emmené jusqu'en Terre de Feu, à l'île de Pâques ou aux Galápagos. La claque de l'amerrissage gifla mon outrecuidance. À l'océan, mon allié, j'avais manqué de respect.

« Oh non, pardon, aide-moi, je t'en prie ! » Une bourrasque de terreur pure me fit à nouveau m'envoler ; j'atterris violemment sur le côté, contre une colline de houle. Mon arrêt brutal eut pour effet de retendre les lignes d'un coup. La poignée droite, happée par la force d'El Diablo, me fut arrachée des mains ; elle partit en catapulte, se déroulant comme un élastique trop tendu autour de l'autre ligne, frappant l'eau comme une queue de murène en colère.

El Diablo s'emballa. Avec un vacarme de rotor d'hélicoptère, il se mit à tourner sur lui-même, emmêlant les lignes, s'enroulant de plus en plus serré, à une vitesse ahurissante, totalement incontrôlable, m'entraînant vers les récifs, et plongea inexorablement vers l'océan. Il s'y engouffra les caissons béants, dans une explosion sourde. Propulsé sur ma trajectoire perpendiculaire, je fus miraculeusement posé par une grosse vague sur les écueils submergés, prenant pied brutalement sur la roche aiguisée, dans un mètre d'eau effervescente. Saisissant la poignée gauche à deux mains, luttant contre les vagues qui me poussaient et le reflux tirant mes jambes, je m'arc-boutai et, toussant, crachant, parvins à reculer sur le récif émergeant d'une cinquantaine de centimètres. Là, cramponné des deux mains à ma poignée, arrosé par des jets d'écume et d'embruns, refusant d'abandonner El Diablo, je tombai assis sur le cul dans une cuvette, les pieds calés entre anémones de mer et oursins. Malgré la fraîcheur de l'eau, je bouillais dans ma combinaison.

« Et maintenant, et maintenant ? » hurlait mon cœur chaviré dans ma tête, et ma tête, sens dessus dessous, répondait : « Quoi ? Quoi ? » Et la marée tirait El Diablo, plus lourd qu'un filet chargé vers le large : « Viens, viens donc avec moi, je t'emmène pour un dernier voyage. » Et les vagues : « Reste-là, attends-nous, dans quelques heures, on remonte te râper comme un fromage », et le rivage : « T'es trop loin, bien trop loin, t'aurais dû être plus sage. » « Assez. Assez ! » criai-je à tue-tête par-dessus le vacarme. Sans rien réussir à calmer.

Halluciné de pétoche, suffocant, je soufflais comme un phoque échoué, m'évertuant à reprendre le fil de la réalité, à séparer les flots de la mescaline de ceux de l'océan, maudissant sa traîtrise et mon inconscience. « Quelle traîtrise ? » Pardon, océan, je voulais dire ma bêtise. Le froid allait venir, l'eau ne faisait pas plus de seize degrés. Je ne pouvais lâcher El Diablo. Il était ma seule chance de rejoindre le rivage, mais par moments, la marée le tirait si fort, j'avais l'impression que l'écueil entier dérivait vers le large. Frénétique, je le hâlai encore et, me contorsionnant, parvins à ficher la poignée dans un trou du récif, un trou vertical, lisse et tapissé de mousse, pour ne pas sectionner les lignes. Je me laissai enfin tomber sur le dos, épousant le récif, les bras couvrant ma figure, afin de respirer autre chose que de l'eau. Je me vis pathétique d'arrogance, prétentieux, ridicule, à prendre la mer pour un terrain de jeux, sans lui avoir marqué ma considération. Une vague plus grosse déferla et m'engloutit, agrippé au récif comme un crabe, et son chahut me recouvrit comme une onde de calme. J'émergeai en épousant le reflux de sa crête. Non, l'océan était mon allié, j'étais le seul responsable. Et là-bas, El Diablo surnageait, agité comme une bouée par l'air comprimé dans quelques-uns de ses caissons. Alors quelque chose en moi se déchira. La chanson d'un de mes héros favoris éclata comme un cri dans mon ventre :

« I'm a freeman and I fear no one,
Cause Mamy Vata, she's a friend of mine,
And there's no fright for the one,
Who gets the soul of a Voodoo child. »

(« Je suis un homme libre et je n'ai peur de personne, / Car Mamy Vata est l'une de mes amies, / Et il n'y a pas de frayeur pour celui / Qui a l'âme d'un enfant du vaudou. »)

Je quittai ma peur comme une mue. L'océan était mon allié, la mer, mon amie. Il me fallait à tout prix récupérer l'autre poignée. Attrapant les deux lignes restantes dans mes mains, sans serrer, d'un élan téméraire, je me lançai dans le reflux en plein courant, arraché du récif par la marée descendante. Droit au large, sur El Diablo. Les lignes filèrent dans mes paumes à toute vitesse sur une bonne quinzaine de mètres et quand je sentis le premier nœud, je les serrai brusquement, battant l'eau de mes jambes pour contrer le courant. L'instant de vérité vint au sommet de la houle, quand, me soulevant, elle mit les lignes en tension. Je les sentis d'un coup vibrer comme des cordes de guitare, mais la poignée fichée dans le récif tint bon. Les lignes étaient emmêlées en un abominable écheveau, une pelote hirsute, flottant entre deux eaux comme une méduse flasque. La poignée gauche, simple tube creux enrobé de mousse, flottait à quelques mètres. Je l'attrapai et, sortant l'enrouleur de mon sac, hâlai sa ligne, mais je sentis une résistance. La ligne avait coulé, le fil était coincé au fond.

Ce jour-là, je pris une grande leçon de vie.

Confiance. La peur te transforme en plomb, l'eau te porte, tu en fais partie. Lâchant la sécurité des lignes d'El Diablo, au risque de dériver avec le courant, je plongeai, suivant le fil submergé sans tirer dessus. Sous l'eau, le calme régnait, le fil était pris dans de grandes algues à six ou sept mètres de fond. J'y descendis, le décrochai et, avisant une étendue de sable dégagée à proximité, je vidai tout mon air, et m'assis sur le fond, les jambes écartées, bien campé dans ma position. Autour de moi, des volutes de sable et des petites algues voletaient, emportées par la marée.

D'un coup, fouettés par mon cocktail d'adrénaline et d'endorphines, les effets de la mescaline me submergèrent. Je sentis mon être se dissoudre dans l'océan. Je laissai mes mains agir, dans la mécanique des gestes, enroulant la ligne d'un mouvement ferme et régulier, tandis que mon esprit se diluait en symbiose aquatique, se répandant alentour comme l'encre d'une seiche. Baigné dans un cocon de bien-être amniotique, je sentis les limites de mon corps physique s'amollir, fondre, s'estomper. D'abord la texture de la combinaison, puis mes tissus, ma peau, ma chair, mes muscles, mes nerfs, mon sang et la moelle de mes os se désagrégèrent dans les courants sous-marins.

Éclaté, béat, je laissai mes molécules se mêler à celles de l'eau, mes particules se mélanger jusqu'à la liquéfaction totale. Mes globules, mes hormones, mes enzymes s'éparpiller dans les ondes, et se liquéfier les cytoplasmes de mes cellules, libérant les serpents cosmiques qui dansent en leurs noyaux, emmêlés comme des hippocampes. Fondu, je quittai la matière pour n'être plus qu'énergie au sein de l'énergie première, au sein du ventre de la mer.

Alors, je fus simultanément partout dans l'océan, dans la vase et les récifs coralliens, dans l'écume des rivages et les lames des hauts-fonds. Dans la silice des diatomées et le cartilage des squales, dans le ballet des algues bleues et les forêts de crinoïdes, des yeux dorés des poulpes aux fanons des baleines, je fus liquide, solide, gazeux, écaille, duvet et goémon. Je fus poisson tropical, crustacé polaire, mollusque, oiseau, radiolaire, cétacé. Tout ce qui nage, rampe, flotte, bouge, croît, pullule ou disparaît, tout ce qui vit, naît, tue et meurt dans la mer.

Et là, aux confins infinitésimaux de ma dissolution, comme j'allais laisser ma vie se dissiper dans l'extase, des photophores de créatures abyssales aux prairies de plancton, des marigots des estuaires aux méduses de haute mer, partout, je décelai les traces de particules artificielles et nauséabondes, chimiques et corrosives, polluantes, industrielles.

Une bouffée de colère fit osciller ma transe et, presque en même temps, un sac en plastique charrié par le courant me fouetta le torse. La répulsion de son contact rêche et visqueux achevant de me faire revenir.

J'ai un peu honte de le dire, mais il me sauva sans doute la vie. Suffoquant, outré, je revins d'un coup dans la réalité de mon corps. Sans bien me rappeler qui j'étais et les raisons de ma présence ici, sous l'eau, j'étais poussé à réagir par la nécessité d'une mission à accomplir, une quête d'importance, une nouvelle raison de vivre. Mes mains avaient presque fini d'enrouler la ligne du cerf-volant, à toute vitesse ; quand je compris ce qu'elles faisaient, je remontai jusqu'au nœud en moulinant, me pêchant moi-même.

Stupéfait, à la fois consterné et illuminé par mon expérience, je perçai la surface, aspirant l'air à pleins poumons, toussant, crachant, et m'accrochai aux lignes d'El Diablo, battant l'eau de mes jambes. Cinglé par les rafales, ballotté par le courant, haletant, je parvins pourtant à reprendre mon souffle. J'étais bouleversé par un bonheur immense, gonflé par un sentiment d'appartenance comme je n'en avais jamais ressenti et par l'urgence de me battre dorénavant afin de sauvegarder cette mer que j'aimais tant. Ni la peur ni le froid ne vinrent à bout de mon ivresse et de ma hâte. J'utilisai l'enrouleur comme un épissoir pour démêler le nœud. Ensuite je me laissai emporter vers le large, le long des lignes du cerf-volant, passant l'enrouleur dessus dessous pour dénouer ses circonvolutions. El Diablo, lourd d'un poids mort, se tendait comme une voile sous-marine dans le reflux. Je dus le faire tourner sur lui-même, puis le secouant, le positionnai les caissons entrouverts face au vent.

Il me fallut encore revenir jusqu'au récif. Me hissant sur les lignes tendues, nageant fort contre le courant, je déroulai peu à peu la ligne gauche. Malgré ma sensation de bien-être et mes efforts, le froid me gagnait. J'avais depuis longtemps épuisé mes réserves de sucre, et les derniers mètres furent les plus difficiles. Le courant et les remous y étaient violents. La poignée calée sur l'épaule, je me hissai à deux mains contre les gerbes d'écume. Et parvins à prendre pied sur l'écueil.

Grelottant, frigorifié, dans un état de confusion extrême, je m'affalai dans une flaque à côté de l'autre poignée. Je sentais, dans mon épaule, toute la pression d'El Diablo déployée dans l'océan, me tirant vers le large, fort comme un étalon. Je n'avais pas le temps de la fatigue, pas le temps. Je sortis mon couteau de la poche latérale de mon sac et, de la lame, décollai quelques piures du récif, des anémones de mer comestibles. Les fendant en deux, j'en mordis la chair tendre à pleine bouche, comme le sexe d'une femme délaissée trop longtemps. Leur goût d'iode et de vie me nourrit de courage. Même si j'étais désormais convaincu qu'elles aussi devaient être souillées par quelques déjections pétrolières.

Me retournant, je plaquai mes pieds dans des bonnes prises, repris la poignée gauche en main, et arrachai l'autre au récif. La marée emmenait El Diablo avec une telle puissance que je dus me coucher sur le dos, jambes tendues, tous mes muscles bandés pour ne pas être emporté. Il me fallut cinq bonnes minutes d'effort démesuré avant de vider les caissons, et El Diablo consentit enfin à sortir de l'eau. Lesté d'encore quelques litres d'océan, il se mit à rebondir à la surface, comme un gros Bibendum maladroit. À bout de souffle, je l'exhortai à décoller pour de bon, donnant des secousses dans les lignes afin de le forcer à s'égoutter. « Vole, vole El Diablo, il faut que j'aille parler au maire, faut qu'on t'aide, qu'on te protège. C'est pour toi, pour toi que je dois le faire ! » hurlai-je à la mer.

Le cerf-volant s'envola avec une grande inertie, comme une montgolfière. Lourd, mouillé. Je le fis pivoter en travers du vent. La tension des lignes me remit debout d'un mouvement et, l'accompagnant, je replongeai dans la mer.

El Diablo, moins maniable mais plus stable, m'emporta sur les flots. Cette fois, je m'abandonnai, me fis mou, liquide, comme j'avais si bien su l'être, flottant derrière lui à plat ventre sur la peau océane. Je lui fis effectuer d'amples cercles dans le ciel, d'un côté, puis de l'autre, louvoyant à travers la baie. L'océan familier n'était plus un obstacle, la houle m'accompagnait dans ma fuite, les vagues m'escortaient de leurs crêtes. El Diablo me tira droit vers le rivage, me fit franchir la barre dans l'écume, sans dommage. Je n'avais plus l'énergie de le freiner en atteignant la plage. Il me traîna sur le sable et quand je sentis mes pieds se râper, je lâchai une poignée. Elle s'envola comme une fronde, ouvrant le cerf-volant dans le vent et s'agitant comme un étendard ; El Diablo s'affaissa dans les broussailles des dunes.

Anéanti, sur le point de tourner de l'œil, couché bras et jambes écartés, j'embrassai le sable. J'entendis quelqu'un s'approcher en courant. Je relevai la tête. C'était Pacho, surgissant de nulle part. « Hé ! Ça va pas non, t'es cinglé, tu pourrais faire gaffe au matériel ! » Réjoui, il se laissa tomber à côté de moi.

Vaille que vaille, je me retournai sur le dos, il m'offrit son bras pour m'aider à m'asseoir, surpris de mon air. « Ça va ? T'es sûr ? » Je n'étais sûr de rien, mais je hochai la tête. « Hé, regarde, regarde ce que j'ai trouvé. Ce soir, on fait la fête ! » Basculant son chapeau dans sa main, il m'en montra fièrement le contenu, avec une mine de gamin gourmand. « Des champignons magiques, y en a plein sur des bouses dans un champ pas loin. On va s'éclater ! »

Tandis qu'il me vantait les mérites de sa trouvaille, je ramassai machinalement un morceau de plastique sur la plage, regardai l'océan. L'eau primordiale, la source de vie. Sa vastitude insondable, son immensité indomptable, sa grandeur et sa magnanimité. Le soleil pâle le parait à présent de reflets de platine, et dans chacune de ses vagues, j'entrevoyais, la férocité d'un sourire. Devant sa splendeur, je me sentais un peu misérable.

« Demain, faut qu'on nettoie tout le merdier qui traîne sur la plage.

— Mais, et les champignons ? »

D'un geste catégorique de la main, j'interrompis Pacho.
« Non, merci Pacho. »
Dorénavant, la mer me suffira.
Et le vent...

J-M. P.

Sous l'eau

L'UNIVERS sous-marin demeure, aujourd'hui encore, l'un des plus grands mystères qui nous entoure : proche et quasi inaccessible, nous n'en sommes séparés que par cette impalpable démarcation que nous appelons la « surface ». Dans l'imagerie classique, on dépeint souvent les accès vers d'autres mondes gardés par d'énormes portails ou des murailles titanesques ; ici l'interface est fine, transparente, insaisissable, mais ô combien efficace, ainsi que le remarquait Michelet :

« L'eau pour tout être terrestre est l'élément non respirable, l'élément de l'asphyxie. Barrière fatale, éternelle, qui sépare irrémédiablement les deux mondes. »

Si la mer effraye, c'est sans doute à cause de ses profondeurs irrespirables, ses abysses obscurs qu'aucune lumière ne peut révéler. Pour les chrétiens, la noyade signifiait même l'impossibilité d'accéder au paradis, car la mer avait gardé en elle le corps du défunt. Dans l'imaginaire populaire, les profondeurs ont toujours été synonymes de créatures terrifiantes, voire de présences maléfiques ou tout le moins mortifères, comme dans l'invocation du Maldoror de Lautréamont :

« Dis-moi donc si tu es la demeure du prince des ténèbres. Dis-le-moi... dis-le-moi, océan (à moi seul, pour ne pas attrister ceux qui n'ont encore connu que les illusions), et si le souffle de Satan crée des tempêtes qui soulèvent tes eaux salées jusqu'aux nuages. Il faut que tu me le dises, parce que je me réjouirais de savoir l'enfer si près de l'homme. Je veux que celle-ci soit la dernière strophe de mon invocation. Par conséquent, une fois encore je veux te saluer et te faire mes adieux ! Vieil océan aux vagues de cristal... »

« »

Les sous-l'eau et les Mousquemers

Il a fallu bien du courage aux explorateurs modernes pour oser se lancer à la conquête du monde sous-marin. Bien sûr, les plongeurs de l'Antiquité s'étaient déjà inspirés de modèles naturels, comme le rappelle Aristote à propos des plongeurs qui « imitent les éléphants » (dont la trompe leur sert de tuba lorsqu'ils nagent en pleine eau). Mais le tuba ne permet pas de respirer sous l'eau. Il faut attendre pour cela les études magistrales de Paul Bert en 1878 ; ce fondateur de la physiologie des aviateurs et des scaphandriers évoquait déjà les effets narcotiques de la pression :

« La pression agit sur les êtres vivants, non pas directement, mais en tant qu'agent chimique qui modifie les proportions de l'oxygène contenu dans le sang et détermine l'asphyxie lorsque ce dernier est en quantité insuffisante, ou des symptômes d'intoxication lorsqu'il est trop abondant. »

Mais la vraie liberté du plongeur, enivrante, arrive grâce à l'invention du scaphandre autonome par le commandant Yves Le Prieur, inventeur et génie méconnu, dont parle avec émotion cet autre pionnier de la plongée, Philippe Diolé :

« C'est le commandant Le Prieur qui, après une éclipse de deux mille ans, a retrouvé le chemin des profondeurs où l'homme peut s'aventurer seul. Son influence et son rayonnement auront eu autant de prix que ses inventions techniques. »

En effet, dès 1926, Yves Le Prieur teste son procédé à la piscine des Tournelles avant de s'exhiber ludiquement en 1934 dans l'aquarium du Trocadéro devant la presse tout ébahie ! Son scaphandre sera très vite adopté par la Marine et les pompiers. Ce créateur (qui s'est également illustré en aéronautique) n'a jamais oublié le principe de plaisir et s'est même amusé à tourner les premiers films sous-marins avec son ami cinéaste Jean Painlevé. Tous deux fondèrent le premier club de plongée – nommé avec humour « Club des sous-l'eau » – où l'on vit plonger, entre autres, Jean Cocteau.

Il faut croire que l'eau procure des ivresses bien supérieures à celles de l'alcool, et si l'on parle d'ivresse des profondeurs, il en existe une toute simple que ressent dans toutes ses fibres le poète Paul Valéry, lors d'une simple immersion dans la mer, et qui n'est pas sans rappeler la « caresse moléculaire » à laquelle Chateaubriand était, lui aussi, si sensible. Écoutons Paul Valéry :

« Ici, tout le corps se donne, se reprend, se conçoit, se dépense et veut épuiser ses possibles. Il *la* brasse, il *la* veut saisir, étreindre, il devient fou de vie et de sa libre mobilité il aime, il *la* possède, il engendre avec *elle* mille étranges idées. Tout s'éclaire pour moi. *Je comprends à l'extrême ce que l'amour pourrait être.* Excès du réel ! Les caresses sont connaissances. Les actes de l'amant seraient les modèles des œuvres. Donc *nage* ! donne de la tête dans cette onde qui roule vers toi, avec toi se rompt et te roule ! »

Après la Deuxième Guerre mondiale, quelques plongeurs découvrent les joies de la liberté sous-marine grâce à un matériel de plus en plus performant (amélioré par Cousteau et Gagnan). Dès lors, certains se lancent à corps perdu dans l'aventure et créent, toujours avec fantaisie, le club des Mousquemers, où l'on rencontre Philippe Tailliez, Frédéric Dumas, Jacques-Yves Cousteau et le plongeur poète Philippe Diolé qui a si bien décrit les sensations oniriques d'une plongée dans *L'Aventure sous-marine* :

« Une fois la surface franchie, toute pesanteur est abolie, toute résistance cède : une mollesse aérienne porte le plongeur. Ici, le monde est douceur. Du front aux orteils, il n'est pas un point du corps qui ne puisse trouver son repos. Plaisir de s'étendre. Allongement parfait. Souplesse horizontale. Un rêve très lent monte des profondeurs. Muré dans le silence et la solitude, le plongeur commence un monologue intérieur au centre d'une paix inespérée. »

Depuis, des générations de plongeurs se sont succédé, les uns battant des records, les autres jouissant du simple bonheur d'être libre, ne serait-ce que quelques instants, dans le royaume des mers. C'est l'un des plus vieux rêves de l'humanité, un retour aux sources : respirer sous l'eau comme les poissons et connaître ce monde qu'imaginait un Guillaume Apollinaire illuminé :

« Les géants couverts d'algues passaient dans leurs villes sous-marines où les tours seules étaient des îles. Et cette mer avec les clartés de ses profondeurs coulait sang de mes veines et faisait battre mon cœur. »

Quelques décennies plus tard, un autre illuminé, Jimi Hendrix, chanteur et guitariste des années 1970, s'imagine à son tour dans les royaumes sous-marins, comme il le chante dans *A Merman I Should Turn To Be* (*Je devrais devenir sirène*) :
« Ils disaient qu'il est impossible
Pour un homme de vivre et respirer pour toujours sous l'eau
L'étoile de mer et l'écume nous accueillent avec un sourire,
Avant de plonger nous jetons un dernier regard,
Dépêche-toi mon amour, il ne faut pas être en retard pour le show,
Les jeux de Neptune dans un monde aquatique me sont si chers,
J'entends l'Atlantide en fête ! »

Les scaphandres autonomes ont aussi créé une autre sorte d'ivresse : celle de l'or, car l'océan a également la capacité de régurgiter ce qu'il a précédemment englouti. Combien d'inestimables trésors reposent sur le fond de la mer, attendant qu'on les ramasse ? Le Richard III de Shakespeare avait déjà cette vision, quelques décennies avant l'invention de Le Prieur :
« Je crus voir mille épaves effrayantes,
Dix mille hommes, rongés par les poissons ;
Des lingots d'or, de grandes ancres, des montagnes de perles,
Des pierreries inestimables, des bijoux sans prix,
Tout cela répandu au fond de la mer. »
De nombreux plongeurs ont passé une partie de leur vie sous l'eau à chasser les trésors des galions jusqu'à en perdre la tête, d'autres ont repoussé les limites de la technologie, comme la COMEX, première entreprise de plongée au monde, qui a mené des plongeurs à plus de cinq cents mètres

de fond, et d'autres aventuriers encore, s'inspirant des dauphins, ont fait de l'apnée un art, voire une voie spirituelle.

Ainsi, avec le succès du film *Le Grand Bleu*, Jacques Mayol est devenu l'emblème du renouveau de la plongée libre. Premier homme à franchir la barre des cent mètres en apnée, Mayol a ouvert de nouvelles voies de recherche, s'inspirant aussi bien des dauphins que des yogis, comme on peut le lire dans son livre *Homo Delphinus**. De nombreux apnéistes ont poursuivi sa quête jusqu'aux limites de l'extase mystique ou de la folie. Certains y ont laissé leur peau, d'autres leur esprit. Mayol, lui, a choisi de se pendre, ultime apnée, dans l'île d'Elbe, en 2001.

«   »

Le mystère abyssal

Si lointain, si proche... Le fond de la mer est omniprésent et pourtant nous le connaissons moins bien que l'espace ou les étoiles environnantes situées à des millions de kilomètres... Et parce que les abysses restent un espace inconnu, ils donnent lieu à d'extraordinaires spéculations. Le capitaine Nemo de Jules Verne s'y cachait pour enfouir sa solitude au fond des mers et jouer de l'orgue à bord du *Nautilus*, pénétrant ainsi dans une autre dimension :

« En ce moment, j'entendis les vagues accords de l'orgue, une harmonie triste sous un chant indéfinissable, véritables plaintes d'une âme qui veut briser les liens terrestres. J'écoutai par tous mes sens à la fois, respirant à peine, plongé comme le capitaine Nemo dans ces extases musicales qui l'entraînaient hors des limites de ce monde. »

À n'en point douter, les royaumes abyssaux recèlent des secrets cachés depuis la création du monde. Jacques Mayol lui-même croyait à l'existence de pyramides sous-marines, à l'intérieur desquelles se développaient des vortex d'énergie. Pour d'autres, des puissances intelligentes ou extraterrestres doivent être tapies sous les eaux, cachette idéale, proche et bien protégée.

Malgré les risques évidents – la pression, capable d'écraser le métal, le manque d'air et de lumière, les dangers inconnus –, l'attirance pour les profondeurs semble bel et bien inscrite dans notre histoire, et Boris Vian de fredonner : « Je voudrais pas crever avant d'avoir connu... Le fond vert de la mer où valsent des bains d'algue sur sable ondulé... » Très tôt, des « abyssonautes » ont eu le courage d'affronter ce nouvel inconnu ; parmi eux, William Beebe – professeur de la Société zoologique de New York et ami de Roosevelt – stupéfia le grand public avec son incroyable descente à moins neuf cent vingt-deux mètres en 1934. Voici ce qu'il note, parvenu au point le plus profond de sa plongée : « Les nuits sur terre ne seraient jamais plus pour moi qu'un crépuscule relatif. Jamais, désormais, je ne pourrai me servir du mot "noir" avec conviction... La seule région qui se rapproche de ces merveilleuses profondeurs doit être le pur espace, celui qui est situé bien au-delà de l'atmosphère, parmi les étoiles, là où le soleil n'éclaire plus les poussières ni les résidus de l'atmosphère des planètes. Dans ces espaces infinis, l'obscurité de l'éther, les planètes, comètes, étoiles, doivent avoir de grandes analogies avec cet univers vivant. »

Si fortes sont les analogies entre l'espace et les abysses que c'est le fils même d'Auguste Piccard (parvenu dès 1932 à l'altitude record de 16 940 m en ballon stratosphérique), Jacques Piccard, qui atteint en 1960, à bord du bathyscaphe *Trieste*, la profondeur phénoménale de 10 916 m, record jamais égalé, correspondant à peu de choses près à l'endroit le plus profond de l'océan.

À voir le peu d'intérêt de l'humanité pour le fond des mers (aujourd'hui ravagé par les chaluts de profondeur européens), on se dit que les hommes n'ont pas encore compris la dimension insondable de l'océan, qui rejoint pourtant leurs origines les plus intimes, évoquées par Alessandro Baricco : « Tout n'est plus que mer. Nous, abandonnés de la terre, nous sommes devenus le ventre de la mer et le ventre de la mer c'est nous, et en nous elle vit et respire. Et moi je la regarde qui danse dans son manteau étincelant pour la joie de ses yeux à elle, invisibles. »

Tandis que nous installons déjà des colonies spatiales en prévision de bases lunaires ou martiennes, nous sommes tout juste capables d'aller récupérer les petites cuillères du *Titanic*. Quelques plongées profondes ont révélé la vie là où on la pensait impossible, mais ce n'est qu'un début ; quelque chose de beaucoup plus grand réside dans ces ténèbres, qui nous attend silencieusement.

5 histoires
sous l'eau

Je ne savais pas que j'étais mort
Peter L. Dixon

Pionnier du surf et du sauvetage à Malibu, Peter L. Dixon est aussi écrivain (*Attention, les enfants regardent**) et scénariste (*Flipper le dauphin*). Il a écrit le plus gros best-seller du surf (*Le Guide complet du surf**) et voyagé dans le monde entier pour la mer, le surf et la plongée. Il nous raconte ici comment il a frôlé la mort en plongeant à la recherche d'une langouste.

Si vous passez suffisamment de temps près de, sur, ou dans la mer, l'océan implacable finit toujours par revenir vous chercher afin d'exiger un peu de respect. Si l'on ne craint ni ne respecte l'océan, il testera sans cesse votre adresse et votre courage. Si vous échouez à ses difficiles examens de matelotage, survie en surf, ou encore physique et physiologie de l'apnée et de la plongée en bouteille, alors vous risquez fort d'obtenir un diplôme du ciel ou de l'enfer. Pendant toutes ces décennies au cours desquelles je me suis efforcé d'être le meilleur étudiant possible face à l'océan, j'ai raté quelques exams, mais j'ai quand même réussi à passer d'une année sur l'autre en restant vivant jusqu'à aujourd'hui. Il y a bien eu quelques fois où mes notes étaient terriblement basses, si basses que, sans la chance ou quelqu'un pour m'aider, je ne serais pas en train d'écrire ces lignes aujourd'hui.

Je savais bien que c'était pure folie d'aller plonger de nuit en apnée à la recherche de langoustes lorsque les grosses vagues explosaient sur la grande digue rocheuse de Santa Monica. D'un autre côté, j'avais besoin de quelques crustacés pour servir un bon repas à ma famille et à des invités. Certes, je n'aurais pas dû plonger dans cette grotte sous-marine, mais la vue d'une grosse langouste mâle d'au moins quatre kilos dans le faisceau jaunâtre de ma lampe sous-marine était irrésistible. C'était un magnifique spécimen, qui pourrait être servi en salade pour dix, ou au four pour quatre. Dans l'étroite galerie d'où il observait l'intrusion de lumière, il serait difficile de l'attraper. Le froid ressac de mars remontait des profondeurs et tourbillonnait dans la grotte ; cela rendait la plongée d'autant plus dangereuse. Nous autres, pionniers de l'apnée en Californie du Sud, avions pour habitude d'attraper les langoustes à la main avec des gants. Il était interdit, et considéré comme peu sportif, de les pêcher à la gaffe ou au harpon. Quelques braconniers allaient jusqu'à fermer l'entrée des galeries avec des filets, avant d'ouvrir une petite bouteille d'eau de Javel dedans. Par réaction, les langoustes se précipitaient à l'intérieur du filet. Une fois leurs filets pleins, les braconniers appelaient un hydravion qui venait directement ramasser les crustacés pour les servir dans les restaurants de Las Vegas. Cela me semblait hautement immoral.

Il me fallait de bonnes réserves d'air pour pouvoir m'aventurer dans la grotte, aussi suis-je remonté à la surface de manière à recharger mon corps en oxygène, en éteignant ma lampe sous-marine pour éviter d'être vu, car la saison de la langouste était finie depuis la semaine dernière : je ne voulais pas me faire prendre, même s'il était improbable qu'un garde fût debout à une heure aussi tardive.

J'ai sorti la tête de l'eau, pris de grandes respirations et regardé Sarah. Elle était là, qui gardait le skiff à distance des rochers et de la digue. Fidèlement. Sarah était cool et de confiance. Dans l'obscurité, je distinguais à peine notre petit skiff de quatre mètres et la silhouette de ma femme maniant les rames. Nous étions souvent sortis de nuit à la rame le long de la jetée, mais jamais lorsque les rouleaux pétaient dessus. Je lui ai promis d'être prudent et si jamais les vagues devenaient un problème, nous laisserions tomber et rentrerions à la maison.

Malgré les lames, l'eau était remarquablement claire. Flottant à la surface près de la digue, je pouvais sentir la puissance des houles qui montaient à l'assaut des rochers géants protégeant le port de Santa Monica. Ces houles tempétueuses qui battaient le granit me clamaient de m'en aller au plus vite. Mon esprit rationnel appréhendait l'obscurité, les soulèvements de la mer, les vagues qui explosaient sur les rochers, m'intimant de laisser tomber, de revenir une autre fois. Bien que revêtu d'une combinaison de plongée à manches courtes, je tremblais. Mon corps lui aussi me faisait savoir que très vite l'eau froide me priverait de ma pleine conscience et qu'il était temps de rentrer. J'entendis la douce voix de Sarah m'appeler depuis le canot :

« Tu vas bien ? »

J'empêchai mes dents de claquer pour qu'elle ne s'inquiète pas et répondis calmement :

« Oui, très bien.

— On devrait peut-être rentrer...

— O.K., je fais juste une dernière plongée... »

À ce moment-là, j'aurais dû grimper dans le bateau, mais ce gros mâle de quatre kilos me narguait, attendant en bas que je vienne l'arracher à sa retraite rocheuse. Il était magnifique et d'ailleurs je n'aimais pas rentrer d'une plongée sans au moins une langouste dans mon sac. Appelez ça de la fierté, de l'ego ou de la rapacité, mais je voulais la voir dans une marmite d'eau bouillante avant d'aller me coucher. Après avoir scruté une dernière fois la mer, au cas où une vague plus forte arriverait, je pris une inspiration et plongeai.

D'habitude, il me suffisait de m'immerger, de palmer vers le fond et de commencer une chasse sous-marine pour me relaxer. Le plus souvent, lorsque je pourchassais les langoustes, je revenais victorieux. Au fil des années j'avais appris à mieux connaître leur comportement, à les approcher avec une main tendue sur le côté afin de distraire leur attention. Une fois qu'elles s'occupaient du gigotement de vos doigts, l'autre main pouvait surgir et agripper le dos épineux. Les vieux mâles de cinq ou dix kilos ne se débattaient pas beaucoup, mais cette langouste épineuse californienne de quatre kilos était encore dans la fleur de l'âge et capable de se débattre frénétiquement pour échapper à mon emprise. Ses épines acérées n'auraient aucun mal à transpercer un gant, la peau, ou me causer de douloureuses infections. J'étais capable de demeurer environ quatre-vingt-dix secondes sous l'eau, mais la langouste, elle, pouvait y passer sa vie. Elle serait cependant éblouie par ma lampe.

Des centaines de plongées telles que celle-ci m'avaient appris à me déplacer lentement et prudemment. Être à l'aise sous l'eau brûle moins d'oxygène et permet à vos sens de mieux se focaliser sur la chasse, plutôt que sur le besoin en air de votre corps. Malgré l'obscurité de l'eau et l'heure tardive – deux heures du matin –, mon expérience de chasseur me poussait à retourner vers cette grotte. Je retrouvai facilement l'entrée et pointai ma lampe dans la galerie. Le gros mâle était là, remuant ses longues et fines antennes vers moi, dans une posture alerte indiquant qu'il était prêt à fuir ou à se battre. Je remarquai alors qu'il y avait une ouverture de secours derrière lui. Si je ne l'attrapais pas du premier coup, il fuirait par la porte de derrière.

Je remuai les doigts de ma main droite devant ses antennes. Acceptant mon défi, il s'intéressa à mon gant. Je l'attrapai alors et serrai son dos de ma main gauche. Au même moment, je ressentis le choc dû à une augmentation violente de la pression sous-marine, qui me précipita plus profondément dans la grotte. Mon Dieu ! Une grosse vague avait sûrement frappé les rochers avec force, là-haut ! Je lâchai la langouste. Tant pis pour elle, j'avais surtout besoin d'air, à présent. Il était temps de faire surface et je voulus reculer à l'intérieur de la grotte. À ma grande horreur, je découvris que j'étais coincé par les rochers de l'étroite ouverture. C'est alors qu'une voix intérieure se fit entendre et m'avertit :

« Prends ton temps. Il te reste encore une demi-minute. À présent, réfléchis. »

Pour l'instant, je pensais surtout à Sarah, assise dans le skiff, sûrement morte d'inquiétude. Puis arrivèrent les premiers moments de panique et je commençai ma lutte frénétique pour la survie. La voix, consciente, me souffla :

« Fais-toi plus petit.

— Mais comment faire ? demandai-je.

— Laisse sortir ton air, et ton torse rétrécira. »

Cette action drastique allait sans doute précipiter ma fin, mais je n'avais pas d'autre choix. Tout en exhalant, je me concentrai pour ne surtout pas ouvrir la bouche à la recherche de l'air dont j'avais tant besoin. On dit que les vrais *watermen* (« hommes de l'eau ») ne meurent jamais noyés. Ils verrouillent leur gorge et retiennent leur souffle jusqu'à la syncope. Quand ils perdent conscience, l'eau ne pénètre pas dans leurs poumons, jusqu'au moment où le corps se détend. Avec de la chance, les secours arrivent avant.

À cet instant-là, je fus distrait de ma peur par une petite étoile brillante qui apparut juste devant moi. Il n'y a pas d'étoiles sous-marines sous la jetée de Santa Monica, mais elle était pourtant là. Une microseconde plus tard, une douzaine d'étoiles fusèrent devant mes yeux, toutes magnifiques et se signalant à moi. Elles étaient si proches que je tendis la main pour les toucher. Un sentiment paisible de bien-être m'envahit et je ne me souviens plus de rien jusqu'au retour du ciel...

Je me retrouvai flottant sur le dos, contemplant de véritables étoiles. Il y en avait même des millions au-dessus de ma tête, tellement bienvenues à mes yeux. En m'entendant reprendre violemment mon souffle, je sus que j'étais de retour parmi les vivants. Je perçus alors la voix inquiète de Sarah :

« Peter, où es-tu ?

— Près des rochers ; ne bouge pas, je nage vers toi. »

Lorsque j'agrippai le bord du skiff, elle me demanda :

« Tu es resté sacrément longtemps au fond. Tu es sûr que ça va ?

— J'ai juste un peu froid.

— Quand cette série de grosses vagues s'est écrasée sur la jetée et que je ne t'ai pas vu remonter... »

Je me hissai dans le canot, retirai mon masque et demandai à Sarah de ramer pour nous ramener à bon port. Ce n'est que des mois plus tard que j'ai osé lui raconter l'épisode du black-out dans la grotte. Depuis, elle refuse de m'emmener en bateau plonger de nuit et moi je n'ai pas remplacé les piles de ma lampe sous-marine !

P. D.

«   »

Le Trésor qui a changé ma vie
WADE DOAK

(OU comment Tangaroa, le dieu maori de la mer, m'a permis d'échapper à l'enseignement scolaire pour mieux dévouer ma vie à connaître la mer et ses habitants.)

Natif de Nouvelle-Zélande, Wade Doak a su plonger avant de savoir marcher. C'est un plongeur émérite que l'on connaît surtout pour son travail sur l'interaction entre humains et dauphins. Il a écrit de nombreux livres (*Ambassadeur des dauphins**), participé à de multiples émissions et collaboré avec des gouvernements pour établir un code de bonne conduite au contact des cétacés dans le cadre de l'écotourisme. Mais sa carrière de plongeur a commencé avec une singulière chasse au trésor...

Ce n'est même pas un secret, je pourrais vous dire où se trouve une tonne et demi d'argent pur qui gît sur un fond marin, non loin des côtes de Nouvelle-Zélande. Nous avions extrait trois cents kilos de l'épave et le reste pouvait demeurer là encore un moment. Enfoui sous une montagne de plaques d'acier corrodées et de poutrelles, dans les entrailles du vapeur *Elingamite*, c'était tout simplement trop profond et dangereux à récupérer. Deux plongeurs étaient déjà morts en essayant. Six mille pièces d'argent dormaient là également, fraîchement frappées et aussi brillantes que le jour où le navire avait coulé. Kelly, Jag, John et moi-même en avions découvert vingt et une, mais cela nous avait pris deux ans et cent cinquante plongées. Nous savions que l'argent massif allait nous rapporter dans les douze mille dollars, mais certaines de ces vieilles pièces à l'effigie de la reine Victoria sont des pièces exceptionnelles pour les collectionneurs, incrustées de corail, de sable, de verre, de charbon et de fragments de coquillages.

Par cinquante mètres de fond, le milieu marin peut s'avérer très hostile pour l'homme. On n'y rencontre que des prédateurs, il y a peu de couleurs et l'eau y est aussi froide que du sang de poisson. À vrai dire, on ne se sent même plus humain à de telles profondeurs. On flotte en apesanteur, sans aucun endroit où solidement planter ses pieds de façon à pouvoir saisir un objet. Comme un patient sous anesthésie, vous devez tenir un embout entre les dents et cette chose épaisse que vous respirez vous picote les lèvres. Vous avez l'impression de ne plus être à l'intérieur de vous-même. C'est un peu comme après les premiers verres, lors d'un mariage où vous ne vous sentez pas à votre place, quand vous vous mettez à analyser les effets de l'alcool sur votre version de la réalité. Voilà ce que j'éprouvais lorsque je suis tombé sur le trésor de l'*Elingamite* : je palmais tranquillement de rocher en rocher, très mouillé et groggy, avec une partie du cerveau à moitié ivre mais toujours en veille, malgré les cinquante mètres de liquide me séparant du ciel. « Il va bientôt falloir que je remonte, mais en dessous c'est si tranquille et paisible... » J'aurais pu m'endormir facilement : pas besoin de remonter dans les forts courants de surface, ni de retirer mon équipement dans le froid glacial. La vie là-haut, dans les cabines encombrées de l'*Abiki*, à dormir sur le réservoir de diesel, était de toute façon infernale. Impossible d'y avoir un sommeil profond comparable à celui qui semblait possible dans les profondeurs. Et toujours la partie raisonnable de mon cerveau continuait à actionner les palmes et faire pivoter ma tête au cœur de l'épave.

« J'ai l'impression d'être un danseur de ballet explosé, ici-bas... »

Je m'efforçais de penser que j'étais un poisson, tandis que des bancs de perches papillons nageaient devant mon masque en exécutant des pirouettes, avant de filer sous un rocher.

« Essaye de penser que tu économises de l'énergie en les imitant », me disais-je. D'un autre côté, le moindre effort soudain que j'accomplissais m'envoyait une giclée d'eau glacée dans la nuque par le col de ma combinaison de plongée et l'eau froide descendait jusque sous mes aisselles. Au bout d'un moment, étourdi, je dus me ressaisir : « Tu cherches le magot. Tu n'as aucune chance de le trouver dans tout ce fatras. Les autres gars doivent se promener dans l'épave à la recherche de souvenirs. » D'après eux, il n'y a pas l'ombre d'une chance de découvrir le trésor à cet endroit-là.

Je passai près de Jag et John Pettit qui se débattaient dans le courant pour arrimer un filin à des hublots, tandis que Kelly dansait la valse avec son énorme appareil photo sous-marin et son projecteur, essayant de prendre de bonnes images de l'épave. Le problème, c'est que ces fonds marins ne ressemblaient pas du tout à la silhouette d'un navire ou d'une épave. Un peu plus tôt, j'avais posé pour

Kelly avec quelques bouteilles de vin couvertes d'algues dénichées sous un rocher. Plus loin, nous avions découvert de longues barres de plomb tordues et blanchâtres ; cela montrerait au moins que nous étions au-dessus d'une épave. Plus loin encore, nous avons localisé un énorme morceau moussu et déchiqueté, qui n'était autre que l'hélice du navire avec ses pales tordues. Pendant que Kelly réglait ses lumières, j'en profitai pour me lancer sur l'hélice, accrochant d'une main l'une de ses pales haute de deux mètres, virevoltant, pareil à un gymnaste qui effectue le poirier d'une seule main. Kelly me demanda de me rapprocher d'autres débris, tel ce winch hérissé d'œufs marins et d'oursins. En passant tout près, je me suis piqué et mes doigts brûlent encore. « Semblables à ces fibres de verre spicules ! Incroyable que mon cerveau embrumé par les profondeurs aille chercher un mot pareil ! *Spicule* ! Après tout, je ne suis peut-être pas aussi imbibé que je le pensais ! »

Mon anxiété s'efforçait de résister à l'ivresse des profondeurs : « Je me demande combien d'air il me reste. Je serais content de sortir de là. J'ai tellement froid, je ne me rends même plus compte que je m'endors. » Le problème avec les bulles d'air qui servent d'isolation à ces combinaisons, c'est qu'elles se font écraser par la pression et toute leur chaleur est chassée. Je commençais à devenir maladroit. Comme l'eau coulait le long de ma colonne lorsque je nageais, j'accomplissais le moins de mouvements possible. Je ne bougeais que mes longues palmes. Elles continuaient à battre sans que j'aie à y penser. De même que le cœur, il s'agissait d'un mouvement réflexe, représentant une grosse dépense d'énergie et de chaleur corporelle. L'air comprimé que je respirais était trop froid lui aussi et mes poumons faisaient office de radiateur à chaque respiration.

Je me sentais écorché, à vif, et totalement détrempé.
J'essayais de me visualiser assis, bien sec et au chaud
devant une bonne table, dans la cabine confortable. Un peu
d'eau salée infiltrée dans mon masque me piquait autant
que des oignons, tandis que je me faufilais sous un gros
rocher.

« Le corps continue à travailler pour moi, tandis que mon
esprit vagabonde vers ses voyages intérieurs. C'est comme
d'écosser des petits pois. Pourquoi donc un homme aime-
t-il plonger ? La fin d'une plongée profonde peut devenir
un tourment infernal. Heureusement, on oublie tout cela
pour ne se souvenir que du plaisir... Eh ! au fait, suis-je
vraiment bien ici ? » Les pièces de monnaie : une pile de
petits disques éparpillés dans le sable blanc. C'était comme
de regarder un film en songeant que rien n'est réel. Mais
les pièces étaient bel et bien là ! Quelques poignées reposant dans mon sac en plastique. De l'or ? Je replongeai
frénétiquement ma main dedans.

« C'est trop léger, ce ne sont que des pennies. Il vaudrait
mieux continuer à creuser. Il pourrait y avoir mieux plus
bas... » C'est alors que d'autres pièces apparurent à ma
vue ! Elles ne pouvaient pas toutes être des pennies, mais
ne semblaient pas assez lourdes pour de l'or. Un peu partout dans les recoins rocheux, des pièces étaient éparpillées,
incrustées de corail ou sulfatées de noir.

« Comment diable pourrais-je retrouver cet endroit après
être remonté à la surface ? » J'aurais dû apporter une
bouée de marquage à accrocher au *kelp*. « À propos, où sont
les autres plongeurs ? Qui peut venir à mon secours avant
que je manque d'air ? J'ai besoin de quelqu'un qui m'aide-
rait à repérer l'endroit. » Il s'agissait de la dernière plongée

de l'expédition et j'osais à peine quitter les lieux pour appeler quelqu'un. En me déplaçant sur le côté, je vis John Pettit qui palmait non loin. Je lui fis le signe « O.K. », qui sur une épave signifie : *pièces*. Comme un poisson qui mord à l'hameçon, il fonça à mes côtés et nous nous mîmes à fouiller furieusement le sable, à la recherche d'autres pièces de monnaie. On n'y voyait pas grand-chose avec le sable en suspension, aussi nous fallait-il progresser au toucher, agrippant le vide aveuglément jusqu'à ce que nos doigts se rencontrent. Je ne sentais plus du tout la profondeur ni le froid. Mon cerveau fonctionnait parfaitement et méthodiquement. J'avais conscience que mes réserves d'air diminuaient gravement et j'économisais chaque goulée. Le décompresseur à mon poignet m'indiquait que je devais commencer à remonter tout de suite si je voulais éviter un *bend*, l'accident classique de plongée. John me tapota l'épaule en me faisant signe de remonter. Ses réserves à lui étaient déjà finies, car il avait travaillé dur pour récupérer les hublots. Il s'éloigna dans le bleuté du vide marin vers la surface afin de prévenir les autres de ce que nous avions trouvé. J'en ramassai autant que possible, comme un fou, songeant : « C'est notre dernière plongée ici. » Le jour même en effet, la météo avait commencé à se dégrader et nos réserves d'air à bord étaient finies.

Je sentis un contact sur ma jambe et ne réagis pas tout de suite. Puis je compris : Kelly se tenait derrière moi et voulait savoir ce que je faisais. Je lui montrai quelques pièces de monnaie. Aspirant les dernières goulées d'air qui lui restaient, il prit quelques photos de moi avec son flash électronique et remonta vers la surface. Mon propre réservoir me donnait ses dernières goulées d'air sur le site de l'*Elingamite*.

« Pit-pit-pit », ma jauge sonore m'envoyait son signal staccato, me forçant à accepter que c'était bien fini. Une nuée de bulles attira un banc de poissons tandis que je fourrageais une dernière fois dans le sable. Après avoir chassé l'eau de mon sac de pièces, je remontai vers la surface.

C'était le crépuscule et il n'y avait plus personne dans l'eau. Un mur bleu de courant balayait l'épave. J'essayai de m'en éloigner mais ne parvins pas à m'élever avec le poids des pièces. Je retirai mon embout ; mes lèvres gelées papillonnaient pour tenter de respirer un peu par le tuyau de ma bouée de secours. Elle se gonfla autour de ma tête comme un haltère jaune et je me sentis de plus en plus léger tandis que je remontais. Le courant m'entraîna. En regardant l'épave, je m'efforçai de fixer quelques repères dans mon esprit, mais à une quinzaine de mètres, vue du dessus, l'épave semblait complètement différente. On ne voyait rien d'autre que de gros rochers couverts de kelp. « L'hélice, ça au moins on ne peut pas la rater. Un, deux, trois, quatre. Quatre rochers plus bas sur la pente, en partant de l'hélice. Une vallée de poutrelles, un panneau carré d'un côté et... », mais le site de l'épave disparut de ma vue, tandis que je commençais à planer comme un oiseau.

Mes yeux regardèrent vers le scintillement de la surface : loin là-haut, la surface apparaissait telle une feuille de papier d'argent gondolée. C'était si bon de la revoir après une longue plongée... Je ne devais pas remonter trop vite pour ne pas risquer de faire éclater mes poumons ; je continuais de respirer régulièrement tandis que ma jauge sonore émettait toujours son signal staccato, « cluck, cluck, cluck » qui attirait de grosses carangues tournant autour de moi dans les eaux plus chaudes de la surface. Je me cramponnais à mon précieux sac.

« Nom d'un chien, quand donc pourrais-je revenir vers tout ce que je laisse en dessous ? Attendez un peu que les gars voient ce trésor ! » Mon masque jaillit à la surface dans un tout autre monde, avec une nouvelle série de problèmes tout neufs. La surface était blanche et confuse avec les courants de la marée ; on pouvait entendre hurler le vent derrière le fracas des vagues sur les falaises de l'île. Notre bateau, l'*Ahiki*, planait et glissait sur les hautes houles, s'approchant de moi au plus près. « La météo nous prépare quelque chose... »

Je fus vite repéré grâce à la bouée jaune, malgré la lumière crépusculaire. Les oiseaux de mer volaient très près de moi, comme si j'étais une proie potentielle. Secoué par les vagues, l'*Ahiki* tourna sa proue vers moi et surfa sur le flanc de la houle. À un moment je voyais son derrière rouge exposé de façon inconvenante et l'instant d'après, je surplombais sa proue de plusieurs mètres. Il semblait impossible de passer d'un tel chaos aquatique à ce rafiot en fuite, chargé de plomb et de réservoirs d'air. De plus, je ne disposais que d'une seule main pour attraper l'échelle.

« Synchronise-toi bien », me dis-je. Je palmai fort afin de me rapprocher au maximum du navire. Le problème n'était pas de se déplacer horizontalement, mais plutôt de rester suffisamment longtemps au même niveau que le navire pour espérer attraper l'échelle de plongée avant qu'il ne s'écrase sur moi. Par moments je planais haut au-dessus et à d'autres je me retrouvais sous sa coque. Ils n'utilisaient pas l'hélice, de manière à ne pas risquer de me happer et de me hacher menu, et je dus reculer pour ne pas être écrabouillé par le bulbe. Le courant n'avait plus grande importance car nous étions déportés en même temps vers le nord, le bateau et moi-même. Enfin, en palmant de toutes mes forces, je réussis à atteindre l'échelle, où des mains amicales m'attendaient et me saisirent.

Quelques instants plus tard, tous se tenaient autour des pièces rouillées et grumeleuses. Jag sortit son poignard de plongée et en gratta une, dans l'espoir d'apercevoir l'éclat de l'or.

« Ce n'est peut-être qu'un penny provenant de la cabine d'un passager ? » dit John Pettit. « Mais c'est peut-être le trésor ? » ajouta-t-il, exprimant notre pensée à tous.

« C'est de l'argent », fut le verdict de Jag.

« Ou alors c'est la monnaie du bar », supposa Kelly qui se souvenait des bouteilles de vin.

Mon cœur s'alourdit tandis que le rush de la découverte s'évanouissait. Je commençai à frissonner dans ma combinaison. Le soleil se couchait. Nous étions une bande de pessimistes. D'abord nous avions pensé ne jamais localiser cette épave lors de notre première expédition et nous l'avions découverte par hasard pendant notre toute dernière plongée. Aujourd'hui nous imaginions ne jamais découvrir le trésor ; tous admirent qu'ils ne s'étaient même pas donné la peine d'y chercher des pièces. Des artefacts tels que des bouteilles de vin, des hublots, des photos, voilà tout ce que l'*Elingamite* semblait receler. La zone de recherche était bien trop étendue et profonde. Quand on parle d'aiguille dans une botte de foin, au moins cela se passe au sec sans limite de temps ou d'air. Malgré nos doutes, nous mourions d'envie de redescendre, mais c'était impossible. Notre skipper tapotait le baromètre d'un air anxieux. Nos réserves d'air étaient épuisées et la période de beau temps s'achevait...

Au fur et à mesure que nous grattions d'autres pièces, des shillings, des dates apparurent – 1880, 1875, 1899 –, de mauvais augure. Ce n'était pas ce que nous recherchions.

« Ils n'auraient pas envoyé de vieilles pièces usagées d'un bout à l'autre de l'océan », dit Kelly. À cette époque, tout ce que nous savions de l'*Elingamite* et de sa marchandise, c'est qu'en 1902 il transportait pour dix-sept mille trois cents dollars de pièces d'or et d'argent d'une banque australienne de Sydney jusqu'à sa succursale de Nouvelle-Zélande.

« Il s'agit sans doute des économies d'un passager. Ce sont quand même des pièces d'argent, comptons-les. » L'excitation revint quelque peu. Nous fîmes des piles de pièces et commençâmes à élaborer de nouvelles théories, tandis que l'*Ahiki* faisait route vers le sud, vers la Nouvelle-Zélande.

W. D.

«   »

Télépathie avec un mérou
MALVINA

AVANT de découvrir la plongée, Malvina a été portraitiste, caricaturiste dans des cabarets, puis elle a peint de vastes fresques urbaines, jusqu'à ce jour de 1992, où elle a connu une révélation lors de sa première plongée sous-marine : la découverte de ces lumières uniques qui ont transformé sa vie et son art. Depuis, elle peint sous l'eau et se consacre à la plongée autant qu'à la peinture. Expositions, ateliers, Malvina a considérablement amélioré la technique de peinture en immersion qu'elle enseigne désormais dans des lieux de plongée idylliques.

« Plonger c'est rêver avec son corps.
Peindre sous l'eau, c'est saisir ce rêve,
éblouissant et palpable. »

J'ai découvert la plongée sous-marine en 1992 et, depuis ce jour, je sais pourquoi je peins. C'était l'époque de la découverte d'un autre monde et des grands chocs, comme lorsqu'on est enfant et que se révèle à nous l'existence de la mort, de l'amour, du sexe et des secrets qui orchestrent la marche du monde. La mer est le berceau de mes rêves, la matrice où je me régénère, là où je meurs et renais sans cesse.

L'une de mes plus belles histoires est celle d'un face-à-face de quarante-cinq minutes avec un mérou. Cela se passe au parc national de Port-Cros en 1995. Je ne peins sous l'eau que depuis deux ans et je connais encore mal la faune sous-marine. Philippe Robert me demande un jour d'aller faire le portrait d'un mérou à la Gabinière, petit îlot à quelques encablures de l'île. Ça me paraît un peu fou d'aller peindre un poisson dans la mer...

« Mais comment veux-tu que je le trouve, ton poisson ? » Je ne suis même pas sûre de savoir ce qu'est un mérou, mais je décide d'y aller quand même. Or, avant même d'atteindre le sable, je suis rejointe par le mérou en question. Il semble savoir que j'allais venir et m'attend tel un vieux sage au fond de la forêt ! Ma raison se cabre :

« Arrête un peu ton délire, Malvina, les mérous ne prennent pas de rendez-vous avec les humains, tu narcoses ! » Je suis seule, légère, enveloppée de bleu, j'entends mon souffle s'échapper par le détendeur, mes gestes sont ralentis par l'épaisseur de l'eau. Je suis à moins quinze mètres, je pose ma toile sur le sable. Le mérou s'est placé à un mètre cinquante de moi et me regarde fixement. Je suis sous le charme, mais ma conscience revient à l'assaut :

« Mais dépêche-toi donc de le dessiner, il va partir ! » Mes doigts tremblent : s'il s'en va, je vais louper cette prise. Fascinée par mon sujet, j'ai du mal à construire mon dessin. Qui regarde l'autre ?

Jamais je n'ai vu un tel regard et lorsque j'y plonge, je ne sens ni crainte ni résistance. Je sais que je ne dois pas trop m'approcher, c'est lui qui pose les distances. J'obéis. Du coup, il reste. Il semble avoir compris pourquoi je suis là. Je me détends, avec la petite crainte de ne pas savoir combien de temps il m'accordera.

Je le regarde au fond des yeux sans complexe, le portrait n'est plus qu'un prétexte. Quelque chose passe entre nous. Il n'est plus un poisson, je ne suis plus un être humain, nous ne sommes plus que deux entités. L'une terrienne, l'autre mérienne. Je me sens vue par quelqu'un dont je ne peux même pas imaginer la pensée. Alors je m'enhardis, j'essaye à mon tour de toucher son âme, d'entrevoir le mystère. Je fais de l'empathie, pour tenter de voir le monde par ses yeux. Sa vision n'est pas binoculaire comme la nôtre.

De temps en temps l'œil droit, puis le gauche, se tourne un instant dans les coins pour surveiller l'environnement, pendant que l'autre continue à me fixer paisiblement. La vigilance est chez les animaux une valeur sûre.

Mais pourquoi m'offre-t-il sa présence ? Depuis dix minutes, il n'a pas bougé. Il garde la pose, seules ses grosses lèvres s'entrouvrent à intervalles réguliers de façon à laisser pénétrer l'eau que filtrent ses branchies. Ses nageoires dessinent des ellipses dans l'espace afin de se maintenir en équilibre. Sa masse musculaire est immobile, mais je sais que le moindre mouvement de sa queue le propulserait à plusieurs mètres de moi. Je commence à prendre mon temps et travaille le décor. C'est un paysage de roches inondé d'une lumière opaque et caverneuse. Brusquement le mérou s'en va ! Ça y est, ça devait arriver, je n'ai pas fini mon tableau, mais je n'en espérais pas tant...

Je pensais finir d'esquisser son environnement, lorsqu'il réapparaît après un instant d'absence pour reprendre la pose exactement à la même place. Je n'en reviens pas, ce poisson m'étonne. Peut-être a-t-il voulu me faire une blague ?

« Attention, tu fais de l'anthropomorphisme, les poissons ne font pas de blagues ! » me signale ma conscience qui vient régulièrement poser un cadre à ma rêverie.

La conscience est un garde-fou qui ressemble à une prison. Nous aussi, nous vivons dans des bocaux, prisonniers tels des poissons rouges. Nous avons inventé la prison de manière à y enfermer toutes sortes de choses. Pas seulement des hommes ou des animaux, mais aussi nos émotions, nos désirs, nos intuitions et, qui sait, peut être aussi notre prescience !

Mais il revient et avec lui je retourne à ma condition de poisson. Tout comme lui, mon corps est à l'horizontale et je reste suspendue en lévitation au-dessus du sol, comme lui je regarde l'autre dans ce dialogue muet. Comme lui, je suis curieuse de découvrir une autre forme de vie que la mienne. Les animaux dans la mer qui ne nous craignent pas encore viennent spontanément à nous, juste pour regarder. Le voyage est dans cette vision.

Peut-être que la délivrance c'est d'oublier notre appartenance au règne humain, de regarder la nature sans le regard du conquérant. Comme moi, ce poisson est un enfant du monde. Ça fait bien vingt-cinq minutes que je peins. Je perçois les nuances lumineuses sur ma rétine, c'est un enchantement. La matière visqueuse et bleue m'envoûte, s'empare de moi et me traverse. Vais-je me dissoudre comme un cachet d'aspirine ?

Une fois encore, tu quittes ta place. Mais cette fois, je t'attends, car je me dis que tu reviendras. Et en effet, après un court instant, tu es revenu à la même place pour prendre la pose. Tu me combles !

Je suis heureuse d'être là, comme dans un songe, loin du monde connu. Tout est BLEU ! Bleu ocre, bleu-vert, bleu-mauve, bleu-gris, des bleus à l'infini. Par moments mon attention se porte sur mon corps, sur mes jambes. Je goûte à la sensation d'apesanteur. Je flotte et bouge sans effort, et lorsque je reste immobile, une seule inspiration me soulève. Légère comme un souffle est mon âme lorsque je plonge en elle. J'essaye de comparer la densité de mon corps avec celle de l'eau. Je m'extasie de cet état comparable à nul autre.

Le mérou me regarde toujours. Comment fait-il pour ne pas se lasser ? Combien de fois cela m'est-il arrivé de fixer quelqu'un dans les yeux en silence pendant quarante-cinq minutes ? Je prends le temps de finir mon tableau, l'essentiel est accompli, il n'y a plus d'urgence. Et là, quelque chose de totalement inattendu se passe. Le mérou repart, mais ce n'est pas pour revenir une fois de plus : il s'installe derrière moi, légèrement en surplomb, comme s'il voulait contempler mon travail par-dessus mon épaule ! Mon cœur bat un peu plus vite. Je me retourne, son regard tranquille et globuleux me considère sans se soucier de ma surprise.

Je me remets à dessiner, me souvenant de l'époque où j'étais enfant et où mon père venait sur la pointe des pieds passer de longues minutes à me regarder travailler. J'entendais sa respiration dans mon dos et lorsque sa présence devenait trop pesante, je marmonnais une plainte, puis il me répondait : « Fais comme si je n'étais pas là. » Tu parles que t'es pas là, je m'en souviens encore ! Il lui arrivait parfois de s'exclamer devant une performance graphique. Mon crayon courait sur le papier tel l'oiseau dans le ciel. Je sortais de ma prison pour être une danseuse, un poisson, un arbre ou un nuage. Je quittais mon corps afin de m'envoler dans les sphères de l'esprit et de la pensée. La pensée rend léger, nous nous déplaçons mentalement beaucoup plus vite que notre corps.

Le mérou est toujours là, dans mon dos. Je suis impressionnée par son comportement, mais je feins de l'ignorer. Malgré tout, sa présence est énorme. Puis je perçois une turbulence dans l'épaisseur de l'eau. Le poisson effectue un demi-tour, contourne la roche et vient se remettre à sa place.

Mon tableau est fini, il me reste cinquante bars pour faire tranquillement un palier à trois mètres. Mon binôme m'attend maintenant sur le Zodiac, je l'ai aperçu une fois ou deux, discret comme une ombre, qui passe en silence pendant ma séance de dessin.

Je te regarde à nouveau, mérou, mais ma vision a changé. Tu n'es plus le même pour moi. Tu m'as enseigné quelque chose qui ne se nomme pas. Je sens déjà les conséquences de cette connaissance sur mon esprit. Je remonterai avec la vision d'une plénitude. Je vois mieux maintenant que ce matin.

M.

« »

En cordée avec la mort
ROBERT STÉNUIT

LÉGENDE de la plongée, ce Belge entreprenant a commencé par faire de la spéléologie sous-marine, avant de se tourner vers la chasse au trésor et la quête des galions engloutis. Au cours de ses nombreuses années de recherche, Robert Sténuit a ainsi découvert plusieurs épaves fameuses. Ce scaphandrier modeste et aventureux a même passé deux jours et deux nuits par cent trente mètres de fond dès 1964 aux Bahamas, devenant ainsi l'aquanaute le plus profond du monde ! Robert Sténuit a écrit des livres de qualité sur ses plongées, sur l'archéologie sous-marine et aussi sur les dauphins (l'excellent *Dauphin mon cousin**), qu'il a souvent eu l'occasion de côtoyer.

Dans la nuit du 11 novembre 1956, dans la baie de Vigo en Espagne, un bateau de pêche de Moaña, l'*Ave del mar*, était jeté par la tempête sur les rochers des îles Ciès. Le patron avait manqué la passe entre les deux îles masquées par la pluie ; on retrouva au matin deux cadavres abandonnés dans les rochers par la marée descendante. C'était la seule trace de l'*Ave del mar* et des vingt-six hommes qu'il portait.

L'émotion à Moaña et dans toute l'Espagne fut énorme. Dans ces villages de pêcheurs qui vivent repliés sur eux-mêmes, tout le monde est plus ou moins frère, cousin ou neveu, et les vingt-six disparus formaient une seule famille, du petit mousse au patron. Presque tous laissaient une veuve et de nombreux enfants.

Deux *buzos* (scaphandriers pieds lourds) bénévoles s'offrirent à rechercher les restes du bateau et surtout des cadavres. Les veuves et les mères profondément pieuses attachaient une extrême importance à savoir leurs morts enterrés chrétiennement. Or le fond de la passe est un chaos d'énormes blocs de pierre, entrecoupé de gorges étroites, de falaises et de pics. Sur un tel fond, le scaphandrier lourd, rivé au sol par nature, traînant ses semelles de plomb et engoncé dans son épais vêtement, doit à tout moment escalader des murailles abruptes et descendre dans des ravins en gonflant son costume pour s'élever et en le dégonflant à chaque fois pour redescendre, opération toujours délicate, tandis qu'un plongeur autonome plane sans poids au-dessus de tous les obstacles.

Les pieds lourds ne purent donc que se faire descendre aux endroits les plus probables, regarder autour d'eux et se faire remonter. Ils cherchèrent de cette façon pendant plusieurs jours sans aucun résultat.

Le 15 novembre, alors que nous étions en train de plonger à la recherche d'un galion sur les Carrumeiros, un petit bateau de pêche rouge, la *Maruja*, le drapeau en berne, vint nous accoster.

Un homme carré en costume noir, pardessus noir et large béret noir monta à bord du *Dios te guarde* ; il se présenta : « Don Eduardo... », copropriétaire de l'*Ave del mar*, père du patron, oncle ou cousin de la plupart des disparus. L'homme parlait très vite et très haut, dans un *gallego* (patois galicien) rauque ; il était manifestement à bout de nerfs. Il nous dit qu'il avait été sur l'île jour et nuit depuis le lendemain du naufrage, attendant que la mer rejette le corps de son fils ; il ajouta que les *buzos* avaient fait leur possible, mais qu'ils ne pouvaient rien, que nous étions son dernier espoir et que, pour nous faire venir, il était prêt à nous payer deux mille pesetas par cadavre, somme que nous refusâmes évidemment. Il parlait en gesticulant et répétait dix fois la même chose comme s'il avait peur de se taire ou de penser.

Ce même jour, nous commencions les recherches dans la passe entre les îles ; la profondeur moyenne était faible, une quinzaine de mètres environ, mais le fond chaotique était couvert d'une épaisse couche d'algues mortes ; sur des pointes de rocher étaient restés accrochés des lambeaux de filets, et dans une crevasse je repérai une poutre brisée aux deux extrémités comme un fétu, le seul reste du bateau que j'aie pu remonter au pauvre don Eduardo.

Les deux jours suivants, la violence du vent Norte nous fit rebrousser chemin avant la sortie de la baie. Enfin, le samedi, le vent tomba et nous avons entamé une recherche systématique : je fis mouiller sur une ligne d'ancrage de deux cents mètres de long, parallèle à la rive nord de l'île. Chaque plongeur, guidé par la *chalana* en surface, nagerait perpendiculairement du bateau vers la rive en un va-et-vient continu, et chaque fois le bateau se déplacerait sur son câble de dix mètres, d'est en ouest.

Florent plongea le premier ; après six allées et venues, il trouva un tank (réservoir) de gas-oil intact. Je plongeai après lui un peu à l'est de Punta Galera ; la visibilité était bonne et dès la fin du premier parcours, très près du rivage, je découvris au fond d'un profond ravin le cube clair de l'autre tank ainsi qu'un réservoir d'eau, calé dans une fissure ; puis, en suivant le ravin vers l'ouest, l'axe et l'hélice amputée de ses trois pales.

Je revins au tank, la muraille extérieure du ravin continuait vers l'est en une haute falaise unie qui, me disais-je, avait dû arrêter tout ce que la tempête avait pu drosser vers la terre. Je suivis le pied de la falaise, le fond de petits rochers descendait légèrement vers une large poche de sable ; là, des débris de bordage et de tôles, des bottes et des ferrures de gouvernail formaient une trace que je n'avais plus qu'à suivre jusqu'à une forme blanche, d'un blanc d'ivoire étonnant : un cadavre nu, reposant sur le fond. Le temps de le reconnaître, je détournai les yeux : deux autres cadavres étaient à ma droite ; je les dépassai et aperçus le corps d'un enfant, les bras en croix, les traits apaisés, à demi enfoui sous les algues.

J'étais au centre d'un tourbillon où les courants convergents avaient amassé le sable et les algues mortes, et où les corps étaient enfin venus se rassembler. J'en comptai treize ; ils paraissaient très grands sous l'eau, la plupart nus ou demi-nus avec les jambes et les bras si blancs et décontractés, étendus sur le dos comme dans leur sommeil ; le nez était effacé, la peau, les joues et le cuir chevelu flottaient doucement tout autour du visage, les orbites étaient vides et les lèvres gonflées découvraient les mâchoires. Tous étaient sereins et en paix, pas de crispation des membres, pas de grimace sur ce qui restait des traits. Ici et là, deux jambes blanches ou un large dos blanc dépassaient des épaisses algues brunes.

De l'autre côté du tourbillon, la cabine intacte avec la cheminée reposait sur le sable et, tout près, le petit treuil à tambour ; au pied de la falaise : une tête chauve et deux mains, jointes en prière comme celles d'un gisant, émergeaient seules d'un fouillis végétal.

Je m'élevai un peu, l'eau était claire et j'embrassai d'un seul coup d'œil tout le cimetière marin avec ses treize cadavres et leurs vêtements épars, le jaune clair des cirés, les pantalons bleus et les chemises à carreaux comme on en voit dans tous les bazars de Galice. Il fallait maintenant remonter. De retour à bord, je mis tout le monde au courant ; un bateau de Moaña était là avec cinq ou six frères ou cousins des disparus qui suivaient nos efforts. Ils reçurent la nouvelle avec calme et parurent soulagés d'un grand poids.

Nous replongeâmes à trois, Johnny afin de continuer l'exploration vers l'est à la recherche du moteur, Florent et moi avec l'intention d'attacher les corps à deux longues cordes ; par gestes nous nous partageâmes la besogne, ceux de gauche pour moi, un groupe de cinq, à droite pour lui. De jolis poissons bleu d'azur et orange aux nageoires lumineuses s'enfuyaient à mon approche. Les premiers cadavres se touchaient, je prenais une boucle de corde que je leur passais autour des hanches ; ils étaient si légers dans l'eau, je les soulevais sans effort afin de les ceinturer et leurs bras ballants se refermaient sur moi... Un bon nœud, et au suivant. Une fois les quatre premiers attachés, les autres étaient assez loin : comme ma corde n'y eût pas suffi, il fallait les remorquer. Je m'arc-boutai sur un rocher, pris une large inspiration et tirai de toutes mes forces ; l'inertie une fois vaincue, mes quatre cadavres se levèrent docilement et me suivirent debout en dansant lentement de gauche à droite ; je les menai ainsi et remontai le bout de ma corde. Florent était déjà en surface et la V12, petite vedette garde-pêche de Vigo, arrivait sur les lieux. Johnny remonta à son tour, il avait découvert et balisé le moteur.

Quand nous commençâmes à haler sur la corde, le premier qui apparut était le mousse, un petit corps malingre de quatorze ans, puis tous les autres, que notre patron, Alfonso, saisissait à bras-le-corps pour les hisser dans la vedette ; Juan et Faustino les transportaient à la poupe où s'élevait maintenant un entassement de corps haut de deux mètres. Les marins de la vedette massés à la proue regardaient ailleurs, l'un d'eux vomissait, plié en deux sur la lisse.

Puis, pendant quatre jours, la mer fut mauvaise ; la houle d'ouest brisait furieusement sur Punta Galera. Incapables d'approcher, nous regardions l'endroit fatal du haut des falaises de l'île ; les courants tourbillonnaient, se heurtaient en de blanches explosions d'écume et chaque fois le vent nous apportait l'odeur douce et tenace de la mort.

Dès que la mer fut moins montagneuse, nous y retournâmes. La houle pourtant brisait encore si dangereusement que Faustino ne pouvait pas nous suivre en surface, et l'écume cachait nos bulles. Au fond, la violence des vagues faisait vibrer mes tuyaux d'air, menaçant d'arracher mon masque ; je m'agrippais au rocher pour résister au ressac puis, comme une balle, je me laissais filer avec la vague suivante ; les violents courants avaient rassemblé de nouveaux cadavres dans le même tourbillon, cinq cette fois, que le va-et-vient de la houle roulait sans fin de côté, trois mètres à gauche, trois mètres à droite, et qui m'échappaient lorsque je croyais les saisir.

Mes noyés une fois attachés, je considérai l'étrange corde ; il m'arrive en plongée de me prendre ainsi à admirer cet autre monde et ces actes d'une autre vie dont il faut goûter à l'instant la saveur unique ou amère parfois, car le souvenir qu'on en emporte en surface n'en est que l'insipide traduction, en des termes d'un autre univers. Je me regardais donc vivre cet instant rare, ballotté par les vagues sous quinze mètres d'eau, seul avec mes blancs compagnons de cordée aux visages effacés que la houle animait d'une dernière vie. Je restais ainsi à songer quand, de derrière, on me frappa légèrement sur l'épaule...

Je tressaillis des pieds à la tête, un nœud se fit dans ma poitrine, ma respiration se bloqua et je me retournai d'un bloc, tout cela en une fraction de seconde, si vite que je ne pensai pas.

Alors je vis.

Je vis, je fermai les yeux un instant et pris une profonde inspiration : ce qui venait ainsi de me taper sur l'épaule n'était qu'un bordage brisé de l'*Ave del mar*, la base calée dans les rochers, et que la houle agitait rythmiquement comme un métronome.

Jour après jour nous y revînmes, et jour après jour la mer rassembla pour nous les corps des autres disparus. Ils reposent maintenant les uns à côté des autres dans les niches pariétales du petit cimetière de Moaña. La mer n'en garda que deux pour elle, qu'elle roule encore, Dieu sait où dans les profondeurs de ses eaux.

Et pendant longtemps il m'arriva de regarder soudain fixement ces marins galiciens, tous semblables, et je me prenais à les voir morts et trouvais qu'ils ressemblaient étonnamment aux cadavres qu'ils feraient un jour.

R. S.

« »

Dieu m'a ouvert ses bras
Yoram Zekri

Adolescent, Yoram Zekri était asthmatique, trop grand pour son âge et en difficulté scolaire. Mais cet athlète d'un mètre quatre-vingt-quinze, avec une capacité pulmonaire de neuf litres, a su suivre sa propre voie, celle du *Grand Bleu*. Il s'est longtemps entraîné, d'abord en natation puis en bouteille, avant de se consacrer à l'apnée. Yoram a écouté la mer, a côtoyé dauphins et baleines, devenant ainsi un champion d'apnée reconnu (vice-champion du monde, trois records de France et une plongée à moins cent vingt et un mètres en apnée *no limit*). Il pratique et enseigne son art à Tahiti, où il travaille dans la vidéo sous-marine, au sein de sa propre société de télévision et d'événementiel. Voici le récit intérieur de son dernier record.

Allongé sur le dos dans le bateau, je ferme les yeux et visualise la totalité de ma descente. Ce matin les meilleures conditions sont au rendez-vous et les dauphins eux-mêmes nous ont accueillis à la sortie du lagon comme pour nous souhaiter bonne chance. C'est un bon présage et cette rencontre a réjoui l'équipe qui m'encadre – une dizaine de personnes environ. Je suis relâché, détendu. L'échauffement s'est bien

passé et si les baleines restent invisibles, leur chant mélodieux, venu de loin, nous enchante à chaque descente.

Dans l'eau, Fred s'occupe de vérifier une dernière fois le
matériel. Il est mon ami, comme un frère, et doit venir à ma
rencontre à la profondeur de trente mètres pour m'accompagner lors des derniers mètres de la remontée. Je vérifie que
le matériel de sécurité que je porte sur ma combinaison est
bien en place, puis je descends doucement dans l'eau. Déjà
mon esprit est ailleurs et toute l'équipe a beau s'agiter autour
de moi, je ne les entends plus. Mon regard est désormais
tourné à l'intérieur de moi-même et je suis à l'écoute des
moindres sensations exprimées par mon organisme.

Je m'assieds sur la gueuse, cet ascenseur des abysses qui
permet de descendre et remonter sans effort. Je ferme les
yeux et n'entends plus que les battements de mon cœur. Ma
respiration se calque sur ce rythme lent et régulier, puis je
mets en place mon pince-nez.

Fred lance le compte à rebours. Encore trois minutes avant
de lâcher le frein et de partir pour ce voyage que j'aime
tant. Ma respiration est ample ; le vide s'accentue dans ma
tête. Une minute. Le chronométreur égrène le temps afin
d'informer l'équipe. Chacun a son rôle. Les quatre plongeurs
de sécurité s'enfoncent dans le bleu. Ils seront mes anges
gardiens. Cinq, quatre, trois, deux, un, zéro. Je souris au
soleil comme pour lui dire adieu, prends une dernière grande
inspiration et j'ouvre le frein...

L'eau chaude et limpide glisse sur mon visage et je suis bien.
Je ne suis plus humain. Je me dissous complètement et ne
suis plus que de l'eau qui se mélange à l'eau. L'océan m'ab-
sorbe, m'attire dans le ventre maternel de l'humanité. Je
glisse le long du câble qui relie les deux mondes, je tombe
sans fin, propulsé dans cet univers vertical qui me réconforte

si bien. Moins soixante mètres. Les plongeurs de sécurité crient dans leur détendeur afin de m'avertir de la profondeur, mon seul véritable repère. Au-delà, plus personne. Seulement un tête-à-tête en amoureux, flirt sensuel et langoureux avec l'eau, la mer. Je m'enfonce doucement dans cette obscurité qui m'apaise ; la pression s'exerce, mais ce n'est pas douloureux. Je la laisse m'envahir sans résister, tout en me concentrant sur la compensation de mes oreilles. À chaque mètre, la sensation de bonheur s'intensifie, s'aiguise jusqu'à me transpercer. Cette impression que je connais si bien m'indique que je viens de passer la barre des moins cent mètres.

Je glisse sans fin, l'obscurité devient presque totale et les abysses sont mon royaume. Le temps paraît se ralentir, le bruit de la gueuse qui coulisse sur le câble se fait plus sourd, plus distant et l'eau plus épaisse, plus lourde. Je pénètre dans cette dimension nouvelle où s'exerce seulement l'essence première de la vie, ce fluide invisible qui semble éternel.

Une dernière compensation et d'un coup la gueuse se pose sur le disque de fonte qui leste le câble ; la descente s'arrête. Silence et plénitude m'envahissent ; le temps ralentit encore. Mon esprit s'évade et mon corps n'existe plus. Je ne suis plus qu'une âme au milieu de l'infini absolu. Mis à nu, je n'ai plus rien à cacher et m'abandonne complètement à l'étreinte de ma maîtresse liquide et sensuelle. Je n'ai pas peur, je suis serein, car c'est là que j'ai choisi d'être, que ce soit pour quelques instants ou pour toujours. Je m'imagine serrer dans mes bras les gens que j'aime ; ils sont là à me regarder et à sourire. La pression produit sur mon cerveau cette ivresse tant redoutée en surface mais qui maintenant m'apaise et me séduit. Un écho bien connu me ramène à la réalité. Même à cette profondeur, le chant des baleines m'envoûte, cette fois plus que jamais, et leurs vibrations font vibrer ma cage thoracique. Encore un chant mélodieux pénétrant mes entrailles et ma lucidité s'échappe à nouveau. Je les imagine m'escortant plus bas encore dans les abysses, accroché sur leur dos titanesque. Sont-elles là, juste à côté de moi dans l'obscurité ? M'ont-elles accompagné et observé dans mon étreinte érotique et passionnée avec la mer ? Je ne le saurai jamais, pourtant, à ce moment-là, Dieu m'a ouvert ses bras et j'ai caressé son visage.

Ici je suis chez moi et chaque fois remonter est un choix. J'actionne le gonflage du parachute qui m'arrache du fond. Plus la pression diminue et plus la vitesse de remontée s'accélère. Je me laisse bercer par les bulles qui s'échappent. Les effets liés à la pression disparaissent, le retour à la réalité m'envahit. Accroché derrière mon ballon, je suis sur un manège à la fête foraine. À nouveau les cris des plongeurs à moins soixante mètres, puis la tape dans le dos de Fred à trente mètres ; je lâche le parachute. Là, je m'accroche au câble et remonte doucement à l'aide des bras, les mains l'une devant l'autre. Totalement détendu, je ne ressens aucune envie de respirer. En ouvrant les yeux, je vois Fred en face de moi, il me rassure. La mer est la matrice. La remontée est un accouchement et lorsque je reprends ma respiration, je suis un nouveau-né qui respire pour la première fois.

Fred saisit mes deux profondimètres fixés sur ma cheville et mon poignet. Moins cent quarante et un mètres. Il me tape dans la main et me serre dans ses bras. C'est un record pour toute l'équipe et il va annoncer la nouvelle aux plongeurs qui se trouvent encore à trois mètres de fond pour leur palier de décompression. Mais les chiffres ne sont pas importants. Le principal est d'être allé plus loin dans cette recherche de vérité et d'absolu, cette recherche de soi-même. Le bonheur est d'avoir partagé de l'amour, de la sensualité extrême pendant ce court moment où la mer m'a accueilli dans son ventre.

Y. Z.

CONCLUSION

Pour finir,
un formidable éclat de rire

Voici la transcription d'une conversation ahurissante, captée le 16 octobre 1997 sur le canal 106, fréquence des secours maritimes de la côte du Finisterre (Galice, Espagne) entre Américains et Espagnols :

Galiciens (bruit de fond) :
« Ici le A-853, merci de bien vouloir dévier votre trajectoire de quinze degrés au sud pour éviter d'entrer en collision avec nous. Vous arrivez directement sur nous à une distance de vingt-cinq milles nautiques. »

Américains (bruit de fond) :
« Nous vous recommandons de dévier vous-même de votre trajectoire de quinze degrés nord pour éviter toute collision. »

Galiciens :
« Négatif ! Nous répétons : déviez de votre trajectoire de quinze degrés sud pour éviter la collision. »

Américains (voix différente de la précédente) :
« Ici le capitaine ! Le capitaine d'un navire des États-Unis d'Amérique. Nous insistons : déviez votre trajectoire de quinze degrés nord pour éviter la collision. »

Galiciens :
« Négatif ! Nous ne pensons pas que cette alternative puisse convenir, nous vous suggérons donc de dévier votre trajectoire de quinze degrés sud pour éviter la collision. »

Américains (voix irritée) :
« Ici le capitaine Richard James Howard, au commandement du porte-avions *USS Lincoln* de la Marine nationale des États-Unis d'Amérique, le second plus gros navire de guerre de la flotte américaine ! Nous sommes escortés par deux cuirassiers, six destroyers, cinq croiseurs, quatre sous-marins et de nombreuses embarcations d'appui. Nous nous dirigeons vers les eaux du golfe Persique pour préparer les manœuvres militaires en prévision d'une éventuelle offensive irakienne. Nous ne vous suggérons pas, mais nous vous *ordonnons* de dévier votre route de quinze degrés nord ! Dans le cas contraire, nous serions obligés de prendre les mesures qui s'imposent pour garantir la sécurité de cette flotte et de cette force de coalition. Vous appartenez à un pays allié, membre de l'OTAN et de cette coalition ; s'il vous plaît, veuillez obéir immédiatement et *sortez de notre trajectoire...* »

Galiciens :
« Ici c'est Juan Manuel Salas Alcántara qui vous parle ; nous sommes deux personnes, nous sommes escortés par notre chien, notre bouffe, deux bières et un canari, qui est actuellement en train de dormir. Nous avons l'appui de la radio de Corogne et du canal cent six, "urgences maritimes". Nous ne nous dirigeons nulle part, dans la mesure où nous vous parlons de la terre ferme. Nous nous trouvons ici dans le phare A-853, au Finisterre de la côte de Galice. Nous n'avons pas la moindre idée de la position que nous occupons au classement des phares espagnols. Vous pouvez

prendre toutes les mesures que vous considérez opportunes, car nous vous laissons le soin de garantir la sécurité de votre flotte qui va se "ramasser la gueule" sur les rochers ! C'est pourquoi nous insistons à nouveau et vous rappelons qu'il serait plus logique et raisonnable pour vous de dévier votre trajectoire de quinze degrés sud afin d'éviter de nous rentrer dedans ! »

Américains :
« Bien reçu, merci... »

En conclusion de ce livre où tant de voix s'entrecroisent afin d'exprimer l'inexprimable, laissons les derniers mots au poète aquatique Paul Valéry dans ses *Inspirations méditerranéennes** :
« Je m'excuse. Je me suis laissé entraîner... Mais n'allez pas croire que ce soit là de la *philosophie*... Je n'ai pas l'honneur d'être philosophe... Si je me suis laissé entraîner, c'est qu'un regard sur la mer, c'est un regard sur le possible... »

BIBLIOGRAPHIE

Introduction

DIOLÉ Philippe, *L'Aventure sous-marine*, Albin Michel, 1951

SLOCUM Joshua, *Seul autour du monde sur un voilier de onze mètres*, Chiron, 2000

I. SUR L'EAU

ASHLEY CLIFFORD W., *Le Grand Livre des nœuds* (traduit par Karine Huet), Gallimard, 1979

ATWOOD Margaret, *Alias Grace*, Bloomsbury, 1996

BARICCO Alessandro, *Océan mer*, Gallimard, « Folio », 2002

BUZZATI Dino, *Le Désert des Tartares*, Pocket, 2004

CERVANTÈS Miguel de, *Don Quichotte de la Manche*, Seuil « Points », 2001

COLERIDGE Samuel Taylor, *Le Dit du vieux marin*, Corti, 1988

CONRAD Joseph, *Le Nègre du* Narcisse, Autrement, 1998

COOK James, *Relations de voyages autour du monde, 1768-1779*, La Découverte, 1977

CORRÉARD A. et J-B SAVIGNY *Le Naufrage de la Méduse*, 1817, Cartouche, 2005

GIL-ARTAGNAN Nady et André, *Le Grand Voyage du* Pount, Glénat, 2003

GUILLERM Luc-Christophe, *Naufragés à la dérive*, L'Harmattan, 2004

HENDRIX Jimi, *Electric Ladyland*, Polydor, 1968

HERVÉ Alain, *Au vent d'aventure, à la recherche des îles perdues*, Arthaud, 1970

HUET Karin, *À même la mer*, Glénat, 2001

HUET Karin, *Bienvenue à Men Ruz City*, Syros Jeunesse, 1997

HUET Karin, *Mes jambes à son cou*, Ramsay, 1992

HUET Karin et LE CORRE Yvon, *Heureux qui comme Iris*, Gallimard-Jeunesse, 1978

HUGO Victor, *La Légende des siècles*, Gallimard, « Folio », 2002

KAZANTZAKIS Nikos, *Alexis Zorba*, Pocket, 2002

LA CROIX, Robert de, *Mystères de la mer*, Plon, 1957

LAMAZOU Titouan et HUET Karin, *Un hiver berbère*, J. Laffitte, 1990

LONGO Louise, *Elle dort dans la mer*, J'ai Lu, 1997

MELVILLE Herman, *Moby Dick*, Flammarion, « GF », 2000

MERRIEN Jean, *Les Drames de la mer*, Club des Amis du Livre, 1961

MOITESSIER Bernard, *La Longue Route*, Arthaud, 2005

MORRISSON Jim, *Strange Days*, Electra, 1967

OLLIVIER Jean-Paul, *Drames de la mer*, MDV, 2004

PACCALET Yves, *La Vie secrète des dauphins*, L'Archipel, 2002

PACCALET Yves, *Mystères et légendes de la mer*, Arthaud, 2004

PERRET Jacques, *Rôle de plaisance*, Gallimard, « Folio », 1975

POE Edgar, *Aventures d'Arthur Gordon Pym*, Gallimard, « Folio », 1975

RAIOAOA Tavae, *Si loin du monde*, Pocket, 2004

Reed's Nautical Almanach, 2005

STENDHAL, *La Chartreuse de Parme*, Gallimard, « Folio », 2003

VERNE Jules, *Vingt Mille Lieues sous les mers*, Flammarion « GF », 2005

WILLIAMS Charles, *Calme blanc*, Gallimard, « Folio Policier », 2003

WYNNE Barry, *L'Agonie du Tearoba*, Flammarion, 1967

II. DANS L'EAU

BACHELARD Gaston, *L'Eau et les rêves*, LGF, « Le Livre de Poche », 2003

COLOANE Francisco, *Cap Horn*, Phébus, « Libretto », 2005

DASH Mike, *La Terrifiante histoire des naufragés du Batavia*, Le Livre de Poche, 2003

DIXON Peter, *Le Guide complet du surf*, Atlantica, 2004

DIXON Peter (avec Laird Koenig), *Attention les enfants regardent*, Le Livre de Poche, 1972

GUYAUX Dominique, *Quand je serai seul avec la mer...*, TF1 Éditions, 1995

JANICHON Gérard, *Damien autour du monde*, Transboréal, 2002

LAUTRÉAMONT, *Les Chants de Maldoror*, LGF, « Le Livre de Poche », 2001

LE CORRE Yvon, *Carnets d'Irlande*, Le Chasse-Marée, 1987

LE CORRE Yvon, *Antarctide*, Gallimard Loisirs, 1992

LE CORRE Yvon, *Les Outils de la passion*, Le Chasse-Marée, 2001

LE CORRE Yvon, *Taïeb*, Le Chêne, 2002

LONDON Jack, *La Croisière du Snark, Le Pacifique à la voile*, 1908, Éditions Ouest-France, 2002

MASUREL Laurent (avec Hugo Verlomme), *Le Bodysurf, Aux origines du surf*, Atlantica, 2002

MICHAUX Henri, *Ecuador*, Gallimard, 1990

MICHELET Jules, *La Mer*, Gallimard, « Folio », 1983

PASQUET Jean-Marc, *Le Don de Qâ*, LGF, « Le Livre de Poche », 2003

PASQUET Jean-Marc, *Libre toujours*, J.-C. Lattès, 2004

PASQUET Jean-Marc, *Nègre blanc*, Robert Laffont, 1996

PELIZZARI Umberto, *L'Homme et la mer*, Arthaud, 2004

PINCZON DU SEL France, *À la grâce d'un coup de mer*, Georama, 2002

VALÉRY Paul, *Inspirations méditerranéennes*, in *Variété* III, Gallimard, 1936

VERLOMME Hugo, *Cent Pages de vagues*, Pimientos, 2001

III. SOUS L'EAU

BEEBE William, *En plongée par 900 mètres de fond*, Grasset, 1935

DOAK Wade, *Ambassadeur des dauphins*, JC Lattès, 1993

MAYOL Jacques, *Homo Delphinus*, Glénat, 1986

SHAKESPEARE William, *Richard III*, Librio, 2004

STÉNUIT Robert, *Les Épaves de l'or*, Le Livre Contemporain, 1958

STÉNUIT Robert, *Dauphin mon cousin*, Le Livre de Poche, 1972

CET OUVRAGE
A ÉTÉ ACHEVÉ D'IMPRIMER
SUR CAMERON
PAR L'IMPRIMERIE NIIAG
À BERGAME (ITALIE) EN FÉVRIER 2006

Composition et mise en page

NORD COMPO
m u l t i m é d i a

N° d'édition : FZ018602
Dépôt légal : Janvier 2006